Вячеслав Пьецух

Весёлые времена

Рассказы

МОСКОВСКИЙ РАБОЧИЙ

1988

ББК 84Р7
П96

Пьецух В. А.
П96 Веселые времена: Рассказы.— М.: Моск. рабочий,
1988.— 239 с.

Вячеслав Пьецух пишет легко, свободно и весело. Тем удивитель-
нее непростая судьба его прозы. В книгу «Веселые времена» вошли
рассказы, которые долго пробивались к читателю. И это при том,
что московский писатель Вячеслав Пьецух ставит перед собой вполне
традиционную задачу — исследование русского национального характера средствами художественного слова. В его рассказах, скорее
грустных, чем смешных, открываются те стороны жизни, которые еще
не так давно избегала затрагивать современная литература: духовные
искания, конфликт (а не его суррогат) личного и общественного, не-
задавшаяся судьба. Но как ни горьки иные из открытий, эта книга —
светлая, ибо лейтмотив ее — любовь к своему народу, к своей стране.

П $\dfrac{4702010201{-}225}{М172(03){-}88}$ Без объявл.   ББК 84Р7

ISBN 5—239—00155—3

ВЕСЕЛЫЕ ВРЕМЕНА

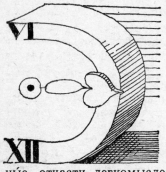

то были веселые времена, чудные, отчасти легкомысленные, но, честное слово, веселые времена. Когда я вспоминаю о них, мое воображение материализует кондукторов в валяных сапогах и громоздкие радиолы.

В те годы мы носили несуразно узкие брюки и востроносые башмаки, а наши подруги — какие-то особенные нижние юбки, придававшие им нечто воздушное, неземное. В те годы мы танцевали один оглашенный танец, за который нас, как говорится, под белы руки выводили с праздничных вечеров, и экономили на школьных завтраках того ради, чтобы в субботу посидеть в каком-нибудь коктейль-баре: там мы представлялись друг перед другом до нервного истощения. В те годы человечество почему-то делилось на физиков и лириков, почему — сказать мудрено, в моде были диспуты на невозможные темы, а гармошку только-только сменила гитара, бывший инструмент парикмахеров. Кроме того, это были годы, когда еще не верили в гомеопатию и гипноз, когда ношение шейных платков считалось подозрительным с политической точки зрения, когда интеллигентным мальчикам давали тевтонские имена,— одним словом, веселые были годы.

Тогда у меня еще водились друзья. Наша дружба была восторженна и наивна, как фабричная самодеятельность. Например, кто-нибудь зайдет к тебе посреди ночи и с траурным выражением шепнет одно только слово: «Пойдем!»; это означало, что, не спрашивая ни о чем, нужно было одеться и следовать туда, куда тебя поведут, иначе ты как минимум «гад ползучий». По этой причине никто из нас в таких случаях не перечил другому и, надо полагать, не отказался бы последовать за товарищем, даже если бы его повели топиться. Я думаю, этой забавной модой мы были в первую голову обязаны пристрастию к разным малосерьезным книгам вроде романов Эриха Марии Ремарка, которыми в те годы травились все и которые теперь, кажется, не читают. У этого Ремарка герои, помнится, только и делали, что болели туберкулезом, глупо философствовали в солдатских сортирах, путались с кем по́падя и пили ямайский ром, но нам эти ремарковские бредни казались до такой степени романтичными, что, помнится, мы одно время даже разговаривали диалогами из «Жизни взаймы». Как-то весной я сломал ногу, свалившись с дерева, на которое залез от избытка чувств, и все то время, что я валялся в постели, наша тогдашняя братия у меня, как говорится, дневала и ночевала; мы развлекались тем, что играли на мелочь в покер, пили из рюмок воду, подкрашенную вишневым вареньем, и разговаривали диалогами из «Жизни взаймы»; положим:

— Кажется, я выпил слишком много.

— Что ты называешь — слишком много?

— Когда теряешь ощущение собственного «я».

— Раз так, то я всегда хочу пить слишком много. Я не люблю своего «я».

Ужасно стыдно!.. Странно даже, как это время ухитрилось оставить во мне какое-то светлое, задушевное ощущение, похожее на полузабытый приятный запах, которым повеет — и вдруг в тебе разольется радость, печальная радость, какая, например, нападает на человека, когда редко-редко в конце октября по ошибке зацветают яблоневые сады. Видно, чем-то особенно хороша была та юношеская пора, но чем?..— никак не могу припомнить! Я припоминаю, припоминаю, однако мне не припоминается ничего замечательного, кроме того, что в ту пору я лез вон из кожи, чтобы нравиться девочкам, пописывал стихи и водил дружбу с учительницей географии. Еще припоминается некое чрезвычайное состояние чувств, похожее на мартовское томление, ежеминутное ожидание праздника и еще на что-то очень глупое и торжественное, что, по моему мнению, должно было бы называться длинным латинским словом вроде «экстерриториальности». Это бестолковое состояние чувств вполне изображено в стихотворении моего собственного производства, обнаруженном мной совершенно случайно, в то время, когда я искал на антресолях ножовку, которой собирался что-то укоротить. Вот из него отрывок:

Снова в мире весна, небом политы лужи.
Это время меня беспокоит и кружит.
А вокруг так тепло, так светло и весенне,
Будто вдруг в понедельник опять воскресенье.

Это было написано мной в пятнадцать-шестнадцать лет, когда жизнь еще представляется вечными именинами и двум вещам не дается веры: собственной смерти и существованию мира до дня твоего рождения.

Примерно к этому времени относится создание еще одного, правда коллективного, сочинения. Называлось оно — «Атлантический кодекс», и я уже сейчас не сображу, почему оно так затейливо называлось. Но помню, как будто это было вчера: идет урок английского языка, я сижу у окна на последней парте, исподтишка разглядываю круглое колено моей соседки, и тут мне передают сложенный вчетверо тетрадный листок; это была записка, в которой предлагалось учредить что-то вроде свода законов для нашей тогдашней братии; идея показалась мне симпатичной, и я горячо ее поддержал. В тот же день мы собрались у меня дома и сочинили напыщенный документ. В преамбуле говорилось, что все подписавшиеся под «Атлантическим кодексом» должны до последних дней жизни блюсти его нормы, иначе позор падет не только на изменника, но также на его родителей и потомков. Все подписались, подписался и я. Что это были за нормы, сейчас я уже с точностью сказать затрудняюсь, но, кажется, все дело сводилось к тому, чтобы кровь из носа — прожить великолепную жизнь.

Первое время мы носились с «Атлантическим кодексом» как с писаной торбой и придирались к каждому мало-мальски значительному поступку с точки зрения его буквы и духа, но вскоре стали охладевать. И вот только мы стали охладевать, как прошел слух, будто наш товарищ Коля Широких безответно влюблен в девчонку из параллельного класса, у которой было прозвище Кукла — очень распространенное в веселые времена.

Коля страдал. Он то и дело слал Кукле записки, ходил к ней под окна, тратился на всякие безделушки, которые она неизменно ему возвращала, и даже, вроде меня, взялся писать стихи. Вскорости его страдания усугубились еще и тем, что мы устроили ему невыносимую жизнь, требуя, чтобы он немедленно прекратил эту любовную эпопею как противоречащую «Атлантическому кодексу», под которым он торжественно подписался. Помнится, в кодексе были правила, обязывавшие сохранять нравственную энергию для дел существенных, необыкновенных, и я бы сейчас многое дал за то, чтобы припомнить: а что мы, собственно, имели в виду... Но тогда наша братия была Колей сильно возмущена. Его любовная эпопея представлялась нам тем более оскорбительной, что Кукла, как выяснилось, была, в свою очередь, влюблена в одного знаменитого итальянского тенора и чуть ли не состояла с ним в переписке.

Словом, Коля Широких был первым из тех, кто изменил нашему «Атлантическому кодексу», с другими это случилось позже. Хотя Кукла и не относилась к нашей компании, скажу о ней, что она уже дважды была замужем и оба раза несчастливо. Одно время она жила с Колей, но это было недолго. Большинство же из нашей братии, как говорится, выбилось в люди. Один директор универсального магазина, к нему на козе не подъедешь; другой поэт-песенник, у него громадная дача псевдорусской архитектуры и иностранный автомобиль; третьего время от времени показывают по телевизору...

Я же ни то ни се. Правда, у меня высшее образование, но я уже сменил четыре места работы и сейчас подыскиваю себе пятое. Мне во всем не везет. Взять хотя бы следующее обстоятельство: я всю жизнь хотел мальчика, а между тем у меня две девочки. Жена было в третий раз забеременела, но вдруг заболела свинкой и сделался выкидыш; младенец был, ясное дело, мальчик.

Как это ни смешно, а я до сих пор пописываю стихи. Выходит что-то зловещее и нескладное, например:

> Мой гроб еще не сделан,
> Мой гроб еще шумит сосновыми ветвями...

Иногда ко мне по старой памяти заходит Коля Широких. Этот совсем неудачник. Он что-то изобретает, всех замучил своими прожектами, но прежде всего самого себя. Одет он бог знает как и вообще представляется

Сен-Симоном. Когда он приходит, мы пьем на кухне круто заваренный зверобой и вспоминаем про «Атлантический кодекс». В такие вечера на меня нападает тоска, тоска, а если на дворе еще и стоит дрянная погода, то непереносимо хочется прослезиться. Я смотрю на Колю Широких, точнее на его лысину, в которой отражается свет кухонной лампочки, и канючу, разумеется, про себя: «Интересно, если все кончается так обыкновенно, то зачем все так празднично начиналось?» Или: «Милые, волшебные веселые времена! Вы, как опростоволосившийся фокусник, вас жалко, вам хочется дать на чай. Где вы?»

ЗАМЫКАНИЕ В ВЕНЕ

опрос: имеет право на литературное существование рассказ, что называется, ни о чем, рассказ в первоначальном смысле этого слова? Положим, «Иванов проснулся, позавтракал, поехал на работу, повздорил с Петровым, помирился с Сидоровым, приехал с работы, перекусил, почитал, лег спать»; или же не имеет? Наверное, не имеет, потому что такой рассказ скорее тяготеет к понятию «жизнь», а жизнь и литература состоят в чрезвычайно запутанных отношениях. Ибо что такое рассказ в чисто литературном смысле этого слова? Рассказ — это специальное, то есть нацеленное, сочинение, которое сообразно той или иной цели до такой степени перелопачивает нашу жизнь, что ее бывает невозможно узнать; кроме того, настоящий рассказ умен и обычно производит действие мгновенного просветления, очень похожее на то, какое случается, когда стукнешься коленкой об острый угол. Одним словом, жизнь и литература состоят в том отдаленном родстве, которое называется — «нашему попу двоюродный священник».

Правда, в последнее время читателя сбивает с толку следующее литературное обстоятельство: девяносто процентов современных рассказов решительно ни о чем... А впрочем, если только тут не какое-то новое направление, даже этот цепеняший процент не в состоянии согнать читателя с той исконной позиции, что настоящий рассказ — это такая литературная вещь, которой автор все же что-то хотел сказать.

Исключение составляют, пожалуй, только всякие безобразные происшествия, когда они до такой степени изобличительно-безобразны, что выпирают из рамок понятия «жизнь» и очень приближаются к рамкам понятия «литература». Как, например, следующая история, которая в свое время наделала много шуму.

В городе Ленинграде, в начале Владимирского проспекта, жил молодой ученый по фамилии Толкунов. В последнее время о нем ничего не слышно, и сейчас будет ясно, почему о нем ничего не слышно, но в 1979 году он сделал открытие, которое принесло ему почти мировую славу: он открыл способ передачи электрической энергии на расстояние без помощи проводов. У нас этим открытием так были ошеломлены, что сразу дали Толкунову пятикомнатную квартиру в начале Владимирского проспекта, где он поселился с женой и тещей. В новой квартире они прожили душа в душу около полугода, и тут Толкунова посылают на электротехнический симпозиум в Вену, столицу вальсов.

Сборы были чисто русские, то есть долгие и панические. Ко всему, Толкунов наотрез отказался брать с собой чемодан, с которым его отец еще ездил строить Комсомольск-на-Амуре, и старый тренировочный костюм, который должен был заменить ему такое европейское приспособление, как пижама. В связи с этим женщинам пришлось войти кое в какой расход, что для них было, как говорится, нож острый, но ничего не поделаешь: купили шелковую пижаму и отличный коричневый чемодан.

Тем не менее Толкунов отправлялся в Вену с недобрым чувством. Причина его заключалась в том, что жена и теща надавали ему такую массу заказов, что он не мог перечитывать список без дурноты.

— Да где же я наберу столько валюты?! — говорил он, делая изумленно-обиженное лицо.— Если бы у меня был счет в швейцарском банке, тогда понятно. Но у меня его нет...

В ответ жена дула губы, и, судя по этому, можно было предположить, что она все же подозревает, что у Толкунова есть счет в швейцарском банке, что он все врет.

— А ты экономь! — говорила, в свою очередь, теща.— Не шикуй там, а экономь! Например, все идут в ресторан, а ты вскипяти водички, свари себе концентратный суп — вот тебе и валюта!

— Да ведь это, мамаша, срам! — возражал Толкунов.— Как вы не понимаете?!

Тогда теща строила ему долгий, тяжелый взгляд, в котором было что-то от запотевших окон, когда за ними собираются сумерки.

Как бы там ни было, супы и допотопный кипятильник фабрики «Физприбор» ему велено было взять.

Третьего сентября Толкунова проводили на Московском вокзале, четвертого он прибыл в Москву, пятого отбыл в Вену.

Вена почему-то не произвела на него сильного впечатления. Когда потом его спрашивали: «Ну, как там Вена?» — он пожимал плечами и отвечал:

— Хороший город, на Одессу похоже...

В первый же вечер, когда участники симпозиума отправились кутить в ресторан, Толкунов скрепя сердце готовился ужинать по-домашнему. Он достал кипятильник, пачку концентрированного супа и маленькую кастрюльку. Затем он набрал в туалете дунайской воды и включил кипятильник в сеть. Собственно, это и послужило причиной безобразного происшествия: он включил кипятильник в сеть — и столица вальсов погрузилась во тьму.

УГОН

ело было в одном маленьком городке из тех, о которых у нас говорят — большая деревня. Назывался этот городок до того уморительно, что диву даешься, как только позволили нанести его на географическую карту, и что себе думал тот, кто это название выдумал, и откуда только выкопалось такое неприличное слово.

Сразу за городом, там, где улица Карла Либкнехта превращалась в колдобистую дорогу и начинала обрастать конским щавелем, репейником и лопухами, находился здешний аэродром. Аэродром был самый заштатный, глубоко местного значения, а впрочем, ходили слухи, будто его собираются снабдить бетонированной полосой, но слухи ходили, а полосу все не строили. Тем не менее эта полоса уже так навязла на языках, что как бы она взаправду существовала, и если прибавить к ней обшарпанное здание аэровокзала, ремонтные мастерские, цепочку самолетов, похожих на больших майских жуков, когда они готовятся к взлету, и три низеньких домика, выкрашенных голубоватой известкой, очень чистеньких в погожие дни и странно неопрятных в пасмурные,— то мы получим место действия одной скверной истории, о которой в другой раз даже и не хочется вспоминать.

Началось все с того, что пилот третьего класса Сергей Клопцов, худой человек с приятным лицом и гладко причесанными белесыми волосами, угодил, что называется, в переделку. Но прежде нужно оговориться, что этот самый Клопцов был в отряде на хорошем счету: он считался грамотным и исправным пилотом, не пил, не безобразничал и со всеми состоял в ровных приятельских отношениях. Разумеется, и за ним водились кое-какие слабости, но, поскольку Клопцов принадлежал к породе людей, которым во всем везет, они ему сроду боком не выходили. Скажем, была у него в городе женщина, которую он посещал два раза в неделю с такой аккуратностью, с какой обстоятельные люди моются по субботам или занимаются самообразованием, и в то время как прочие летчики время от времени наживали на интрижках различные неприятности — в маленьких городах на этом деле еще можно нажить различные неприятности,— у Клопцова и волки были сыты, и овцы целы. За эту везучесть его многие недолюбливали, и больше других соседи по комнате, а именно второй пилот Кукин и штурман Опекунов, от которых, однако, Клопцов выгодно отличался тем, что брился два раза в день, застилал постель по-военному и отправлялся на боковую чуть ли не с первыми петухами.

Теперь о Кукине, который был не похож на Клопцова, как лед не похож на пламень — ну, с какой стороны ни посмотри, решительно антипод! Кукин был удивительно рыжий малый двадцати четырех лет от роду, с кроткими глазами навыкате, которые бывают только у людей, страдающих базедовой болезнью, и у людей с апельсиново-рыжими волосами. Саша Кукин только полгода как жил в отряде и тем не менее умудрился серьезно набедокурить: как-то под воскресенье он слетал за водкой в соседний районный центр. Его отстранили от полетов, и он запил горькую.

Как раз в тот день, на который пришлась завязка этой истории, Саша Кукин повздорил в столовой с начальником диспетчерской службы, потом выпил с огорчения три кружки пива, потом пошел домой, лег на кровать и стал размышлять о том, что из-за давешней ссоры в столовой его, вероятно, еще долго будут мариновать. Тут отворилась дверь и вошел Клопцов, который был бледен как полотно.

— Ты чего? — спросил его Кукин с некоторым испугом.

Клопцов не ответил; он лег на кровать одетым, чего за ним прежде не замечалось, заложил руки за голову и стал так пристально глядеть в потолок, как если бы он читал на нем что-то, набранное петитом. Минут через пять Саша поднялся, принялся за бритье и скоро ушел, напоследок оглушительно хлопнув дверью.

— Ты там гляди, чтобы был ни в одном глазу! — вдогонку крикнул ему Клопцов.— Завтра нам с тобой ни свет ни заря лететь...

Саша вернулся и выглянул из-за двери.

— Не свисти! — сказал он.— Неужели помиловали меня?!

Клопцов отвернулся к стенке и проворчал:

— Опекунова нефтяники покалечили, в больнице Опекунов. Так что, кроме тебя, лететь некому. Одним словом, чтобы был ни в одном глазу...

Вернулся Саша в двенадцатом часу ночи и, как было заказано, совершенно трезвым. Он разделся, залез под легкое одеяло и стал смотреть на голубоватое пятно, которое наследила полоска лунного света, пробивавшегося из-за ситцевых занавесок. И вдруг он почувствовал, что Клопцов не спит.

«Чего это с ним сегодня? — подумал Кукин.— Ну просто человека взяли и подменили...» У него даже отбило сон при мысли, что, возможно, с Клопцовым наконец-то стряслось что-то такое, отчего после как-то подташнивает на душе, и Саша в темноте злопыхательски ухмыльнулся.

Это отчасти странно, но Саша Кукин недолюбливал Клопцова, в сущности, беспричинно, просто недолюбливал, как можно недолюбливать какое-либо яство, которое по-своему и вкусно и питательно, а душа к нему не лежит. По-видимому, дело здесь было в малопонятной и тем не менее весьма распространенной в нашем народе неприязни к людям обстоятельным, живущим не на шермачка, а тонко знающим, что они хотят и что произойдет с ними завтра, и, главное, всегда умеющим устроить это завтра в скрупулезном соответствии с тем, что они хотят. Но на беду Саша Кукин ведать не ведал, что такие люди способны на самые невероятные вещи, просто-таки черт знает на что, измени им невзначай их путеводительная звезда и приключись с ними что-нибудь негаданное, постороннее, неподвластное воле, желанию и расчету. С Клопцовым же приключилась следующая история...

Утром того злополучного дня он отправился в город за самой обыденной зубной щеткой, поскольку из старой повылазила вся щетина. Неприятности начались уже с той минуты, как Клопцов сел в автобус: оказалось, что он позабыл взять мелкие деньги, без которых ему слегка было не по себе, как иному человеку без носового платка или расчески. Потом в магазине ему никак не хотели отдать двадцать четыре копейки сдачи, а норовили всучить на сдачу несколько карамелек. Из-за этих двадцати четырех копеек он опоздал на автобус и поэтому решил заглянуть к своей пассии, так как следующего автобуса нужно было ждать минимум полчаса. Вопреки ожиданию пассию дома он не застал, но зато застал в ее квартире многочисленную компанию: тут было человек пять парней, две совсем юные девушки и какой-то человек, который мирно спал на софе. Компания приветила Клопцова, и он, присев на крашеный стул, стал разглядывать девушек, говоря про себя: «Вот посижу пять минут с этими обормотами и пойду».

Как потом оказалось, клопцовская женщина уехала на две недели к родственнице под Тамбов и оставила ключи от квартиры своему двоюродному брату, который был мот, гуляка и вообще ветреный человек. Он был до такой степени ветреный человек, что соседи уже трижды науськивали милицию на его шумные кутежи. Так что этого даже следовало ожидать, что в то время как Клопцов разглядывал девушек и говорил про себя: «Вот посижу пять минут с этими обормотами и пойду» — на квартиру явился наряд милиции. Всю компанию, включая Клопцова и человека, который мирно спал на софе, привезли в ближайшее отделение, где хотя и был составлен обстоятельный протокол, но дело ограничилось было внушением и острасткой, как вдруг выясняется, что обе юные девушки-то несовершеннолетние, а между тем они несколько подшофе. По той причине, что только-только вышел указ об усилении ответственности за спаивание несовершеннолетних, милиция круто сменила курс: протоколы были переписаны заново, и задержанным объявили, что дело будет передано в городскую прокуратуру.

Клопцов вернулся к себе в седьмом часу вечера. Он лег на кровать и попытался заснуть, но спасительный сон не шел, и он промучился до утра. Временами ему становилось совсем невмоготу; он обмирал от страха и спрашивал себя: а не приснилась ли ему сегодняшняя катастрофа? Он слушал счастливое дыхание Кукина, и ему становилось донельзя горько из-за того, что ужасная беда свалилась именно на него, порядочного и дельного человека, а не на какого-нибудь алкоголика вроде Кукина или заведомого уголовника вроде Опекунова. Это казалось ему до того оскорбительно несправедливым, что он скрежетал зубами. Однако к утру он несколько успокоился и принялся рассуждать: он говорил себе, что теперь для него все кончено, что у него нет больше его честного имени, а стало быть, нет и будущего, о котором так следует понимать, что оно и есть жизнь, в то время как прошлое ноль без палочки, а настоящее занимательно только тем, что это будущее готовит; но теперь настоящее грозило ему самой отвратительной перспективой, то есть отсутствием будущего в правильном смысле этого слова. Только ему явилась эта идея, как странное, до ужаса новое чувство его постигло: как будто он потихоньку умер, а видит, слышит, осязает исключительно по инерции. Он даже зажмурился и сложил по-покойницки руки, чтобы совсем было похоже, как будто он мертв; он лежал и чувствовал, что у него заостряется нос и проваливаются глаза.

Наутро Клопцов поднялся с таким изможденным выражением на лице, что Саша Кукин поглядел на него и опешил.

В то утро предстояло доставить в соседнюю область кое-какую почту. Клопцов явился в диспетчерскую, прочитал метеосводку, получил карту, маршрутный лист и пистолет в дерматиновой кобуре. Когда же в диспетчерскую заглянул Саша Кукин, ему было объявлено, что его таки к полету не допускают. Оказалось, Клопцов доложил по начальству, что накануне Саша был сильно пьян, и недоразумение разрешилось только с обстоятельной экспертизой. Все это озадачило Кукина, и когда он пришел на стоянку, то прежде всего хорошенько присмотрелся к Клопцову, но, правду сказать, ничего знаменательного не приметил.

По обыкновению, они перекурили перед полетом и полезли в машину. Устраиваясь в сиденьях, Саша Кукин от удовольствия улыбался, а Клопцов слышно втягивал нервными ноздрями особый кабинный запах, приятнее которого нет ничего на свете. Потом Клопцов, выглянув в окошко, заорал: «От винта!» — и включил зажигание — винт зашелестел, завыл, загрохотал и настойчиво потащил самолет к взлетно-посадочной полосе.

Когда самолет вырулил на старте и замер, сотрясаемый мелкой дрожью, точно ему, как и Саше Кукину, не терпелось подняться в воздух, в наушниках прошипел знакомый голос диспетчера: «Борт 16-24, взлет разрешаю» — и Клопцов отпустил тормоза — машина побежала, побежала и вдруг вспорхнула, слегка покачивая серебристыми плоскостями.

Минут через десять заняли свой эшелон и взяли курс на пункт назначения. Саша вполголоса затянул песню, — какую именно, понять было трудно, — Клопцов же строго смотрел прямо перед собой. А еще минут через десять началось непонятное: Клопцов вдруг повалил машину на левую плоскость, развернулся и взял курс примерно на юго-запад, в то время как им следовало идти в северо-западном направлении.

— Ты это чего? — спросил Саша Кукин, от растерянности еще пуще выкатывая глаза.

— Молчи! — тихо сказал Клопцов, но вложил в это слово столько зловещей силы, что Саше стало не по себе и вдруг начала прилипать к спине форменная рубашка. В голове у него застучали опасливые вопросы, однако он еще долго не решался обратиться за объяснениями к командиру, так как опасался получить какой-нибудь ужасный ответ. Наконец, он собрался с силами и повернулся к Клопцову так, чтобы видеть его глаза, но приготовленные слова застряли у него в горле: Клопцов сидел вполоборота к нему и держал в руке пистолет ТТ.

— Слушай, Кукин, — как-то рассеянно заговорил Клопцов, точно он говорил и одновременно думал о чем-то важном. — Слушай, Кукин, ты хороший малый, я против тебя ничего не имею. Но сейчас я тебя пристрелю. Нет у меня другого выхода, потому что я тебя как облупленного знаю — ты всякой бочке затычка и вообще баламут. Сам виноват: я не хотел тебя брать с собой, а ты полез на рожон, и в результате я должен тебя убить.

В ответ Саша только нелепо пошамкал ртом, а Клопцов стал уже приспосабливаться выстрелить так, чтобы пуля не дала опасного рикошета, но вдруг в наушниках у обоих зашипел незнакомый голос: «В квадрате 84 даю «ковер».

Клопцов символически сплюнул и приказал:

— Бери штурвал, будем садиться. Если почувствую что, стреляю без предупреждения — это имей в виду.

Тем временем на аэродроме маленького городка с неприличным названием разгорался переполох. Борт 16-24 исчез; его не видели локаторы соседних диспетчерских, он не выходил на связь, не садился в указанном пункте и вообще вел себя подозрительно. В довершение неприятностей вскоре пришло известие, что в трехстах километрах от городка военные засекли самолет, не отвечающий на запросы с земли и упорно идущий курсом на юго-запад. Уже был объявлен «ковер», уже спешили сесть на ближайшие аэродромы или убраться подобру-поздорову из квадрата 84 большие и маленькие самолеты, уже поднимали пару перехватчиков ребята из ПВО, когда Саша Кукин под дулом нацеленного на него пистолета сажал борт 16-24 на какое-то бесконечное картофельное поле. Самолет несколько раз подпрыгнул, пробежался и встал. Вдруг сделалось так тихо, что было слышно, как шелестит на ветру картофельная ботва.

— Вылезай,— сказал Клопцов, поведя пистолетом вбок.— И смотри у меня: чуть что — пуля в затылок!

Саша стал вылезать из кабины, не совсем владея собой от страха, спрыгнул на землю, не удержал равновесия и упал. Вслед за ним вылез Клопцов; он огляделся по сторонам и, больно тыкая Сашу пистолетом между лопаток, погнал его к березовому колку. Саша покорно шел, смотря себе под ноги, и тем не менее спотыкался. Он ожидал выстрела, и ему казалось, что его спина от этого ожидания как-то одеревенела, но в то же время сделалась чуткой, как пальцы, и хрупкой, как переносица. Чтобы отвлечься, он внимательно разглядывал комья земли и картофельные кусты, но видел их так, как если бы они ему рисовались в воображении.

Когда добрались до колка, Клопцов велел Саше лечь ничком, положив руки за голову, а сам уселся рядом и закурил.

— Вот таким способом,— сказал он, неизвестно что имея в виду.

Спустя некоторое время он, впрочем, разрешил Саше сесть; Саша сел, обхватил руками колени и, посмотрев на задумавшегося Клопцова, неожиданно почувствовал, что страх его улетучился, а на его месте образовалась неприятная пустота. Клопцов кивнул ему и спросил:

— Хочешь закурить?

Саша отрицательно помотал головой.

— Брезгуешь, что ли? — с печальной насмешкой спросил Клопцов.— Ну, давай, давай...

Саша смолчал, поскольку в эту минуту он с удивлением думал о том, как это так скоро и вдруг рассеялся его страх. Теперь Саша чувствовал, что не только не боится Клопцова и его пистолета, но, если бы не противная пустота, он бы ему такого наговорил, что Клопцов бы его прикончил наверняка. Потом он поймал себя на той мысли, что в компании с Клопцовым ему до того неловко и тяжело, как если бы он знал за ним какое-либо особо позорное преступление.

— Вот сейчас часок-другой переждем,— сказал Клопцов,— и я себе полечу. А ты, черт с тобой, живи дальше. Ты мне там был опасен,— Клопцов ткнул пальцем в небо,— а здесь ты мне в общем-то не помеха. Если хочешь, я тебе папирос оставлю...

— Ты подлец, Клопцов, я всегда это чувствовал,— задумчиво сказал Саша.

— Потолкуй у меня, пацан! — отозвался Клопцов, но в его голосе слышалась не столько злость, сколько какая-то тяжелая дума.

Больше они не разговаривали. Саша сидел, покусывая травинку, а Клопцов курил папиросу за папиросой. Только часа через полтора Клопцов поднялся с земли и на прощанье сказал:

— Ну, будь здоров, Саша Кукин! Передавай привет товарищам по профессии. Скажи, мол, кланяется Клопцов и просит не поминать лихом.

Он отряхнул травинки, налипшие на штаны, и направился к самолету. Саша смотрел ему в спину, точно ожидал, что Клопцов вот-вот обернется, и точно: Клопцов обернулся и прощально помахал ему пистолетом. Тогда Саша выплюнул травинку, поднялся с земли и тронулся за ним следом.

Подойдя к самолету на более или менее безопасное расстояние, Саша сунул руки в карманы брюк и принял позу стороннего наблюдателя.

Через минуту машина уже разворачивалась против ветра, подминая под себя картофельную ботву и шевеля, как рыба плавниками, рулями поворота и высоты. Саша смотрел на свой самолет и думал о том, что вот сейчас вспорхнут народные тысячи, воплощенные в хитроумном летательном аппарате, и поминай как звали. Это соображение внезапно взяло над ним такую большую силу, что, когда самолет приготовился к разбегу, Саша сорвался с места, настиг уже уползавший хвост и вцепился обеими руками в стойку заднего колеса. Он что-то кричал, но за гулом винта его слов было не разобрать.

Несколько секунд он еще упирался, потом его потащило, потом даже приоторвало от земли, но тут пальцы его разжались, и он упал на межу, разделявшую картофельное поле и посадки кормовой свеклы.

К этому времени в эфире уже не вспоминали исчезнувший борт 16-24. Как ни странно, но Клопцов почувствовал себя отчаяно одиноким именно потому, что про его самолет забыли. И тут на него напала одна жуткая мысль: он вдруг понял, что страшно и непоправимо напутал, точнее, запутался до такого предела, что выходом из создавшегося положения может считаться только небытие. «Действительно,— говорил он себе,— куда это я собрался? Разве я способен жить там, где некому сказать: «Ну ты даешь!», или: «Здравствуйте, я ваша тетя!», или: «Пошел ты к хренам собачьим!». Вообще, не юли, товарищ Клопцов: фактически ты уже мертв и этот прискорбный факт остается только оформить...» Когда внутренний голос смолк, Клопцов почувствовал, как у него сам собой заостряется нос и проваливаются глаза.

До границы оставалось около четверти часа лёту, когда Клопцов бросил штурвал и равнодушно уставился в кружочек высотомера, который тоже равнодушно отсчитывал ему остаток времени, пространства и бытия.

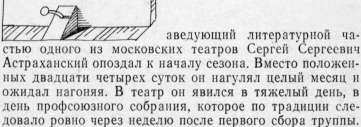 аведующий литературной частью одного из московских театров Сергей Сергеевич Астраханский опоздал к началу сезона. Вместо положенных двадцати четырех суток он нагулял целый месяц и ожидал нагоняя. В театр он явился в тяжелый день, в день профсоюзного собрания, которое по традиции следовало ровно через неделю после первого сбора труппы. Он и его хотел прогулять, но побоялся.

Ну, эти профсоюзные собрания! Раз в год под театральными сводами стрясаются такие скандалы, такие затеиваются склоки и распатронивания в пух и прах, что потом они долго-долго припоминаются и очень оживляют театральную жизнь. Все начиналось обязательно с чепухи, с какого-нибудь безобидного замечания вроде того, что молодых актеров следовало бы во всех отношениях догрузить. Тогда вскакивал кто-то из молодых и принимался на всех наводить нелицеприятную критику, не щадя ни правых, ни виноватых, ни руководство, ни мелкую театральную сошку,— тут-то и начинал вырисовываться скандал. На этих собраниях только что не дрались, а так доходило до обмороков, до угроз, до несмываемых оскорблений, что, впрочем, представляется законным среди людей, которые работают с исключительными страстями. На все это бывало страшно смотреть. Даже амуры, которыми были расписаны потолки, кажется, изменялись в лице, кажется, в лицах у них появлялось испуганное, вытянутое выражение, очень характерное для детей, когда в их присутствии ссорятся взрослые.

Надо сказать, что это был пятьдесят третий сезон и, стало быть, несчастливый, так как, по старой местной традиции отличать счастливые сезоны от несчастливых, он не делился на три. Следовало ждать особенных, каких-нибудь диковинных неприятностей, и поэтому Сергей Сергеевич Астраханский явился в театр с тяжелым выражением на лице, которое намекало на внутреннюю деятельность, вызванную либо несчастьем, либо какой-то тайной. Впрочем, это был неудачный ход, поскольку всякий в театре знал, что Астраханский брюзга и достаточно наступить ему на ботинок, чтобы сделать его несчастным и повергнуть в то душевное состояние, когда хочется все на свете не одобрять.

На этот раз склока произошла вот по какому поводу: для премьеры не было театральных костюмов.

— Если хорошо отыграем премьеру, то отдел культуры обещает выделить необходимые средства,— сказал директор театра, бывший актер, сказал и смешался.

С этого все началось.

— Вы соображаете, что вы говорите?! — закричал заведующий постановочной частью.

— Он сумасшедший, его надо изолировать! — подхватил актер Алексей Попович, а одно новое дарование, недавно наделавшее много шуму в газетах, принялось истерически хохотать, впрочем сохраняя на лице несмеющееся, грустное выражение. В общем, галдели около получаса, и, когда дело уже дошло до угроз, когда к директорскому сердцу подкрался обморок, все вдруг смолкло. Это вышло настораживающе, как бывает, когда небо обложат тучи, подует ветер, в воздухе появится что-то гнетущее, предвещающее беду — и вдруг все стихнет. Стало скучно, как-то нехорошо. И тут Астраханский, что называется на свою голову, вставил слово. Он сказал:

— В конце концов, костюм — это не главный ингредиент...

— А-а! Товарищ Астраханский! — воскликнул директор театра, как бы ликуя.— Вспомнили нас, зашли, как говорится, на огонек...— Но вдруг он побледнел и сказал тихо-тихо: — Соблаговолите объяснить коллективу мотивы вашего безответственного поведения...

Вообще, народ в этом театре был из интеллигентных семей и выражался витиевато.

Астраханский встал и подошел к столу, накрытому старой кулисой, за которым сидели члены местного комитета. Он оперся о край стола, выпрямился и замолчал. Он молчал две минуты, что было замечено по часам, и за это время его глаза успели выразить много различных переживаний: тут был некоторый испуг, томление, нерешительность, но потом в них мелькнула искра, и они как-то окаменели. После этого Астраханский заговорил. Перед видавшим всякие виды актерским людом вдруг стала разворачиваться такая удивительная, неслыханная история, в какую нормальный человек не поверит ни за какие благополучия, разве что присягнешь ему на здоровье близких. Понятное дело, все были ошеломлены, даже у амуров на потолке появились тонкие, слушающие выражения.

Пролог у этой истории был таков: оказалось, что отпуск Астраханский провел в деревне Уклейка. Это в Тамбовской области, известной девственными лесами, антоновским мятежом и теми самыми серыми обитателями, о которых в пятидесятых годах так любили упоминать следователи и милиционеры. В последний день отпуска Астраханский отправился по грибы.

День был чудесный; в августе бывают такие дни, не прохладные и не жаркие, не солнечные и не пасмурные, а какие-то черт их знает какие, какие-то такие, от которых ожидаешь чего-нибудь необыкновенного, вроде второго пришествия.

Около часа Астраханский ехал на попутном грузовике, который завез его на дальнюю засеку — тут начинался дремучий лес. В лесу было сумеречно и тихо, все задумалось, размечталось, и Астраханский был положительно околдован. На него напало умильное чувство, от которого тянет петь; Астраханский запел, но испугался своего голоса. Он долго шел, совершенно позабыв о грибах и заботясь только о том, чтобы ненароком не расплескать это прелестное чувство. И вдруг он подумал, что заблудился. Он остановился, осмотрелся по сторонам и увидел много такого, что укрепило его подозрение. Насколько хватало глаз, кругом расстилался мох, который хлюпал, сочился жижей и источал какой-то изысканный, доисторический аромат. Деревья, редко торчавшие изо мха, производили какое-то трупное впечатление, небо казалось низким, как будто повисло на еловых верхушках, как на шестах, вообще пейзаж был неприятен, а пожалуй, даже и жутковат.

Оглядевшись, Астраханский приблизительно определил обратное направление и пошел назад, но, сколько времени он ни шел, лес не открывал ему обратного хода, и хотя до настоящего страха было еще далеко, но на душе легла тень. Уже к вечеру, когда стало смеркаться и в лесу сделалось так темно, что на него напало ощущение слепоты, он выбился из последних сил, сел на мох и заплакал. (В этом месте Астраханский примолк и развел руками — дескать, что уж тут лицемерить, всякое случается в жизни, бывает, что и всплакнешь.)

Итак, он сел на мох и заплакал. Он явственно видел будущее, которого насчитал максимум десять суток. Дней пять он еще будет идти, потом поползет, и, когда его совершенно оставят силы, он устроится возле брусники и будет ждать смерти от истощения. Вскоре придет сонливость, перед внутренним взором побежит его жизнь, потом опустится темнота, и примерно на десятые сутки он будет мертв. Тогда к месту действия пришлепает обитатель...

Астраханскому так картинно увиделось его тело, пожираемое обитателем, что он даже перестал плакать. Он вперился в темноту и долго сидел, изредка всхлипывая и вздыхая. Потом он заснул и спал тем неприятным сном, о котором не скажешь точно: спишь ты или не спишь. Ему снился волк в швейцарской фуражке. Волк поднимал фуражку за козырек и говорил голосом главного режиссера: «Это абсурд. При данном состоянии репертуара ни один дурак не даст вам высшую ставку».

(При этих словах Сергей Сергеевич Астраханский скосил глаза на главного режиссера. Главный режиссер кашлянул и тоже на него посмотрел.)

Под утро стал накрапывать дождь. Он проснулся от нескольких капель, которые попали за воротник, вспомнил свою беду и чуть было снова не прослезился, но тут он увидел, что находится вовсе не в дебрях леса, как полагал, а в светлой кленовой роще, на самой ее опушке, которая выходила в маленькую долину. Эту долину пересекала река, поросшая камышами, и на ее берегу, километрах в двух, стояла деревня приблизительно в полсотни дворов. Хотя это была не Уклейка, он очень обрадовался человеческому жилью, которого он уже не чаял увидеть. Он встал и, поеживаясь от промокшего пиджака, пошел, держа направление на деревню. Все, что он увидел в дальнейшем и что с ним случилось, представляет собой такую поразительную историю, что по признанию самого Астраханского, первое время он не мог быть совсем уверен, что это был не кошмарный сон или не временное помешательство.

Деревня, в которую он вскоре вступил, удивила его невиданной бедностью, фактически нищетой. Избы, более похожие на землянки, все были ветхие, кособокие, крытые соломой, и казалось, что они гниют и рассыпаются на глазах. Возле четвертой избы ему попался голый ребенок, сидевший в луже и бивший по ней ладошками, потом ему встретилась женщина в латаном сарафане: увидев его, она вскрикнула и исчезла.

Астраханскому стало не по себе; впрочем, в ту же минуту, как ему стало не по себе, случилось событие, окончательно сбившее его с толку: он был схвачен и посажен под замок какими-то бородатыми мужиками.

— Все-таки есть справедливость на белом свете! — крикнул с места актер Алексей Попович, и по рядам пробежал порыв смешков и язвительных восклицаний. Сергей Сергеевич пропустил эту колкость мимо ушей. Он продолжал...

Его заключили в большой сарай. Не успел он призадуматься над тем, что, собственно, произошло и что ожидает его впереди, то есть к чему вообще отнести случившееся, как его посетили два мужика, которые уселись на табуреты и принялись молча его разглядывать. Спустя некоторое время они стали задавать вопросы. Они интересовались неожиданными вещами: золотым содержанием десятирублевого банковского билета, ценами на пшеницу, состоянием нравственности, они также спрашивали, жив ли Шаляпин и какова численность Красной Армии. Касательно численности Красной Армии Астраханский отвечать отказался.

Когда за отказ отвечать на этот вопрос не последовало никаких осложнений, Астраханский набрался духу и спросил сам:

— Товарищи, вы можете объяснить, что здесь происходит?

На лицах у посетителей вдруг появились одинаковые конфиденциальные выражения. Они покашляли в кулаки и все выложили начистоту.

Вот суть дела. В двадцать первом году, после разгрома кулацкой армии атамана Антонова, несколько десятков повстанцев, которые не откликнулись на амнистию, ушли со своими семьями и скотиной в глухие леса. Вероятно, со временем их колония как-нибудь да распалась, если бы вскоре к ним не забрел один полоумный старец. Он пришел и провозгласил конец света. По его словам, человечество поразил поголовный мор и планета пришла в полное запустение, что в свете событий последних лет казалось заслуживающим доверия. В доказательство своих слов полоумный старец скончался, и население лесной колонии укоренилось в той мысли, что они единственные и последние люди на всей земле и, таким образом, на них свалилась ответственность за сохранение жизни и всевозможных общественных форм, как это уже было однажды в потопные времена. Деревню назвали Новый Ковчег. Избрали царя, положив начало четвертой русской династии: царем был избран бывший председатель комбеда Прохор Иванович Толкунов, который взошел на престол под именем Прохора I. Царь назначил правительство, учредил полицию и издал десять законов. Сначала все шло хорошо, государственно, но потом, уже при сыне Прохора I, Иване Прохоровиче, в Новый Ковчег забрел еще один человек, как выяснилось, уголовник, бывший в бегах, и он на допросах такого порассказал, что правительство за голову схватилось. Во избежание слухов и подозрений уголовнику назначили смерть, и, когда казнь была потихоньку приведена в исполнение, на теле казненного нашли страшное доказательство его правды, а именно: изображение танка Т-34, татуированное на груди.

— Вас к нам бог послал, честное слово! — заключил рассказ один из мужиков, посетивших Сергея Сергеевича Астраханского, чем его не по-хорошему удивил.— Понимаете, какое дело, народ невозможно разбаловался. Потом эти... большие... над головами летают. Уж мы народу и то и се — сомневаются, сукины дети, можно сказать — не верят!

— Не понимаю, чем же я могу быть полезен? — молвил Астраханский и натянуто улыбнулся.

— Очень можете быть полезны! — последовало в ответ.— Мы вас выдадим за архангела Гавриила...

И перед Астраханским во всех подробностях развернули план, поразивший его нелепостью и той простотой, которая при сказочном добродушии русского человека почти всегда обеспечивает успех. Коротко говоря, этот план заключался в том, что Астраханский должен будет выступать перед народом с одобрением монархии и деятельности правительства по поддержанию жизни и сохранению всевозможных общественных форм и, кроме того, как-нибудь между прочим, но со всей строгостью припугнет, де ежели что не так, то и населению Нового Ковчега он может протрубить в свою страшную, окончательную трубу. Судный день назначили на субботу.

Двое суток Астраханский безвылазно просидел в сарае, в котором был заключен, и развлекал себя тем, что смотрел на волю сквозь щель.

— Можно сказать, насмотрелся я, товарищи, на капитализм с пережитками абсолютной монархии,— рассказывал он профсоюзному собранию и грустно покачивал головой,— это слов нет, чтобы дать ему исчерпывающую характеристику. Все пороки эксплуататорского общества, так сказать, в законсервированном виде предстали передо мной во всей своей омерзительной наготе. Народ доведен до крайней степени нравственного падения, кажется, только он и делает, что ворует, матерщинничает и дерется. А какие жлобы, товарищи, какие крохоборы! — это просто какие-то иностранцы! Я потом целую неделю сигарету стеснялся стрельнуть, вот до чего они меня довели!

Ну ладно, пришла суббота. Действительно, на площадь нагнали народу, тут и правительство, и два моих мужика — словом, вся их сволочь. Выводят меня. Представьте: я являюсь босой, в балахоне, волосы на прямой пробор. Все на меня глядят, и я чувствую, по глазам, что верят. «Ну козлы, ну козлы! — думаю про себя.— Ничего, сейчас я вам раскрою глаза на международную обстановку. На плаху пойду, а свой, так сказать, исторический долг исполню».

Наступает мертвая тишина. Я выдерживаю паузу, поднимаю руку и говорю:

— Товарищи! — говорю.— Хотите верьте, хотите нет, а в каких-нибудь ста километрах отсюда идет нормальная светлая жизнь. Успешно решается жилищный вопрос, от Москвы до Владивостока можно долететь за несколько часов, на сто семей уже приходится шестнадцать автомобилей, одним словом, народ добивается, чтобы жизнь в нашей стране была еще содержательнее и краше. Хотя, честно скажу, глядя на вас, кажется, что уже некуда содержательнее и краше. Хотите верьте, хотите нет, а у вас царь так не одевается, как мы одеваемся, «гавану» курим и за честь не считаем, старики пенсию получают, вежливые все, как швейцары, я уже не говорю о всеобщем среднем образовании... А что на сегодняшний день имеете вы? Частную собственность, эксплуатацию человеческого труда, то есть форменный сумасшедший дом! Спрашивается: где ваше чувство собственного достоинства и почему вы терпите этих дураков? В шею их, товарищи, долой угнетателей трудового народа!»

Дойдя до этого места, Астраханский поперхнулся и замолчал. Стало так тихо, что было слышно, как рассыхается мебель. Директор театра проглотил слюну и сказал:

— Дальше-то что?

— А что дальше,— рассеянно сказал Астраханский,— дальше, разумеется, революция...

Новое дарование снова разразилось истерическим смехом, но на него посмотрели так, что оно тут же спохватилось и замолчало.

— ...Самая натуральная революция,— продолжал Астраханский.— Царь и правительство получили по шапке, их потом в милицию сдали. В настоящий отрезок времени там организуется колхоз, называется «Новый Ковчег», если я, конечно, не ошибаюсь...

Минут через пять, когда собрание успокоилось и все стали понемногу приходить в себя, искоса поглядывая на Астраханского, перешли к следующему вопросу: новое дарование вступало во Всероссийское театральное общество и нуждалось в рекомендации.

— Не знаю, не знаю...— сказал Астраханский,— если вы помните, коллега в прошлом сезоне не явился на ответственную премьеру и еще прогулял прогон.

— У меня была уважительная причина! — воскликнуло новое дарование и повторило прошлогодний рассказ о том, как накануне премьеры в подъезд его дома каким-то образом зашел лось и не было никакой возможности выйти, чтобы попасть в театр.

Астраханский слушал, иногда пожимал плечами, а потом демонстративно покинул зал и пошел в буфет. В буфете он пил портвейн, который специально для него держали в несгораемом шкафу вместе с выручкой и важными бланками; он куксился и говорил буфетчице, толстой даме:

— Умирает театр, агонизирует. Драматургии нет, режиссеров нет, средства не отпускаются. Вот скажите: по собственной воле вы пойдете на наш спектакль?

Буфетчица отрицательно помотала головой.

— И я не пойду!..

ич Паша Божий, которого каждый день можно видеть в окрестностях поселкового магазина, у автобусной остановки, возле конторы прииска «Весенний» и на острове Бичей, вытянувшемся колбаской в том месте, где в Бурхалинку впадает ручей Луиза, совсем не похож на классического бича. На нем приличный серый костюм, малоношеный свитер, черные армейские башмаки, а из нагрудного кармана пиджака даже торчит сломанная китайская авторучка. Выражение лица у него тоже общечеловеческое, нет в нем ни пространства, ни грустной тупости, которые написаны на физиономиях у бичей, особенно когда они в трезвом виде. Словом, если бы не жестокий загар, отдающий в цвет спелой сливы, какой встречается еще у утопленников, ни за что не скажешь, что Паша — бич.

Среди бичующей братии прииска «Весенний» Паша Божий занимает что-то вроде председательского положения, и это прямо-таки загадка, поскольку у здешних бичей не бывает авторитетов. Тем не менее по всей трассе от Марчикана до Усть-Неры Паша Божий имеет такой же вес, какой в среде обыкновенных людей имеют участковые уполномоченные и беззаветные работяги. Это диковинно еще потому, что Паша сравнительно неофит и бичует не так давно, годика полтора, после того как он от звонка до звонка отбыл наказание за растрату.

Что-то вроде председательского положения Паша Божий занял по следующим причинам: во-первых, он довольно образованный человек, хотя и получил образование самоучкой, то есть несколько раз перечитал всю лагерную библиотеку, во-вторых, он порядочный человек, и если он кому-то должен двадцать копеек, то наизнанку вывернется, а вернет, в-третьих, он решительный человек, причем до такой степени решительный человек, что всего за полтора года сумел навести среди товарищей более или менее истинные порядки. Самое удивительное, что в этом направлении он не принимал никаких специальных мер, а просто-напросто всякий раз, когда бичи затевали гадость, он говорил им сквозь горловую слезу (он почти всегда говорит сквозь горловую слезу, видимо, у него это нервное), что они затевают гадость, что хорошо поступать — хорошо, а плохо поступать — плохо, что человек при любых обстоятельствах должен оставаться человеком, одним словом, заводил древнюю-древнюю песню, которая, впрочем, многим была в новинку. То ли бичей на самом деле брали за живое его слова, то ли их ошеломил сам факт действительной нравственности, воплощенной в действительном человеке, но вскоре в поселке перестало пропадать белье, вывешенное для просушки, прекратились междоусобицы и крайне редко нарушались границы владений, с которых собирают урожай так называемого хрусталя. Однако бич Николай по прозвищу Безмятежный, бич Кузькин, сын власовца, и бич Француз, окрещенный Французом за то, что он знал по-французски первый стих «Марсельезы», еще некоторое время безобразничали, но в конце концов товарищи, сговорившись, устроили им обструкцию, и они переехали сначала в Сладкое, а впоследствии в Картхалу. Француз, правда, потом вернулся и принялся за свое.

Примерно через неделю после того, как вернулся Француз, в поселке прииска «Весенний» произошел ряд событий, которые нежданно-негаданно пересеклись, завязались в узел и через короткое время вылились в одну некрасивую, но поучительную историю. В этой некрасивой истории участвовал кое-кто из бичей, главный инженер прииска Новосильцев, его сын Новосильцев-младший, один сержант милицейской службы, кассирша поселкового магазина и апробщица Казакова.

Итак, вскоре после того, как вернулся Француз, в поселке прииска «Весенний» произошел ряд событий, которые расположились в следующем порядке... В один из дней первой декады августа очередная съемка, произведенная на полигоне в истоках ручья Мария, не показала ни одного грамма золота. Новосильцеву-старшему всучили в поселковом магазине лотерейный билет, которые он обычно выбрасывал, но на этот раз по рассеянности положил в нагрудный карман своего синего пиджака. Француз где-то украл простыню, дабы сшить себе из нее штаны. Паша Божий сделал ему за это выволочку, и он глубоко затаил обиду. В квартире Новосильцевых починили телефон. Наконец, из-за неисправности водопровода затопило заброшенные ремонтные мастерские, которые издавна оккупировали бичи. Это событие, правда, замечательно только тем, что Паша Божий до нитки промочил свой приличный серый костюм и вместе с прочими пострадавшими отправился сушиться на остров Бичей, где общими усилиями был разведен костер, и все, скучившись у огня, стали дожидаться открытия магазина. Одна Маша Шаляпина, тридцатилетняя женщина с лицом внезапно состарившегося ребенка и руками тертого мужика, носившая жакет, вырезанный ножницами из нейлонового плаща, газовую косынку, юбку на вате, один чулок капроновый, другой шерстяной и стоптанные резиновые боты,— одна она бродила по острову и разговаривала с собой. Тем временем Паша Божий, несмотря на крепкую утреннюю прохладу, скинул с себя костюм и развесил его на ветках поблизости от костра. От костюма уже пошел пар, который припахивал потом, когда Француз улучил минуту и отомстил: он незаметно сбросил прутиком Пашин костюм в огонь. Паша с печальным воплем бросился за одеждой, но было поздно — по брюкам и пиджаку уже расползлись ожоги, превращавшиеся в труху, и всем стало ясно, что Паше этот костюм более не носить. Однако Французу его вредительство безнаказанно не прошло, так как Маша Шаляпина по случаю заметила его манипуляции с прутиком и выдала виновного, что называется, головой. Француза только что не побили, а так высказали ему все, что к тому времени накипело, и в конце концов было решено изгнать его из компании навсегда. К чести Француза нужно заметить, что такое единодушие товарищей его потрясло: он сказал себе, что уж если бичи его гонят, то это — все, потом встал на колени и горячо предложил с лихвой загладить свою вину.

Бичи поворчали, но согласились.

Вечером того же дня Новосильцев-старший, вернувшись домой из конторы прииска, немного покопался в теплице, где он выращивал помидоры и огурцы, и засел с сыном ужинать в большой комнате, которая у них на южный манер называлась залой. В ту минуту, когда он взял из хлебницы свою излюбленную горбушку, раздался оглушительный телефонный звонок, и горбушка, выскользнув из пальцев, упала в борщ. Новосильцев-старший крякнул, поднялся из-за стола, подошел к телефону, взял трубку: звонили из конторы; диспетчер сообщал, что апробщица Казакова дала промашку и на самом добычливом полигоне последняя съемка не показала ни одного грамма золота. В масштабах прииска это была маленькая трагедия, поскольку план квартала, как выражаются хозяйственники, горел, и Новосильцев-старший вернулся за стол пришибленным, потемневшим, как если бы на него свалилось большое горе. Он было потянулся к другой горбушке, но вдруг замер, дико вытаращил глаза и повалился со стула на пол. Новосильцев-младший бросился к отцу, перевернул его на спину, и от этого движения из тела с тяжелым шелестом вышел воздух. Новосильцев-младший, мониторщик, здоровый малый, подошел к зеркалу, некоторое время смотрел в него, утирая кулаком слезы, а потом изо всей силы нанес удар собственному отражению, раскрошив зеркало на мелкие серебряные осколки.

Двое суток спустя Новосильцева-старшего хоронили. Погода в тот день выдалась пакостная, как на заказ: было холодно, ветрено, моросило, и два далеких гольца по прозванию Черные Братья смотрелись особенно траурно, гармонично.

После того как похоронная процессия покинула кладбище, к Новосильцеву-младшему подошла кассирша поселкового магазина, она взяла его под руку и сказала:

— Я понимаю, что сейчас не время, и тем не менее...

— Что «тем не менее»? — спросил ее Новосильцев.

— Несколько дней тому назад я продала вашему отцу лотерейный билет.

— Ну и что?

— А то, что он выиграл.

— Почем вы знаете, что именно отцовский билет выиграл?

— Я все билеты записываю.

— Это чтобы потом комиссионные собирать?

Кассирша в ответ кокетливо улыбнулась.

— Так что же он выиграл?

— «Москвича».

— Вот это да! — воскликнул Новосильцев и смешно помахал забинтованным кулаком.— Но, с другой стороны, возникает вопрос: где мне теперь этот билет искать?!

Кассирша пожала плечами и отошла.

На другой день Новосильцев вытребовал отгул и принялся искать выигравший билет. В течение рабочего дня он успел обшарить все ящики, полочки, разные укромные уголки и даже кое-где отодрал обои, но обнаружить лотерейный билет ему так и не удалось. Вечером он с горя сходил в пивную, стоявшую напротив автобусной остановки, где поведал двум-трем приятелям о новой беде, и вскоре слух о пропавшем билете разнесся по территории, как говорится, равной территориям Франции и Швейцарии, вместе взятым.

Дошел этот слух почему-то в первую очередь до бичей. Большинство отнеслось к нему равнодушно. Маша Шаляпина заявила, что если бы она выиграла автомобиль, то продала бы его и на вырученные деньги купила бы себе искусственную шубу (по своей наивности Маша предполагала, что искусственные шубы стоят ужасно дорого), Француз заметил: «Дуракам счастье», а Паша Божий откликнулся на слух следующими словами:

— Как утверждает философ Шопенгауэр, в этом мире нет почти никого, кроме сумасшедших и идиотов; боюсь, что философ прав.

Однако очень скоро эта новость поблекла перед другой: Француз сдержал-таки слово и загладил свою давешнюю вину, подарив Паше Божию отличный костюм, который он якобы выменял на эсэсовский кинжал у парикмахера из Палатки, бывшего румынского резидента. Брюки, правда, оказались длинны, но Маша Шаляпина обстригла их ножницами, и вышло в общем-то ничего. Паша переоделся в обнову и долго ходил по острову Бичей не совсем ловким шагом, какой иногда появляется у людей, облачившихся в какую-нибудь обнову.

Между тем Новосильцев-младший не отказался от надежды найти билет. Он еще и на другой день рылся у себя в доме, но дело кончилось только тем, что он превратил жилое помещение без малого в нежилое. Ближе к вечеру он решил потолковать с кассиршей поселкового магазина; он пришел под закрытие, облокотился об угол кассы и грустно заговорил:

— Не нашел я билет. Все обыскал, даже половицы повыдергал — нету билета, хоть волком вой!

— А отцовские карманы вы проверяли? — спросила его кассирша.

— Ну,— подтвердил Новосильцев.

— А в таком синем пиджаке вы смотрели? Он в тот день, когда покупал билет, был в таком синем бостоновом пиджаке. Как сейчас помню: ваш отец положил билет в нагрудный карман синего пиджака.

Новосильцев тяжелым-тяжелым взглядом посмотрел сквозь стену поселкового магазина.

— Ё-мое! — чужим голосом сказал он.— Мы ж его в этом костюме похоронили!..

Кассирша вскрикнула и прижала ко рту ладонь.

Первая мысль, которая пришла в голову Новосильцеву, была мысль о том, что хорошо было бы потихоньку вырыть тело отца и этим путем завладеть билетом, но, основательно пораскинув умом, он пришел к заключению, что за такую самодеятельность по головке его, наверное, не погладят, что придется действовать по закону. Часа, наверное, через полтора он уже находился в Сладком, в районном управлении внутренних дел, где у него был дружок, сержант милицейской службы, маленький человек с пушистыми гренадерскими усами, ёра и весельчак. Сержант выслушал Новосильцева и сказал:

— Если бы ты не был такой свистун, то мы бы с тобой все обделали втихаря. А теперь придется заводить целую волокиту с прокуратурой.

И он демонстративно постучал себя по лбу костяшками пальцев.

Вопреки этому предсказанию особой волокиты с районной прокуратурой не завелось, поскольку заместитель прокурора был до такой степени ошарашен и возмущен заявлением Новосильцева, что принципиально выписал постановление об эксгумации и чуть ли не в лицо швырнул его заявителю, как некогда швыряли вызывные лайковые перчатки.

— Он что у вас, не в себе? — спросил Новосильцев сержанта, который поджидал его в коридоре.

— Есть немного,— сказал сержант.

В ночь на 15 августа приятели вооружились лопатами, веревками, карманными фонарями и отправились на приисковое кладбище. Ночь была светлая и какая-то сторожкая, притаившаяся, так сказать ночь-засада.

Дойдя до могилы Новосильцева-старшего, приятели

поплевали на ладони и стали копать. По той причине, что из-за вечной мерзлоты могилы в этих краях роются очень мелкими, не прошло и пяти минут, как сержантова лопата глухо ударила в крышку гроба. Новосильцев-младший вздрогнул, выпрямился и вытер ладонью пот. Некоторое время его колотила дрожь, которую невозможно было унять, но в конце концов он взял себя в руки и снова принялся за лопату. Вскоре гроб вырыли, поставили его на соседний холмик и сняли крышку. То, что приятели увидели, их, во всяком случае, удивило: труп был голый.

— М-да!.. — сказал сержант.— Налицо двести двадцать девятая статья. Придется возбуждать дело.

Дело, однако, возбуждать не пришлось, и вот по какой причине. На другой день утром Паша Божий, сидя на корточках возле поселкового магазина, рассказывал бичам о Полтавском сражении и на самом интересном месте полез в нагрудный карман за своей сломанной авторучкой, чтобы начертить на песке схему окружения шведов под Яковцами, и вместе с авторучкой извлек из кармана лотерейный билет, от которого остро припахивало землей. В течение минуты Паша задумчиво рассматривал билет, потом поднялся и пошел в сторону заброшенных мастерских. В мастерских он снял с себя новый костюм, переоделся в лохмотья, которыми были застелены верстаки, и направился в новосильцевскую бригаду, мывшую золото примерно в трех километрах вверх по течению Картхалы.

Новосильцева за монитором не было, он колол кувалдой негабарит, но, почувствовав спиной постороннего человека, обернулся и зло посмотрел на Пашу.

— Ты зачем сюда пришел, охломон?! — сказал он, презрительно сощуривая глаза.— Ты что, не знаешь, что без пропуска появляться на полигоне запрещено?

— Давайте отойдем,— мирно предложил Паша.

Новосильцев немедленно переменился в лице, точно он догадался, с чем пришел бич, и, бросив кувалду, пошел за Пашей. Отойдя шагов на пятьдесят, они одновременно остановились; Паша Божий опустился на корточки, достал билет и протянул его Новосильцеву.

— Посмотрите,— сказал он при этом,— не ваш ли это билет?

Новосильцев принял бумажку, повертел ее и ответил:

— А черт его знает, думаешь, я помню?! Дома у меня номер записан, а на память я, конечно, не соображу.

— Я вечером зайду,— сказал Паша.— Вы сверьтесь с записью: если номера не сойдутся, вернете билет обратно.

Вечером, в начале седьмого часа, Паша Божий зашел к Новосильцеву домой и по приветливой физиономии хозяина тотчас понял, что все сошлось.

— Прямо я и не знаю, как тебя благодарить! — сказал Новосильцев, вводя Пашу в комнаты.— Давай, что ли, примем на грудь? Ты что больше обожаешь: водку или вино?

— Я водку не пью,— сказал Паша.

— Что касается выигрыша,— продолжал Новосильцев,— то четвертая часть — твоя.

— Мне ничего не надо.

— Ну, ты ненормальный!..

Паша пожал плечами.

— Слушай, а как он к тебе попал?

— Нашел,— ответил Паша и опустил глаза долу.

— В нагрудном кармане синего пиджака?

Паша кивнул.

— Ладно,— сказал Новосильцев,— мы это дело замнем на радостях, только ты признайся: сам откапывал?

— Что откапывал? — спросил Паша.

— Значит, не сам. Тем лучше.

Новосильцев пошел на кухню и через пару минут вернулся в обнимку с банкой кабачковой икры, бутылкой водки и двумя бутылками марочного вина.

— Послушайте, а что это у вас такой разгром? — поинтересовался Паша.— Точно Мамай прошел...

Новосильцев самым добродушным образом рассмеялся.

— Это я лотерейный билет искал,— сказал он сквозь смех.— Еще денька два поисков, и жить было бы негде. Ну ладно, бери стакан. С добрым утром, как говорится!

— А почему «с добрым утром»?

— Ну, это так говорится, чтобы интереснее было пить. Сначала говоришь «с добрым утром», а после того, как выпьешь, «утром выпил — весь день свободен». Это вроде поговорка такая. А вы что, безо всего пьете?

— Мы безо всего.

— Скучный вы народ, бичи, неизобретательный, нету в вас огонька!

Паша смолчал.

— Скажу больше: паскудный вы народ — ты уж не обижайся. Ну, посуди: здоровые мужики, а живете как паразиты, бутылки собираете — это же срамота! Неужели вам нравится такая позорная жизнь?

— Вообще, бичуют не потому, что нравится.

— А почему?

— Потому, что по-другому уже не могут. В другой раз отколется человек от житья-бытья, да так, я бы сказал, фундаментально отколется, наотрез, что обратного хода нет.

— Не понимаю я этого! — сказал Новосильцев и крепко ударил по столу кулаком.— Ноги есть, руки есть, голова на месте — ну все есть для того, чтобы вернуться к нормальной жизни!

— Нормальная жизнь — это как? — немного слукавил Паша.

— Работать иди! Деньги будешь иметь, общежитие дадут — вот как!

— Да некуда идти, в том-то все и дело. В начальники меня не возьмут, в контору какую-нибудь завалящую и то не возьмут.

— На стройку иди, на стройку возьмут.

— Да ведь на стройке, чай, вкалывать надо, а у меня руки спичечный коробок не держат. Я ведь насквозь больной, истлел весь внутри.

— Ну разве что внутри,— недружелюбно заметил Новосильцев.— Снаружи ты еще молоток.

— Это только так кажется. Я еще годика два побичую, и все — холодный сон могилы.

— В таком случае твое дело табак. Как говорится, налицо полное отсутствие перспективы. Только вот что интересно: как же ты дошел до жизни такой?

— Обыкновенно дошел,— сказал Паша и протяжно вздохнул.— В семьдесят восьмом году принял срок за растрату. Отбывал его в Сусумане. В семьдесят девятом жена прислала развод и сразу же вышла замуж. В восемьдесят первом освободился я и на радостях в Сладком загулял. Когда через неделю очнулся — гол как сокол. И есть нечего, и ехать не на что, да и ехать-то, будем откровенно говорить, некуда...

— Слабость это,— сказал Новосильцев.— Не мужик ты, вот в чем беда.

— Ничего не поделаешь, у всякого своя внутренняя конституция.

— Никудышная у тебя внутренняя конституция: говоришь и плачешь.

— Да как же мне не плакать, если я горе лопатой ел?!

— И все-таки я это отказываюсь понимать! Ведь в такой стране живем: палец о палец только нужно ударить, чтобы человек был, как говорится, сыт, пьян и нос в табаке, и тем не менее кое-кто умудряется горе лопатой есть!..

— Никто не обязан быть счастливым,— сказал Паша строго.

— Нет, обязан! — возразил Новосильцев.

— Нет, не обязан!

— Нет, обязан, потому что, если есть возможность достигнуть счастья, человек обязан достигнуть счастья!

— Нет, не обязан, потому что для некоторых счастье — это несчастье, и наоборот!

— Что-то я не врублюсь,— сказал Новосильцев, изображая тупое недоумение.— Ты, что ли, намекаешь на то, что некоторые нарочно наживают себе несчастья? Да ведь это же анекдот, не дай бог за границей узнают про такие наши дела — животы со смеху надорвут!

— Ну, не то чтобы нарочно... Тут, конечно, все немного сложнее, но отчасти в общем-то и нарочно. Понимаете, какое дело: есть в нашем характере одна загадочная струна, которая постоянно наигрывает такую строптивую мелодию,— в народе она называется «только чтобы не как у людей». Это очень могущественная струна, которая во многом определяет музыку нашей жизни. Даже когда у нас на каждом углу будут бесплатно раздавать легковые автомобили, каждый десятый станет принципиально пользоваться общественным транспортом или демонстративно ходить пешком. Даже когда у нас созреет полное, всеобщее и, может быть, даже неизбежное счастье, то, уверяю вас, проходу не будет от юродивых, непризнанных гениев и возмутительных одиночек. И это не потому, что каждый десятый у нас просто не приспособлен для счастья или его сбивает с пути струна, хотя тут отчасти и неприспособленность и струна, а потому, что наша жизнь как-то заданно, запрограммированно рождает разных намеренных несчастливцев типа генерала Уварова, который в один прекрасный день вышел из дому, погулял по Питеру и исчез...

— Погоди,— сказал Новосильцев и стал разливать спиртное.— Мы с тобой за этими разговорами совсем пьянку выпустили из виду.

— Я даже думаю,— продолжал Паша,— что без этих

людей наша жизнь невозможна, без них мы будем не мы, как Афродита с руками уже будет не Афродита. Вы спросите почему? Да потому, что всеобщее благосостояние — это та же самая сахарная болезнь, и организм нации, если он, конечно, здоров, обязательно должен выделять какой-то горестный элемент, который не позволит нации заболеть и ни за́ что ни про́ что сойти в могилу. Вот у нас сейчас действительно нет голодных и холодных, действительно только палец о палец нужно ударить, чтобы завалиться холодильниками и коврами, и тем не менее в другой раз квартала не пройдешь, чтобы какой-нибудь хмырь не стрельнул у тебя двадцать копеек из жалости к самому себе. Или: у нас, слава богу, полная семейная свобода, по разводам, слава богу, держим первое место в мире, и тем не менее в другой раз кружки пива нельзя выпить без того, чтобы тебе не пожаловались на жену...

— Ну, с добрым утром! — сказал Новосильцев, опрокинул в себя стакан, выдохнул и добавил: — Утром выпил, весь день свободен!

— Вот вы говорите — «свободен», — опять завел Паша. — Да где же свободен-то?! На самом деле вы не только не свободны, а вы просто-напросто белый раб! Вы белый раб промышленного производства, собственных потребностей и общественных предрассудков. Кто действительно свободен, так это я! А вы из-за несчастного лотерейного билета чуть собственный дом по бревнам не разнесли!

— Эх, голуба моя! — проговорил Новосильцев, и взгляд его как-то окаменел. — Если бы ты знал, на что я пошел ради этого дурацкого билета, ты бы со мной здороваться перестал. Ведь я из-за него родного отца из могилы вырыл!

— Да ну вас, — отмахнулся Паша. — Вы тоже скажете...

— Даю голову на отсечение, что правда вырыл! — сказал Новосильцев и крепко ударил по столу кулаком. — Вот до чего я черствая, бесчувственная скотина! И главное, непонятно: на хрена мне сдался этот билет?! Ведь я безо всякого билета хоть завтра три «Москвича» возьму и еще останется на запчасти! Нет, наверное, я точно раб. Послушай, а может, мне того... тоже забичевать?

— А что? — сказал Паша. — Вы не смотрите на нас, среди бичей были и выдающиеся фигуры, например

Хлебников, Горький, Александр Грин... Наконец, кто такой был Иисус Христос, если не самый заправский бич?!

— Погоди, давай еще выпьем,— предложил Новосильцев и уже нацелился разливать спиртное, но Паша торопливо прикрыл свой стакан ладонью.

— Я больше не буду,— сконфуженно сказал он при этом.— Честно говоря, я вино видеть не могу. И вообще: пойду-ка я, пожалуй, домой. То есть не домой, просто пойду, а то совсем уже ночь.

— Тогда давай я тебя провожу?

— Так я и говорю: некуда меня провожать.

— Действительно...— сказал Новосильцев.— Ну, будь здоров! А костюмчик ты носи, пусть это будет как бы память о нашей встрече. Ты ничего человек, гражданин бич, я отвечаю,— положительный человек. Только вот философия у тебя завиральная — чистый идеализм. Я буду говорить откровенно, ты уж не обижайся: прохиндеи твои бичи, алкоголики и полные прохиндеи. Неужели ты и вправду подумал, что Аркадий Новосильцев может забичевать? Да он скорее выроет всех своих предков до тр... сейчас... до тринадцатого колена, чем будет собирать пустые бутылки и похмеляться одеколоном!

Пашу Божия эти слова задели. Сначала он собрался в отместку тоже сказать что-нибудь обидное Новосильцеву, но потом передумал и решил ему по-хорошему объяснить, что-де даже в качестве прохиндея и алкоголика средний бич олицетворяет собой протест против диких благосостоятельных суеверий. Впрочем, ему тотчас пришло на ум, что всякие теории, исходящие от человека в лохмотьях, пахнущих машинным маслом, должны прозвучать неизбежно и именно завирально.

— И билет ты зря отдал,— вдруг сказал Новосильцев с видимой неприязнью.— Дурак ты, дурак!..

— Зря,— согласился Паша.

НАСТОЯЩАЯ ЖИЗНЬ

колько русских рассказов ни родилось благодаря железнодорожному транспорту, то есть сколько художественных идей и просто строптивых мыслей в разное время ни драпировалось путевыми знакомствами, а также купейными разговорами, которые у нас почему-то обязательно венчаются моралью и станцией назначения, я вынужден навязать читателю еще один, так сказать, железнодорожный рассказ. Тут уж ничего не поделаешь, поскольку занимательное знакомство, одинаково лестное и для нашего национального самосознания, и для наших форм социального бытия, о котором пойдет речь в этом рассказе, действительно совершилось в вагоне электропоезда, следовавшего из Загорска в Москву, как сейчас помню, 11 сентября позапрошлого года. Я, может быть, и рад был бы опереться на какую-то более свежую обстановку, но что было, то было; вообще, сочиняя рассказы, я всегда ориентируюсь на действительность, так как для меня очевидно, что наша жизнь — это чистой воды художественная проза.

Итак, 11 сентября позапрошлого года я сел в электричку и, чтобы скоротать время до отправления, принялся за газету. Кстати замечу, что газеты я читаю «от корки до корки» и на все четыре полосы у меня уходит максимум полчаса. В тот раз я даже уложился минут в пятнадцать, хотя мне попалась мудреная статья о похищении целого молокозавода, и, когда я уже дочитывал прогноз погоды на 12 сентября, напротив меня помести-лась одна старушка. То, что это была не наша старушка, я понял с первого взгляда. Она представляла собой су-хонькое, седенькое, какое-то надтреснутое существо в за-мечательно белом плаще и в очках с цепочкой, придавав-ших ее лицу нечто лошадиное, гужевое. Я решил: дол-жно быть, это американская старушка, из тех, что сто лет бьются как рыба об лед, чтобы на сто первом году проехаться по Европе. По причине того нервно-привет-ливого отношения к иностранцам, которое нам привили еще в петровские времена, мне очень захотелось с этой старушкой поговорить. Я светски посмотрел ей в глаза, улыбнулся, кашлянул и сказал:

— Хау ду ю файнд рашн чечиз?

— Чего-чего? — спросила она.

Я смутился. На лице у старушки было явно амери-канское выражение, то есть такое выражение, будто, кро-ме нее, никого на свете не существует, но это свое «че-го-чего» она произнесла совершенно так, как его произ-несли бы, скажем, в цветочных рядах на площади Ильича.

— Я говорю, как вам понравились наши церкви?..

— Церкви как церкви,— сказала старушка,— обык-новенные церкви; я в этой архитектуре, честно говоря, ни бум-бум.

Затем она внимательно посмотрела мне в глаза и до-бавила:

— Да вы небось подумали, что я иностранка?

Я кивнул.

— Нет, с одной стороны, я действительно иностран-ка, но, с другой стороны, стопроцентная русская. Я ведь в Калининской области родилась, в Старицком районе, деревня Тычки.

Электричка дернулась и поплыла вдоль перрона. «И правда,— подумал я,— чего бы она поехала в элект-ричке, если бы была полная иностранка?»

— Но как раз перед войной я очутилась на Украи-не, и в сорок третьем году меня угнали в Германию. По-этому я через два года оказалась гражданкой Соединен-ных Штатов, так как нас освобождали союзники и мне сделал предложение один американский артиллерист. Я тогда, несмотря ни на что, убедительная была девка — кровь с молоком!

В эту минуту к нам подсела компания из четырех че-ловек. Двое немолодых мужиков в каких-то безобразных соломенных шляпах, вообще одетых оскорбительно неопрятно, стали решать кроссворд, а двое мужиков помоложе, один из которых, судя по интонации, наверное, был какой-нибудь некрупный руководитель, затеяли горячий и маловразумительный разговор.

— Ну вот,— продолжала моя старушка,— с тех пор я там у них и живу. Город Маунт-Вернон, штат Иллинойс.

— Стало быть,— сказал я,— вы там живете без малого сорок лет, как же вы до сих пор по-английски-то не выучились говорить?

— Ну почему,— как-то квело возразила моя старушка.— Немного по-ихнему я кумекаю. Но, правду сказать, с мужем я сорок лет разговариваю на пальцах.

Старушка примолкла, и до меня стали доходить соседские голоса.

— Опера Беллини из пяти букв?

— «Норма».

— Тогда я ему говорю,— заглушил кроссвордщиков некрупный руководитель.— «Если ты, гадина,— говорю,— не починишь сегодня передний мост, то я из тебя душу выну!»

— А он чего?

— А он отвечает: «Будет сделано, товарищ начальник».

— И все-таки это странно,— сказал я старушке.— Как это: за сорок лет не выучиться английскому языку?! Я прежде держался такого мнения: направь русского человека в понедельник на Сейшельские острова, он в среду уже стихи будет по-ихнему сочинять...

— Главная причина, что я женщина малограмотная,— сказала моя старушка.— Не помню, как в школе дверь открывается. До войны я всего и проучилась-то пять с половиной классов. Спроси меня, где находится какой-нибудь Берингов пролив, я не отвечу, вот до чего я темная!

— Действительно,— согласился я.— На сегодняшний день это звучит несколько диковато.

— Но, правду сказать, в Маунт-Верноне, штат Иллинойс, в глаза это особенно не бросается. Там, если даже с кем и побеседуешь по душам, то до Берингова пролива дело все-таки не дойдет. У меня так далеко разговор сроду не заходил...

Сказав это, старушка что-то призадумалась, и до меня опять стали доходить соседские голоса.

— Однако проходит день, проходит другой,— рассказывал некрупный руководитель,— а эта гадина, как говорится, ни шьет, ни порет. Тогда я вызываю его к себе в кабинет, достаю из сейфа небольшую монтировку и говорю: «Если,— говорю,— гадина, ты к завтрашнему не починишь передний мост, то я тебе вот этой монтировкой голову проломлю!»

— А он чего?

— Он говорит: «Будет сделано, товарищ начальник».

— Советский писатель из семи букв?

— Новиков-Прибой.

— Ты что, очумел?! Тут же два слова через дефис!

— Я исхожу из того, что, может быть, сначала он был просто Новиков, а Прибоя ему присвоили за выдающиеся литературные результаты.

К сожалению, критику этой идеи я не расслышал, потому что в следующую минуту несколько парней, стоявших в дальнем конце вагона, оглушительными голосами затянули известный цыганский романс на слова Аполлона Григорьева и, надо отдать им должное, не успокоились, покуда не спели все.

— А вообще жизнь там скучная,— вдруг сказала моя старушка.— Если бы не телевизор и расовые беспорядки, то форменная тоска.

Только она закончила эту фразу, как в наш вагон вошел подозрительный малый с каким-то, я бы сказал, плачевным выражением на лице. Он молча снял с головы кепку из искусственного каракуля и приставил ее козырьком к животу, давая понять, что он собирает милостыню. Я было застеснялся за этого малого перед американкой, но вовремя вспомнил, что она только отчасти американка. Между тем попрошайка прошел полвагона, собрав с пассажиров кое-какую мзду, в которой, я так теперь понимаю, у нас уже не отказывают никому, будь ты хоть профессорской наружности, хоть косая сажень в плечах, как вдруг его остановила тетка в цветастом платье.

— Нахальная твоя морда! — сказала она попрошайке и сделала угрожающий жест рукой.— Тебе бы камни ворочать, а ты побираешься, сукин сын!

— А почем ты знаешь, на что я милостыню прошу?! — с готовностью сказал малый, точно он только и дожидался этого замечания, причем выражение его лица немедленно поменялось на вполне работоспособное, даже злое.— Может быть, я на колхозное строительство милостыню прошу?!

— Именно что на колхозное строительство! — ядовито сказала тетка.— Я так сразу и подумала, что на колхозное строительство, прямо вся душа у тебя об нем изболелась!

— А хоть бы и на бутылку! — парировал малый.— Может быть, у меня такая биография, что хоть волком вой! Может быть, у меня настоящей профессии нету! Может быть, я настолько возвышенная личность, что мне во всей деревне не с кем слова сказать, а меня ни одна зараза не пожалеет! Тогда как, елки зеленые?! Я уже не говорю про то, что осеменатор Алтушкина меня вообще не считает за человека...

Словом, у этого малого получился с теткой целый разговор по душам, но я их препирательства дальше слушать не стал и вообще готов был пожертвовать месячную зарплату, только бы они оставили нас в покое. Однако моя американка, мало сказать, с удовольствием вслушивалась в перепалку, она эту пару просто глазами ела. Почувствовав недоброе, я решил отвлечь ее внимание и снова заговорил.

— А как вы к нам? — спросил я старушку.— По туристической путевке или же дикарем?

— Даже не знаю, как и сказать. Наверное, все-таки дикарем, потому что маршрут у меня такой: Маунт-Вернон — Сент-Луис — Нью-Йорк — Москва — Калининская область; ведь я как приехала, так сразу в свои Тычки.

— Ну и как вам показались ваши Тычки? — настороженно спросил я.

— Родина, она и есть родина, что тут скажешь. Между прочим, там теперь отделение племенного хозяйства. Коровы все: Ракета, Планета, Комета, одним словом, сплошные космические названия. А бычки почему-то все Борьки.

— Да,— сказал я,— это действительно причудливый факт.

— Но особенно мне приглянулось деревенское население. Народ такой приветливый, обходительный, что я первое время немного побаивалась: сейчас попросят чего-нибудь. Но в конце концов оказалось, что им ничего не нужно. Потом, у них праздники через день и постоянные приключения. Например, зоотехник на девятое мая спалил свою баньку и сказал, что это для иллюминации. Короче говоря, я на свои Тычки нарадоваться не могу!

— Заявляю положа руку на сердце,— сказал я,— не ожидал я от вас такого ответа. Все-таки наш национальный образ жизни, как бы это выразиться... довольно оригинален.

— Что вы! — воскликнула старушка, посмотрев мне в глаза нежно и тяжело.— Ведь это же жизнь! Вы понимаете: ведь это настоящая жизнь!

Тут я призадумался, и надолго. Подперев голову кулаками, я стал прикидывать, что к чему, и до Ярославского вокзала наверняка вывел бы соответствующую мораль, если бы меня постоянно не отвлекали соседские голоса.

— Философское понятие из восемнадцати букв?

— Трансцендентальное.

— Ну ладно, говорю, раз такое дело, то я сейчас повешусь, а ты, гадина, продолжай в том же духе!

— А он чего?

— Он гнет свое: «Будет сделано, товарищ начальник».

ОБЪЯСНЕНИЕ В ЛЮБВИ

(Из записок учителя французского языка)

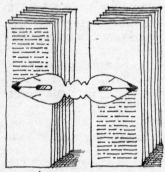

ачну с того, что утром четвертого февраля я проснулся в состоянии некоего предчувствия, предвкушения, томительного, как бессонница, и настораживающего, как дурная примета.

Мое утреннее предчувствие стало сбываться, начиная с той самой минуты, как я поднялся с постели: я пошел в ванную умываться и разбил маленькое зеркальце, при помощи которого я узнаю, аккуратно ли причесаны волосы на затылке. Затем я по рассеянности надел рубашку с короткими рукавами, за завтраком подавился куском яблочного пирога, наконец, направляясь в школу, ни с того ни с сего почувствовал нехорошую слабость и вместо того, чтобы пойти пешком, решил воспользоваться автобусом; я прождал его ровно четверть часа и в результате опоздал на утреннюю «пятиминутку», за что наша директриса Валентина Александровна Простакова сделала мне довольно оскорбительный нагоняй. Оговорюсь, что при этом она смотрела на меня так, словно делала комплименты.

Впрочем, помимо нагоняя мое автобусное приключение имело еще и другое следствие — я имею в виду одну футурологическую идею, с которой я поначалу носился, как дурень с писаной торбой. Кажется, на второй перемене я случайно узнал от Владимира Ивановича, нашего «трудовика», что в ненастные дни, в период между половиной восьмого и половиной девятого, автобусы на-

46

шего маршрута курсируют крайне нерегулярно, и это сообщение натолкнуло меня на мысль, что если бы я был заблаговременно осведомлен о метеорологических особенностях автобусных сообщений, то избежал бы опоздания на утреннюю «пятиминутку», а значит, и нагоняя. Сама по себе эта мысль большого футурологического значения не имела, однако она повлекла за собой множество смежных соображений, масштабность которых неуклонно возрастала от предыдущего к последующему, так что в конце концов дело дошло до установления причинно-следственной связи между образом жизни Людовика XVI и разгромом французского нашествия при переправе через Березину. В конце концов меня осенило: поскольку явления прошлого неукоснительно предопределяют явления будущего, их можно в подробностях предсказать, а значит, заблаговременно оградить себя от несчастий. То есть, в сущности, из чепухи у меня вылупилась целая панацея против людского горя, только потому не универсальная и не сулящая успеха в ста случаях из ста, что есть много людей, которым лень себя от чего бы то ни было ограждать, и еще потому, что пока не ясно, какого рода несчастья желательны, а какого нет.

Эта идея меня до такой степени заинтриговала, что я, сроду не сочинявший ничего, кроме объяснительных записок, даже решил сочинить трактат, который содержал бы пророчества, предупреждающие все мыслимые несчастия. Впоследствии моя затея претерпела множество изменений по существу. Во-первых, я отступился от панацеи; основательно поразмыслив, я пришел к выводу, что моя панацея даже относительно не панацея, то есть вовсе не панацея, так как причины людских несчастий зиждутся именно в тех, с кем они приключаются, а не вовне, и, положим, рассеянный пешеход рано или поздно обязательно вляпается в какое-нибудь дорожно-транспортное происшествие, невзирая на то, что его можно самым решительным образом предсказать. В этом смысле человек совершенно оправдывает русскую пословицу: «Кому суждено быть повешенным, тот не утонет» и знаменитую латинскую мудрость: «Бани, вино и любовь разрушают вконец наше тело, но и жизнь создают бани, вино и любовь». Следовательно, я вынужден был признать неукротимую неизбежность опоздания на утреннюю «пятиминутку», а значит, и нагоняя, поскольку, даже будучи в курсе всех наших транспортных беспорядков, я был не в силах оградить себя от легкого недомогания. Правда, утром четвертого февраля все это еще не было мне невдомек, и, кажется, я серьезно заподозрил в себе спасителя человечества.

Вопреки моему утреннему предчувствию первое время ничего необыкновенного со мною не происходило, если только не принимать во внимание того обстоятельства, что у меня вдруг с поразительным постоянством начали развязываться шнурки. Во всяком случае, уроки шли относительно гладко, и только в девятом классе у меня произошел небольшой конфликт с Письмописцевым, которого наверняка бы не произошло, если бы не моя любовь к лирическим отступлениям. Накануне я задал этому классу пересказ маленькой сценки под названием «В гастрономическом магазине», и, после того как Письмописцев ее, как говорится, через пень-колоду пересказал, я обратился к классу со следующим примечанием:

— Природного француза от русского, превосходно владеющего французским языком, между прочим, легко отличить по тому, как он произносит слова «деньги» и «покупать». Природный француз произносит их с нежностью, придыханием, потому что у него нет ничего сокровеннее этих слов.

— А вот мне непонятно,— сказал Письмописцев, как-то рассыпаясь по парте,— что плохого в том, что люди сокровенно относятся к деньгам? — И, отвернувшись, он скорчил какую-то рожу, которая, по всем вероятиям, должна была означать: «Поймал-таки молодца! Ну, какие неслыханные слова здоровый человек может сказать против денег? Нет таких слов!»

— Ну, что вам ответить, Письмописцев,— сказал я, медленно поднимаясь из-за стола, так как мне требовалось время, чтобы собраться с мыслями.— Да вот, пожалуй: был такой француз — Анри де Сен-Симон, который под занавес жизни совсем не выходил из дому, потому что он писал трактаты о всеобщем счастье и в результате дописался до того, что ему не в чем было выйти на улицу, в одном нижнем белье остался человек... Он целыми днями сидел в нижнем белье за своим рабочим столом, жевал корки, которые подбирал для него старый слуга, и писал трактаты о всеобщем счастье. И знаете, что замечательно: из всех французов этот был, наверное, самый счастливый француз.

— К чему это вы? — сказал Письмописцев, как мне показалось, искренне удивившись.

— К тому, что человеческое счастье гораздо сложнее, чем вы полагаете,— ответил я.

— Это вы увиливаете,— сказал Письмописцев.— И примеры приводите нехарактерные. С философов взятки гладки, они все были не от мира сего. Я же говорю о нормальных людях, и мне очень даже понятно, когда эти люди сокровенно относятся к деньгам, то есть когда целью жизни они выбирают обогащение. Потому что ничего другого для нормального человека не остается.

— Боюсь, Письмописцев, что вы дешево цените свою жизнь,— сказал я.— Попытайтесь взглянуть на нее с той точки зрения, что в вашем распоряжении шестьдесят — семьдесят лет или, на другой счет, около двадцати четырех тысяч дней, а потом все — потом только вечное вращение костей во вселенной.

— Правильно! — сказал Письмописцев.— И задача состоит в том, чтобы прожить этот срок красиво. А для этого нужны деньги.

— Вот я и говорю, что вы дешево цените свою жизнь. Ведь вы, Письмописцев, не просто млекопитающее, вы существо, возможно, беспримерное во всем мироздании, поскольку в бесконечной вселенной вполне может больше не оказаться таких существ, которые живут и сознают, что они живут. А это сознание, в свою очередь, возбуждает сознание того, что человеческая жизнь не безгранична, что она представляет собой некую вспышку в кромешной тьме, некий краткосрочный перерыв в вечном небытии. Вообще смысл и значение перерыва этого непонятны и даже, может быть, никогда не будут понятны, но сам по себе он требует от нас какого-то чрезвычайно вдумчивого и, я бы сказал, трепетного отношения. Во всяком случае, этот перерыв слишком таинственная и грандиозная штука, чтобы его можно было заполнить личным обогащением.

— Я что-то не пойму, к чему вы нас призываете? — сказал Письмописцев.— Вы нас что, призываете жевать корки и ходить в нижнем белье?

— Нет, Письмописцев, к этому я вас не призываю,— ответил я, перекрывая голосом юмористический ропот.— Я вас призываю вдумчиво отнестись к краткосрочному перерыву в бесконечном небытии.

Письмописцев махнул рукой.

— Это все слова,— сказал он.— Подобное красноречие разводят те, кому деньги не даются. Им деньги не даются, вот они с горя и философствуют.

После того как Письмописцев закончил, я призадумался, и надолго, поскольку мысли, напавшие на меня, были путаные и длинные. Во-первых, я подумал, что, может быть, моя склонность к философии действительно объясняется тем, что мне деньги не даются, а они мне не даются — что да, то да. Потом мне пришло на ум, что Письмописцев, возможно, прав, что все много проще, нежели я себе представляю, и, если природа, перед лицом которой все живое равно и однозначно, не наделила особым смыслом краткосрочное существование, скажем, куста жасмина или бабочки «павлиний глаз», то с какой стати что-то особенное должно следовать из существования человека? Наконец, я подумал, что наций на земле существует отнюдь не сотни, а всего восемь, и это не англичане, немцы, французы, русские и так далее, а крохоборы, бессребреники, простофили, бандиты, работники, святые, мыслители, идиоты; я подумал, что в связи с такой постановкой национального вопроса процесс превращения прошлого и настоящего в будущее есть, в частности, процесс изменения удельного веса одной или нескольких наций относительно остальных, которое влечет за собой самые неудобопредсказуемые результаты. Полагаю, в свое время мудрено было бы предсказать, что период Джордано Бруно впишется в человеческую историю как героический, поскольку на весь этот период был один-единственный герой — тот же самый Джордано Бруно; полагаю, что по этой же логике невозможно было предугадать все значение периода нарождения русской интеллигенции, ибо даже такой провидец, как Чернышевский, снабдил его замечанием: «...жалкая нация, нация рабов, снизу доверху — все рабы». Из этого, главным образом, следовало, что предсказать течение событий в будущие времена еще не значит предсказать будущее, так как сами по себе это могут быть чудесные времена, но эмблемой их окажется какой-нибудь Письмописцев...

Когда я очнулся, класс был уже пуст,— видимо, прозвенел звонок на перемену, и ребята тихо ушли. Я немного посидел за своим столом, глядя на портрет Бальзака, в котором мне чудилось что-то неприятно лукавое, и отправился покурить в подсобку физкультурного зала, где по большим переменам дымят наши учителя. Там я застал «трудовика» Владимира Ивановича, преподавателя математики Марка Семеновича, деликатнейшего человека, и лаборанта Богомолова, который с обиженным выражением покуривал в стороне. Поскольку в дальнейшем он сыграет в этой истории немаловажную роль, даю ему предварительную характеристику.

Лаборант Богомолов — злой гений нашего коллектива. Он невероятный подлец, какие встречаются только в книгах и какие в жизни, кажется, невозможны,— до такой степени все-таки подлость их искусственна, несуразна, даже литературна. Скажем, Богомолов имеет досье на всех работников нашей школы, включая дворника Варламова и обеих уборщиц, и если попытаться его прижать, на вас тут же упорхнет донос в районный отдел народного образования, неумный, вздорный, вымученный, но — донос. Из-за них Богомолова все побаиваются, и он позволяет себе неисчислимые вольности, в частности игнорирует расписание и самозванно является на педагогические советы. У него даже лицо такое, что сразу видно, что он подлец. Оно у него щекастое, одутловатое, из-за очков с очень толстыми стеклами совершенно не видно глаз. Владимир Иванович говорит про него: «Ну что ты с ним поделаешь, раз он такой отщепенец!»

А между тем я всегда подозревал, что Богомолов совсем не подлец, все, что угодно, но только не подлец — я это даже не подозревал, а предчувствовал, предвкушал.

Итак, во время большой перемены мы курили в подсобке физкультурного зала и вели разговор, который я бы назвал народным, так как он представляет собой такую же неотъемлемую часть нашей национальной культуры, как файв-о-клок у англичан и хоровое пение у эстонцев; разговор известный: горячий, то и дело перепрыгивающий с одного на другое, а главное — в высшей степени отвлеченный, не имеющий никакого отношения к практической жизни, из-за чего его можно было бы приравнять к переливанию из пустого в порожнее, если бы не то загадочное удовольствие, которое вечно получается в результате. У этого разговора есть одна поразительная особенность: принципы, отстаиваемые собеседниками, это вовсе не обязательно их коренные принципы, а часто принципы, вызванные духом противоречия и поворотами народного разговора, так что если убежденному атеисту по ходу дела выпадает доказывать, что бог есть, он будет доказывать, что бог есть.

— Вот мне всегда было непонятно,— говорил Марк Семенович, окутываясь дымом, который, казалось, валил у него даже из глаз и ушей,— почему все великие люди были порядочными чудаками? Менделеев делал чемоданы, Паскаль носил пояс с шипами, Островский — не тот, что «Как закалялась сталь», а тот, что Колумб Замоскворечья — выпиливал лобзиком... и так далее.

— Основная масса наших глупостей и ошибок,— отозвался я,— объясняется склонностью к обобщениям. Хлебом нас не корми, дай только что-нибудь обобщить: Менделеев делал чемоданы, так сразу — «все великие люди были порядочными чудаками»... Между тем огромное большинство этих людей ничем особенным не отличалось, в то время как наш дворник Варламов коллекционирует левые башмаки...

— Я что-то не пойму: при чем тут, собственно, обобщения? — сказал Марк Семенович, изображая бровями трогательный вопрос.

— А при том,— сказал я,— что, будучи одним из культурнейших человеческих сообществ, мы тем не менее представления не имеем о том, что такое культура отношения к человеку. Я имею в виду к личности, к человеку как таковому. Ну, не признаем мы человека как такового, нам подавай обобщение, ряд, систему. Вот был такой школьный учитель Константин Эдуардович Циолковский; во внеурочное время он разрабатывал теорию космических сообщений, а его вся Калуга считала городским дурачком, потому что юродивые — система. Человек, который занимается космическими сообщениями,— это уж что-то того, а юродивые — система!

— Циолковский жил в мрачные времена,— сказал Владимир Иванович и плюнул на свой окурок.— Сейчас бы его небось на руках носили, пылинки бы с него сдували — только изобретай.

— Вы полагаете? — с ядовитым выражением спросил я.— А что, если в нашем коллективе есть собственный Циолковский, которого, как мальчишку, муштрует администрация и считают блаженным ученики?

— Уж не намекаете ли вы на то, что тоже занимаетесь космическими сообщениями? — сказал Марк Семенович, изображая бровями трогательный интерес.

— Нет,— сказал я.— Я всего лишь пишу философские сочинения. Ну, как там всякие Шеллинги, Фейербахи...

Не успел я договорить эти слова, которые наверняка не сорвались бы у меня с языка, если бы не обида, нанесенная мне директрисой, и не горькие мысли, вызванные конфликтом с учеником Письмописцевым, как зазвенел звонок на урок и мы разошлись по классам.

— Тем не менее предлагаю по-прежнему считать меня рядовым народного просвещения,— сказал я напоследок, но было поздно: мое признание уже существовало само по себе и нагнетало такие неприятные следствия, которые даже трудно было вообразить.

Во время последней перемены наконец-то стряслось замечательное происшествие, начиная с которого стали осуществляться предчувствия четвертого февраля: я поймал на себе многозначительный взгляд нашей директрисы Валентины Александровны Простаковой. Этот взгляд навел меня вот на какое неожиданное открытие: я решил, что директриса в меня, видимо, влюблена.

Что бы там ни говорили о кокетстве и прочих матримониальных уловках, кокетство — это одно, а взгляд влюбленного человека — это совсем другое. Тут, как говорится, двух мнений быть не может: если женщина смотрит на вас таким образом, точно у нее не глаза, а две сияющие лампочки, и при этом производит впечатление человека, с которым вот-вот сделается счастливая истерика,— можете быть уверены, что эта женщина в вас по уши влюблена. Директриса смотрела на меня именно таким образом. Правда, в первую минуту меня насторожило то обстоятельство, что прежде я ее страсти как-то не примечал, но я сказал себе, что вообще женская психика — это большой секрет.

Мое неожиданное открытие повергло меня в самое приятное состояние духа, поскольку оказывалось, что меня можно любить, в то время как я всегда полагал, что не способен возбуждать в женщинах ничего, кроме поверхностной неприязни. Можно сказать, что я был почти счастлив тем мужественным счастьем, от которого сам собою втягивается живот, распрямляются плечи и хочется говорить остроумные дерзости.

В этом счастливом состоянии чувств я поднялся в учительскую за портфелем, собираясь идти домой, но был задержан скандалом, который учинил третьеклассник Бровкин. Этот Бровкин отказывался вступать в пионеры. Когда я вошел в учительскую, он стоял в углу под газетой «За отличную успеваемость» и ел известку, которую отколупывал от стены.

— Что же ты с нами делаешь, балбес ты этакий! — говорил ему Владимир Иванович, «трудовик».— Ты почему не хочешь вступать в пионерскую организацию?

Бровкин молчал, и поэтому Владимир Иванович перешел к угрозам: сначала он посулил ему неудовлетворительную отметку по поведению, затем вызов на педагогический совет, наконец, привод в отделение милиции — Бровкин молчал и ел известку, которую отколупывал от стены. Я сообразил, что таким образом Владимир Иванович ничего не добьется, и решил повести дело, что называется, полюбовно.

— Послушай, Николай,— сказал я Бровкину,— третий класс — это уже не шутки, это, брат, такая пора, когда человек уже должен уметь объяснить, как и что. Вот и объясняй, почему ты не желаешь быть пионером?

Бровкин посмотрел в потолок, потер средним пальцем ладонь левой руки, потом перевел взгляд на собственные ботинки и как бы через силу заговорил. Как я и думал, все упиралось в препятствие нравственного порядка: оказалось, что дед Бровкина утверждает, будто бы пионерам запрещается врать, что пионер, который врет,— это хуже, чем уголовник, а поскольку Бровкин знал за собой этот грех, то он счел вступление в пионерскую организацию невозможным.

— Видишь ли, Николай,— сказал я на это,— есть две разновидности хороших людей: просто хорошие люди и плохие люди, которые понимают, что они плохие, и всячески стремятся преодолеть свои недостатки. Что это значит в твоем положении? В твоем положении это значит, что если ты будешь последовательно бороться с враньем, то ты вполне хороший человек и достоин быть пионером. Ты разделяешь эту точку зрения или не разделяешь?

Бровкин кивнул в знак того, что он эту точку зрения разделяет, и я отправил его домой. Только он ушел, в учительскую явился лаборант Богомолов, на лице которого было выражение такого омерзительного удовольствия, что меня передернуло от затылка до каблуков.

— А я вас везде ищу,— сказал он, потирая руки.— Вас Валентина Александровна вызывает, зайдите к ней в кабинет.

Уж не знаю отчего, но на меня вдруг напало предчувствие любовного объяснения, и по дороге в директорский кабинет я внутренне улыбался, прикидывая варианты неоскорбительного отказа. Оставив портфель в канцелярии, на стульчике подле двери в директорский кабинет, я вошел к Валентине Александровне, и конечно же она встретила меня тем самым влюбленным взглядом, которым я был давеча приятно ошеломлен.

— Я позвала вас для того,— начала Валентина Александровна,— чтобы по-свойски, не вынося, как говорится, сор из избы, решить один деликатный вопрос. Не то чтобы это был какой-то секрет, но все-таки будет лучше, если данный разговор останется между нами.

Я не выдержал и улыбнулся.

— Видите ли,— продолжила Валентина Александровна и вдруг начала ломать пальцы,— мне стало известно, что вы что-то там сочиняете. Я ничего не говорю, это, безусловно, ваше личное дело, но ведь вы не просто человек, вы — учитель. Как бы это лучше сказать: учитель должен заниматься своим непосредственным делом, если учитель разбрасывается, это уже не учитель. И потом: есть в этом вашем сочинительстве что-то, знаете ли, двусмысленное, подозрительное — вы согласны?.. Одним словом, в данной ситуации, по-моему, есть только один выход: и нам будет лучше, и вам будет лучше, если вы подадите, как говорится, по собственному желанию...

Я ничего не ответил; сначала я засмотрелся на свои туфли, у которых опять развязались шнурки, потом перевел взгляд в потолок, потом потер средним пальцем ладонь левой руки и снова стал разглядывать свои туфли.

— Ну, так что мы с вами решим? — сказала Валентина Александровна и застучала ногтем по подлокотнику своего кресла.— Я все-таки думаю, что нам необходимо расстаться. И давайте кончим это дело по-хорошему, без эксцессов.

Я отрицательно помотал головой и вышел из директорского кабинета, так и не промолвив ни одного слова. Мне было горько. Впрочем, как это ни странно, мне было горько не оттого, что Валентина Александровна собралась выжить меня из школы, а оттого, что я так позорно обманулся относительно ее лампочкоподобных взглядов — это было более чем обидно. Кроме того, я сильно рассердился на лаборанта Богомолова, который слышал мое признание в подсобке физкультурного зала и не преминул кому следует донести. Поскольку моя озлобленность требовала какого-то выхода, я решил пойти к Богомолову и сказать ему «подлеца».

Богомолова я застал в лабораторной химического кабинета: он мыл пробирки. Когда я вошел, Богомолов поднял голову и посмотрел мне в глаза. Должен сознаться, что его взгляд несколько притушил мое злобное напряжение, так как сквозь толстые очки я неожиданно разглядел что-то похожее на товарищеское сочувствие.

— Послушайте, Богомолов,— сказал я,— это вы донесли Простаковой о нашем давешнем разговоре? Я имею в виду разговор в подсобке физкультурного зала. Так это вы донесли или нет?

— Я,— сказал Богомолов.

Этот ответ совсем сбил меня с толку. Если бы Богомолов начал изворачиваться, то есть повел бы себя естественно, и я повел бы себя естественно, то есть в конце концов сказал бы ему «подлеца». Но поскольку Богомолов повел себя противоестественно, я растерялся.

— А вы понимаете, что это нехорошо? — сказал я после некоторой паузы.— Ведь это... нехорошо!..

Богомолов оставил пробирки и начал вытирать руки о полотенце.

— Я вам отвечу,— сказал он, вешая полотенце на гвоздик.— Во-первых, «хорошо» и «нехорошо», извините за трюизм, понятия относительные. Что, собственно, ужасного в том, если руководитель коллектива будет в курсе: среди его подчиненных есть собственный сочинитель? — ровным счетом ничего. Значит, в принципе это «хорошо». Но сделаем поправку на обстоятельства: руководитель у нас, как это ни прискорбно, женщина пугливая, как это... как серна какая-нибудь,— и тут мы сразу получаем «нехорошо». Спрашивается: при чем здесь я? При чем здесь я, если все упирается в обстоятельства?

— А при том, что вы донесли, имея в виду те самые обстоятельства, по милости которых мы получаем «нехорошо»!

— Знаете что?..— сказал Богомолов, прикусив губу.— Хотите поговорим серьезно, без обиняков? Это я сейчас глупость плел, что в голову взбредет, потому что в это время раздумывал, захотите вы со мной говорить серьезно или не захотите. Так хотите?

— Валяйте,— ответил я.

— Прежде всего оговорюсь: слово «подлость» в приложении к некоторым моим поступкам несправедливо, и поэтому я заменяю его нейтральным словом «поступок». Видите ли, я не просто сознаю, что подличаю, а...— вы только, пожалуйста, не удивляйтесь — а намеренно подличаю, по убеждению, через душу. Стало быть, не подличаю, а поступаю.

Когда Богомолов сказал эти слова, у меня сразу ушки на макушке — так он меня заинтриговал.

— Собственно, в этом предисловии я уже изложил суть дела,— продолжал он.— Суть, повторяю, заключается в том, что мои поступки намеренны — в этом суть.

Вы спросите, зачем я это делаю? Отвечаю: от скуки. Уж раз пошла такая пьянка, то я скажу откровенно: все дело в скуке. Понимаете — скучно ужасно! Жизнь у нас сейчас спокойная, не по-русски благополучная, и от этого не просто скучно, а недопустимо скучно — упираю на это слово: недопустимо. И если я гражданин своему обществу, то я обязан противостоять. Но тут возникает вопрос: как? В первой молодости я был тщеславен, как это... как не знаю кто; я многое видел, я очень многое насквозь видел и, к несчастью, принимал это видение за талант, а талант — это уже трибуна. Но таланта не оказалось; оказалось, что было только сквозное видение и тщеславие, лишенное каких бы то ни было оснований. Тогда-то инструментом противостояния я и выбрал «поступки». Раз я такой убогий, что не в силах противостоять в масштабах нации, буду противостоять в масштабах производственного коллектива. Извините, вам интересно?

Я почему-то вздрогнул.

— Очень интересно...

— Так вот, в масштабах производственного коллектива... Сначала я придумал довольно идиотский маневр: я решил прикидываться чокнутым и под этим предлогом всем говорить правду. Видите ли, даже если один человек из ста тысяч станет неуклонно говорить правду, то это будет иметь серьезные разрушительные последствия. То есть я хотел стать тем самым мальчиком, который объявляет, что король голый. Но тут я споткнулся о следующее препятствие: долго чокнутым прикидываться невозможно, это еще Гамлет доказал. Тогда-то я и выбрал «поступки».

Какая логика имелась в виду: чудовищная, то есть явная, ничем не обусловленная, непрактичная подлость, как это ни странно, имеет громадное нравственное значение. Во-первых, она как бы морально мобилизует, постоянно держит начеку порядочных людей, что уже само по себе повышает градус общего нравственного состояния. Во-вторых, нейтрализуются настоящие подлецы, так как они тоже вынуждены со мной бороться — это обстоятельство льет воду на ту же мельницу. В-третьих, факт существования чудовищных подлецов — это превосходная нравственная школа для всякой здоровой личности; ведь это только собственная подлость — не подлость, а чужая подлость очень даже подлость, значит, она воспитывает и чистит. Но главное — уже не так скучно. То есть вы соображаете, сколько пользы может принести людям один самозваный подлец, так сказать, лжемерзавец? Я, знаете ли, даже подумываю: может быть, мне трактат написать, чтобы протолкнуть эту идею в массы, чтобы последователи пошли?.. Ведь должны быть последователи, потому что тут своего рода подвиг, это вроде того, как из научных соображений прививать себе холерные палочки...

— Нет, это уже будет слишком! — сказал я, почесывая затылок.

— Ничего не слишком! — возразил Богомолов.— Впрочем, погодите: у этого дела имеется оборотная сторона, которая вас сейчас успокоит, потому что это очень эгоистическая сторона, настолько эгоистическая, что ее даже совестно освещать. Дело в том, что я пошел на «поступки» совсем не потому, что я такой альтруист, а опять же из тщеславия, то есть из шкурного интереса. Видите, какая петрушка: деятельность серьезного гуманистического значения имеет своим источником эгоистический интерес. Я думаю, это вас успокоит.

— Нет, мне все-таки странно, что ваше тщеславие приобретает такие зловещие формы,— отозвался я.

— Да господь с вами! — воскликнул Богомолов.— Разве я Герострат, Лжедмитрий, протопоп Аввакум? Я всего лишь человек, который из-за беспокойства в связи с конечностью личного бытия делает маленькое, не совсем обычное, но нужное дело. Я не опаснее изобретателей вечного двигателя, а вы говорите — зловещие формы...

На этом Богомолов примолк и выжидательно сложил губы трубочкой, а я вдруг подумал: наверное, он все наврал, то есть, наверное, он нарочно подвел идею под свою подлость, чтобы дать ей возвышенное объяснение. Впрочем, на это мало было похоже, поскольку человеку с нервным умом, каковым неожиданно выказал себя Богомолов, ловчее и извинительнее всего было бы оправдаться, например объявив, что это очень приятно, когда тебе плохо и всем вокруг тоже плохо.

— Все это, конечно, занимательно,— после некоторой паузы сказал я,— но мне от этого, знаете ли, не легче. Меня теперь Валентина Александровна со свету сживет. Ну, что мне теперь прикажете делать? Вам идея, а я расхлебывай?..

— Что вам теперь делать? — переспросил Богомолов.— Жаловаться, конечно, что же еще! Ведь вы поймите, начинается борьба. И это превосходно, потому что это и есть настоящая жизнь. Для данного этапа человеческого развития настоящая жизнь — это борьба, то есть такое положение вещей, когда одни люди принципиально безобразничают, а другие люди принципиально мешают им безобразничать. Безобразничать веселее, но мешать безобразничать — благороднее. Поскольку вы человек порядочный и без воображения, вам остается только мешать.

— Ладно,— сказал я,— а как это будет выглядеть на практике?

— В практическом смысле вы не мешкая, то есть прямо сейчас, едете в нашу районную прокуратуру и подаете жалобу на незаконные действия администрации. Только езжайте прямо сейчас, а то знаю я вас, непротивленцев: пятое-десятое, а потом гори все синим огнем.

Как ни претит мне такая борьба, я согласился с мыслью ехать в прокуратуру, поскольку дело заварилось отнюдь не шуточное. Однако осуществиться ей было не суждено. Препятствие, возникшее на пути в районную прокуратуру, было отчасти обидным, отчасти анекдотическим, но самое интересное было то, что воздвиг его Богомолов. Уже выходя из школы, я хватился портфеля и, вспомнив, что в расстройстве оставил его в канцелярии, на стульчике подле двери в директорский кабинет, уже было за ним вернулся, но на подступах к канцелярии меня остановил неистовый Богомолов.

— Так я и знал,— сказал он, загораживая мне дорогу.

— О чем это вы? — спросил я.

— Да так, ни о чем. Позвольте вас на два слова.— И он потащил меня вверх по лестнице.

Мы поднялись на третий этаж, Богомолов завел меня в мой собственный кабинет и неожиданно захлопнул за мною дверь; в замочной скважине дважды прошелестел ключ.

— Что это значит? — растерянно спросил я.

— А то это значит,— из-за двери ответил мне Богомолов,— что я не позволю вам уклониться от борьбы за правое дело.

— Да с чего вы взяли, что я уклоняюсь?

— Ха-ха-ха! — откликнулся Богомолов.— Я не такой простачок, как вы думаете. Я сразу сообразил, зачем вы пошли в директорский кабинет: затем, чтобы свести дело на компромисс: дескать, оставьте меня в покое, а я за это обязуюсь не сочинять никаких трактатов.

— Да я в канцелярию за портфелем ходил, я портфель там оставил! — в отчаянье закричал я.— Откройте, черт вас возьми!

— Хорошо, я открою, но только сначала дайте слово, что впредь не станете уклоняться от борьбы за правое дело.

— Ну вот что, Богомолов,— сказал я, чувствуя, как во мне закипает злоба,— если вы сейчас же не отопрете, то я дам вам в морду!

Сказав эти слова, я насторожился, ожидая ответа, но Богомолов молчал.

— Предупреждаю вас, Богомолов,— добавил я, настроив голос на железную ноту.— Чем дольше вы меня здесь продержите, тем больше вам достанется на орехи.

Видимо, эта прогрессия серьезно его напугала, так как он сразу заговорил.

— Вот ведь какой тяжелый человек...— сказал Богомолов.— Да поймите вы наконец, что все делается исключительно ради вашего блага! Ибо для творческого человека всякая борьба и связанные с нею страдания, перипетии — это то же самое, что бензин для автомобиля. Вы обратите внимание: высшие духовные ценности всегда создавались страдающими людьми. Сен-Симон умирал с голоду, Паскаль был неизлечимо болен, Диоген жил в бочке. А вы что? Вы же как сыр в масле катаетесь! Поэтому и сочиняете, наверное, всякую дребедень. Я на что угодно могу спорить: если бы Паскаль был такой бонвиван, как вы, он бы строчки путной не написал...

То ли оттого, что Богомолов меня убедил, то ли оттого, что вообще глупо было сердиться, у меня вдруг опустились руки и я сказал почти примирительно:

— Так вы откроете или нет?..

— Сначала дайте слово, что не позволите себе никаких эксцессов,— сказал Богомолов.

Из-за того, что мне было совестно так сразу идти на попятную, я в этот раз промолчал; я молчал минут пять, и, когда снова обратился к Богомолову с вопросом: «Так вы откроете или нет?» — приникнув губами к створке запертой двери, мне ответило только коридорное эхо. Видимо, Богомолов струсил и удалился.

Я несколько раз ударил коленом в дверь, прислушался, не отзовется ли мне что-нибудь человеческое, но ничто человеческое не отозвалось, и я как-то сразу смирился. Я сел за свой стол, глянул на портрет Бальзака, который, в свою очередь, посмотрел на меня ядовито, и вдруг подумал о том, что сочинять философские трактаты — занятие неблагодарное и в высшей степени беспокойное. Вслед за этим меня посетила целая вереница насущных и посторонних соображений, которые до того меня утомили, что я... вот даже не скажешь точно — то ли забылся, то ли вздремнул. Скорее всего — вздремнул, так как меня посетило что-то похожее на сновидение: будто бы я гуляю по улице и объясняюсь в мучительной любви пешеходам, отнюдь не смущаясь тем, что физиономии мне попадаются главным образом неприятные.

Когда я пришел в себя, уже наступили сумерки. Кругом было не по-доброму тихо, и о том, что жизнь таки идет своим чередом, свидетельствовал только какой-то противный скрежет, доносившийся со двора. Я поднялся из-за стола, подошел к окну и увидел, что это наш дворник Варламов расчищает площадку возле подъезда. Обрадовавшись перспективе скорого освобождения, я растворил окно и крикнул Варламову, что если он интересуется редкостным левым башмаком для своей коллекции, то он может получить его, поднявшись в мой кабинет.

Варламов оказался на редкость обидчивым человеком и впоследствии долгое время отворачивался при встрече, не в силах простить мне вынужденного обмана. Делать было нечего — я подарил ему совершенно новый левый башмак...

АВТОБИОГРАФИЯ

оворят, будто попугай глупая птица. Будто никого нет на свете глупее долгожителя-попугая. Это, разумеется, заблуждение. А носорог? А черепаха? А королевский пингвин? Но это я острю. Впрочем, уже из того, что я острю, можно заключить, что попугай не так глуп.

Басни о глупости попугая имеют довольно нелепое происхождение. Дело в том, что у нашего брата, пернатого говоруна, порой можно наблюдать этакий туповатый, древесный взгляд. Нечто похожее мне доводилось встречать у матерчатых кукол, которых набивали опилками, — лет пятьдесят назад еще были такие куклы. Так вот именно этот взгляд люди считают бесспорным признаком глупости попугая. А между тем он представляет собой продукт нашего общения с человеком. Свободный попугай смотрит иначе: доблестно, озорно...

Непопугаю мое заключение покажется странным, но это так. Сужу по собственному опыту: стоит мне завидеть моего теперешнего хозяина, растрепанного, взъерошенного балбеса по имени Александр, как я весь прямо деревенею. Я знаю, что сейчас он подойдет к моей клетке, постучит по прутьям чернильными пальцами и начнет ко мне приставать:

— Давай говори: «Попка дурак!»

В таких случаях, я пожимаю плечами, отворачиваюсь к окну и, немного потомив его, говорю:

— Ну, попка дурак...

Хозяин довольно улыбается и оставляет меня в покое.

В этом весь человек. Мало того, что цветом он похож на земляного червя, а сложением на жирафа, мало того, что достаточно посмотреть на его уши, чтобы понять, какой это вызов чувству прекрасного, он еще и заставляет почтенную птицу говорить всякую чепуху. И это меня, понимающего несколько европейских языков, включая украинский и шотландский, прошедшего, как говорится, огонь, воду и медные трубы! А впрочем, в этом нет ничего удивительного. Если порассказать, чего я натерпелся от человека, оперение станет дыбом.

Начну с того, что меня чуть было не съели за несколько дней до дня моего рождения. Знаменитому морскому разбойнику Френсису Дрейку, видите ли, захотелось отведать каких-нибудь необыкновенных яиц. Спасся я только тем, что у его прихлебателей нашлись крокодильи. В связи с этим биографическим обстоятельством уместно спросить: а что, если бы попугаи питались младенцами, как бы это понравилось человеку?

После того как шайку морских разбойников разогнали, я довольно долго сидел в тюрьме. Меня туда упекли вместе с моим первым хозяином, старым матросом, которого приговорили к пожизненной каторге за разбой. Этот матрос в скором времени умер, и тюремный сторож продал меня за бесценок философу Юму, впоследствии часто обращавшемуся ко мне со словами:

— Ты думаешь, птица, что ты существуешь? Это только кажется, что ты существуешь.

Вообще философа Юма я лихом не помяну, хороший был мужчина, внимательный, обходительный, не то что философ Кант.

К этому я попал вот каким образом. Однажды моему хозяину пришла в голову несчастная мысль намекнуть Канту, что, дескать, философам попугайничать не годится. Поскольку сделать это прямо, без околичностей было бы неучтиво, хозяин надумал послать своему неблагодарному последователю подарок со значением, и я отправился в Кенигсберг.

Понятное дело, Кант меня невзлюбил. Он фактически лишил меня пропитания, и, видимо, я вскоре погиб бы голодной смертью, если бы не русские гренадеры. Началась какая-то война, русские войска вошли в Кенигсберг, и я стал добычей гренадера по фамилии Сидоренко. Таким образом я избежал голодной смерти, а также подтвердил мудрую русскую поговорку: «Кому война, а кому мать родна».

Но радовался я недолго. По приезде в Россию я был отобран у доброго гренадера по фамилии Сидоренко и помещен в доме у вельможи Трощинского, где меня кормили как на убой, но зато всячески унижали. Во-первых, меня обучили пить водку. Во-вторых, сквернословить. Наконец, сам Трощинский взял прегадкую моду: как только что-то было не по его, он вытаскивал меня из клетки, брал за хвост и начинал лупить мною провинившегося, как плетью. К счастью, он вскоре проиграл меня в карты старинному гасконскому дворянину, генералу русской службы Лабату де Вивансу, который заведовал постельным бельем Михайловского дворца.

Что греха таить: жизнь во дворце сделала меня гордецом. И это неудивительно, так как я видел всю царствующую семью, а однажды ко мне подошел сам император Павел Петрович, посмотрел на меня грустными глазами, вздохнул и сказал:

— На тот свет иттить, не котомки шить.

Той же ночью его убили. Я проснулся за полночь от криков, топота, ружейного лязга, которые вогнали меня в такой панический страх, что я без памяти выпорхнул в приоткрытую форточку и, что называется, был таков. Я немного полетал над ночным Петербургом, постепенно каменея от холода, и, уже будучи на грани студеной смерти, на авось залетел в какую-то низкую дверь, из которой шел пар, отдававший зловонным теплом и стиркой.

Это была каморка бедной прачки Аграфены Петровны — как ее по фамилии, я забыл. У нее было восемнадцать детей, мал мала меньше, и все относились ко мне, как к родному. Здесь было голодно, но на удивление хорошо. Вечерами Аграфена Петровна зажигала сальный огарок, ребята усаживались потеснее, и я рассказывал им о южных морях, об английских тюрьмах, о немецком городе Кенигсберге... Мать честная: уже и трухи от костей Аграфены Петровны, наверное, не осталось, а я, как сейчас, помню ее каморку, сальный огарок и всю бессчетную ребятню!

Довольно скоро имущество бедной прачки распродали за долги, и я был куплен лакеем поэта Кукольника. У этого Кукольника мне жилось в общем неплохо. Меня сносно кормили, позволяли летать по квартире и сидеть, где мне заблагорассудится. За это я время от времени должен был исполнять единственный трюк: когда у Кукольника собирались гости, то на вопрос хозяина:

— А какого ты, попка, мнения о Пушкине?
— я должен был говорить:
— Пушкин? Метроман-с...[1]

У Кукольника я прожил довольно долго, а потом был украден подпившим гостем, который потерял меня в тот же вечер.

Целое лето я прожил на воле в Парголове. Это были счастливейшие дни моей жизни. Но в конце сентября райской поре наступил конец: меня поймал какой-то мальчишка и продал на Сенном рынке шарманщику-итальянцу. С этим шарманщиком я жил до самой русско-турецкой войны. Мы с ним исходили весь Петербург и пригороды вплоть до Ораниенбаума: шарманщик играл на своей шарманке опостылевшую «Разлуку», а я вытягивал для желающих билетики с предсказаниями верного счастья, которого тогда, кажется, не было и в заводе. Выручали мы, конечно, гроши, и поэтому некоторое время спустя переехали в Москву, известную хлебосольством. Мы переехали в Москву перед самой русско-турецкой войной, и мой шарманщик скоропостижно скончался в трущобах Хитрова рынка. Его сосед по ночлежке немедленно продал меня возле Сухаревой башни за пятачок.

Мой новый хозяин был замоскворецкий купец по фамилии Семиглазов. Он меня бил. Бывало придет из Охотного ряда, возьмет мокрое полотенце и скажет:

— А вот я тебя, гада заморского, по сусалам!

И вслед за этим вступлением принимается меня бить.

У Семиглазова я прожил так много лет, что пережил двух императоров, самого Семиглазова, его сына Николая, а с внуком моего истязателя, Никанором, ездил учиться в Геттингенский университет. Там нас застала первая мировая война. После долгих мытарств мы вернулись в Россию с солдатами русского экспедиционного корпуса.

По приезде в Москву я был национализирован и сначала обитал в зоопарке, а затем меня направили на работу в Театр имени Красных борцов, где я сидел на жердочке в вестибюле и громко твердил:

— Даешь пролетарскую драматургию!

Впоследствии этот театр закрыли, и меня взял к себе

---

[1] М е т р о м а н и я — болезненная склонность к стихосложению.

один знаменитый киноработник. Собственно, на этом заканчиваются мои злоключения, если не считать, что во время последней войны мы были эвакуированы в город Алма-Ата. После смерти моего киноработника я перешел к его родственникам, потом от родственников к знакомым, потом к знакомым его знакомых и, наконец, очутился в просторной клетке у взъерошенного балбеса по имени Александр. Я сижу в ней скоро четыре года и все думаю, думаю... Чаще всего я думаю о том, что, несмотря на многовековую практику, человеческая жизнь устроена еще очень несовершенно. Я сужу по тому, что, вопреки своей добродушной природе, пожалуй даже не менее добродушной, чем попугайская, люди постоянно совершают опрометчивые поступки, например, крадут, дерутся, и вообще далеко не всегда упускают случай причинить зло, на которое попугай в принципе не способен. Но в чем тут причина, я пока еще не пойму... Возможно, я бы уже давно нащупал эту причину, если бы меня то и дело не отвлекал возмутительный Александр, который по сто раз на дню подходит к моей клетке, стучит по прутьям чернильными пальцами и пристает:

— Давай говори: «Попка дурак!»

Я пожимаю плечами, отворачиваюсь к окну и, немного потомив его, говорю:

— Ну, попка дурак...

РЕМИНИСЦЕНЦИЯ

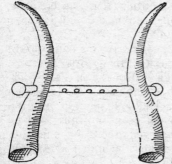

ачать нужно вот с чего: несмотря на то что человечеству около двух миллионов лет, из которых, по меньшей мере, пятьдесят тысяч лет оно соображает, что хорошо и что плохо, примерно четыре тысячи лет имеет возможность записывать результаты своего горького опыта и лет так двести пятьдесят осознает себя человечеством, то есть несмотря на почтенный возраст и массу приобретений,— род людской еще решительное дитя. Тому в истории мы тьму примеров слышим. Положим, народы земного шара начинают осваивать Мировой океан и в конечном итоге невозможно купить обыкновенной селедки. Или: подспудными усилиями нескольких поколений нация из плоти и крови ваяет гения, от которого ждет окончательных объяснений, но почти тут же отдает его на заклание какому-нибудь заезжему проходимцу. В этом отношении человечество почему-то особенно постоянно, и оно даже не так последовательно разоряет свою планету, как разбрасывается гениальными художниками, мыслителями, и это, конечно, странно: на кой черт их тогда, спрашивается, пестовать усилиями нескольких поколений, если они все равно обречены на безвременную погибель?! Но вот что, кажется, прискорбней всего: эта наша повадка распространяется не только на такие выдающиеся личности, которые изловчились оставить след, но также и на тех, кто путем не успел высказать человечеству все, что он о нем думает, на тех, кого мы загнали в гроб задолго до того, как они нам показались анфас и в профиль. К этим-то трагическим фигурам и относится выдающийся поэт нашего времени Павел Петрович Строев.

Что касается преамбульных соображений, то вроде бы они себя исчерпали. Впрочем, нет, сейчас возникает еще одна предварительная идея: из всех закономерностей бытия самая таинственная заключается в том, что все в жизни время от времени повторяется, как если бы человеческие судьбы развивались по нескольким раз и навсегда установленным образцам.

Теперь настал черед кратко поведать о жизни поэта Строева, чего, собственно, ради и затеян этот рассказ. Павел Петрович Строев родился в Москве, в Телеграфном переулке, что на Чистых прудах, 29 декабря 1960 года. Мать его, Екатерина Ивановна, умерла четыре года спустя, и Павел Петрович ее не помнит, а отец здравствует до сих пор; Строев-отец работает электриком на «Трехгорной мануфактуре», человек это мрачный, неразговорчивый, ядовитый.

Павел Петрович был вторым ребенком в семье, кроме него чета Строевых произвела еще старшую дочь Татьяну и младшего сына Льва. В детские годы Павел Петрович мало чем выделялся из среды своих сверстников, разве что склонностью к одиночеству и разборчивостью в еде. Это был вежливый, тихий, послушный мальчик, которого частенько лупили товарищи по двору, а также чужаки из соседних кварталов, и нынче целое поколение бывших чистопрудненских хулиганов вправе гордиться тем, что они бивали выдающегося поэта; многие их поймут, потому что такая гордость у нас в крови: например, у чеховского трагика Щипцова только и было счастливых воспоминаний, что об избиении двух писателей, известных на всю Европу. Семи с половиной лет Павел Петрович, как водится, пошел в школу, каковую и окончил в положенный срок и без особенных осложнений. Учился он, правда, из рук вон плохо, с петельки на пуговку, и в школьные годы считался человеком с ограниченными способностями. Тем не менее после окончания десятого класса он легко поступил в педагогический институт, проучился в нем год и был исключен за то, что ненароком сошелся с дочерью декана романо-германского факультета. Пожалуй, это был первый случай, когда дала о себе знать его драматическая звезда, которая загодя известила его о том, что весь свой век он будет спотыкаться на ровном месте.

После того как Павла Петровича выгнали из института, он два года отслужил в войсках ПВО и, демобилизовавшись, устроился слесарем-наладчиком на «Рот-Фронт»; потом он работал в мастерской по ремонту бытовой техники, электромонтером на телефонной станции, инструктором по туризму, вахтером, а напоследок — истопником.

Писать стихи Павел Петрович начал довольно поздно и даже катастрофически поздно — в двадцать четыре года. Разумеется, таившийся в нем талант делал исподволь свое дело, но проявился он, можно сказать, случайно. В мастерской по ремонту бытовой техники как-то открылась обширная недосдача, и всю вину за нее свалили на безответного Павла Петровича, который был положительно ни при чем; настоящих виновных, конечно, нашли, и справедливость, как говорится, восторжествовала, но несколько вызовов в прокуратуру произвели в Павле Петровиче сложный переворот, и в результате он начал писать стихи.

Первое время он работал от случая к случаю, однако уже в бытность инструктором по туризму писал практически ежедневно. С понедельника по пятницу Павел Петрович сочинял в ванной, так как отец по вечерам смотрел телевизор, Татьяна шила, Лев был выпивши и буянил; в субботу же и в воскресенье, когда в ванных комнатах справляются разные семейные нужды, он уходил работать на лестничную площадку последнего этажа. Семья к его поэтическим занятиям не мирволила: Татьяна искренне жалела Павла Петровича, Лев на него косился, а отец время от времени отпускал едкие замечания.

— На дураков закона нету, — бывало, говорил он и что-то мудреное выделывал руками, изображая якобы дурака.

Несмотря на все бытовые сложности, уже в начале творческого пути Павел Петрович создал свою знаменитую поэму «Семь негодяев» и целый ряд первоклассных стихотворений. Достоинства последних были настолько очевидны даже для девственного чувства и начинающего ума, что их в малом числе, со скрипом, через сердце, но все же публиковали; даром что об эту пору один известный поэт провозгласил: «Стихи все прекрасны», — и публика сразу начала к стихам настороженно относиться, даром что в это время на поэтическую дорожку встали миллионы наших сограждан и уже очень трудно было не затеряться,— стихотворения Строева в малом числе, со скрипом, через сердце, но все же публиковали. По этой причине Павел Петрович в скором времени приобрел в художественных кругах некоторую известность, вошел в одну богемную компанию и обзавелся множеством квазитоварищей по перу, которые не то чтобы скрытно благоговели перед ним и не то чтобы млели от черной зависти, а вот если бы им предоставилась возможность как-нибудь ошельмовать Павла Петровича в глазах литературных властей, то они бы его точно ошельмовали. Но, правду сказать, квазитоварищи мало докучали Павлу Петровичу и даже вовсе не докучали, так как добро существует в ином измерении, нежели зло, и, по существу, противоборствовать им невозможно, как засухе с пуантилизмом или сглазу с теорией относительности.

В 1985 году Павел Петрович женился. Как-то на вечеринке у Левитанского он познакомился с необыкновенной красавицей Натальей Николаевной Бочаровой и влюбился в нее до такой степени, что на какое-то время даже бросил писать стихи. Казалось бы, любовь должна была влить в него новую творческую энергию, но у него, напротив, валилось из рук перо, и он всем говорил, что не пишет с горя. Конечно, ему не верили, потому что с горя как раз и пишут.

Дело в том, что Наталья Николаевна ответила отказом на предложение, как говорится, руки и сердца, которое Павел Петрович ей сделал примерно через неделю после их первой встречи. Наталья Николаевна долго думала прежде, чем отказать; с одной стороны, ее привлекала репутация выдающегося поэта, но, с другой стороны, она не питала к Павлу Петровичу ровным счетом никаких чувств, кроме чувства приятного удивления: дескать, вроде бы мужчина как мужчина, а, гляди-ка,— чего-то пишет... В конечном итоге Наталья Николаевна пришла к убеждению, что Строев — это не та лошадка, на которую серьезная женщина может поставить все.

Тем не менее Павел Петрович своего добился, и в конце восемьдесят пятого года Наталья Николаевна стала его женой. Трудно сказать, что именно заставило ее сдаться — то ли годы подходили, то ли не было на примете других соискателей, то ли Павел Петрович ее все же очаровал.

После свадьбы молодые поселились на Каширском шоссе, в однокомнатной квартире, которая досталась им от родителей невесты в качестве свадебного подарка. Такая щедрость имела самое банальное основание: тесть Павла Петровича был директором плодово-овощной базы, а теща заведовала парикмахерской. В свое время Павел Петрович не придал значения этому обстоятельству — и напрасно.

На первых порах молодые жили неплохо, и что самое важное — Павлу Петровичу записалось так упоительно, так легко, что его выгнали из вахтеров. Тут-то и начались житейские неприятности, то есть денег в семье не стало, из-за чего и открылась продолжительная черная полоса. Прежде львиную часть бюджета составляли подачки со стороны жениных родителей, но теща вскоре ушла на пенсию из-за внезапно открывшейся аллергии на грязные волосы, а на тестеву плодово-овощную базу нагрянула какая-то отчаянная комиссия и вскрыла такие злоупотребления, что тесть в одночасье сошел с ума. Вдобавок как-то вдруг перестали печатать стихи Павла Петровича, и он не приносил в дом практически ничего. Наталья Николаевна тоже не приносила в дом практически ничего, так как она работала секретарем-машинисткой в Министерстве черной металлургии, а поскольку она еще и придерживалась того мнения, что мужья — это такие специальные существа, которые обеспечивают материальное благосостояние своих жен, то вскоре на Каширском шоссе одна за другой пошли семейные сцены. Впоследствии положение Павла Петровича усложнилось еще и тем, что, во-первых, теща начала науськивать Наталью Николаевну против его поэтических занятий, а во-вторых, к ним на житье переехала женина сестра Алевтина, так как сосуществовать с сумасшедшим отцом ей было невмоготу. После этого сцены на Каширском шоссе стали намного круче и разнообразней, отчасти потому, что Алевтина всегда брала в них сторону Павла Петровича, и вот по какой причине: не прошло и двух недель после ее вселения, как они с Павлом Петровичем стали близки в известном, интимном смысле. Собственно, этого и следовало ожидать: если вы живете с молоденькой свояченицей под одной крышей, то вас за глаза можно считать двоеженцем,— будь вы хоть стоической нравственности человек, все равно вам этой чаши не миновать.

Вместе с Алевтиной в доме на Каширском шоссе появились еще кое-какие новые лица, а именно ее подружка Анна Полётова, манекенщица по профессии, научный консультант Александр Шлагбаум, из поволжских немцев, переселившихся из Саксонии еще при императрице Елизавете, и его друг Пряжкин, работавший в альманахе «Интегральное исчисление». Об этих людях разговор зашел потому, что им было суждено сыграть в жизни Павла Петровича роковую роль и стать чем-то вроде орудия злой судьбы или, лучше сказать, каких-то высших законов людской самоорганизации.

Началось все с того, что Павел Петрович приглянулся Анне Полетовой и она решила вступить с ним в связь. Однажды вечером, когда жены со свояченицей не было дома, она навестила Павла Петровича и открылась ему за чаем. В другое время его не нужно было бы уговаривать, ибо поэт Строев оставался вполне нормальным мужчиной, но как раз в эту пору он мучился над своим превосходным стихотворением:

> В костюмерной варьете ем второе.
> Пудра, пыль, шумит за дверью зал.
> До чего я докатился? кем я стал?..—

ну, и так далее, и ему, конечно, было ни до чего. Павел Петрович просто-напросто выставил Полетову за дверь и тем самым накликал на свою голову большую беду, поскольку манекенщица затаила на его счет такую жажду отмщения, на какую среди людей способны только красивые женщины, а среди животных только сиамские коты и верблюды.

Месть Анны Полетовой была страшной. Несколько дней спустя она привела на Каширское шоссе научного консультанта Александра Шлагбаума, и он произвел на Наталью Николаевну более чем сильное впечатление, что, в общем, немудрено: Шлагбаум был высокий блондин с жестокими голубыми глазами, отличавшийся также мощным телосложением и тем очаровательным добродушием, которое свойственно крупным мужчинам и обычно принимается за следствие воспитанного ума. Увидев Шлагбаума, Наталья Николаевна сладко насторожилась и сказала самой себе, что падения ей, видно, не миновать. И действительно: через некоторое время они сошлись.

Павел Петрович, как водится, об измене супруги не подозревал, а вот Алевтина почему-то сразу уразумела, что такое произошло между Шлагбаумом и сестрой, но ее не столько возмутил этот адюльтер, сколько Павла Петровича было жалко. Вдобавок, как-то гадая на картах, она нагадала свояку неприятные хлопоты через бубнового короля, и это вогнало ее в крайнее беспокойство. Тем освещающим чувством, какое дано многим женщинам и стоит иного воспитанного ума, Алевтина, кажется, проникла будущие невзгоды, а главное, как-то сообразила, что это сама жизнь вытесняет из себя выдающегося поэта посредством ординарного большинства, которому поэт просто не нужен, потому что он не вписывается, смущает и вообще обидно парит над прочными структурами бытия. Алевтина была человек простой, и поэтому ей донельзя захотелось поделиться своим страданием и сделать нагоняй ординарным людям. Тогда она отправилась в соседнюю булочную, поспела как раз к открытию магазина и, воспользовавшись тем, что народ, толкаясь, попер к прилавкам, заорала не своим голосом:

— Товарищи, вы что?! Вы совсем очумели, да?! Вы соображаете, что вы делаете?!

Дальнейший ход событий обеспечил тот самый Пряжкин, который работал в альманахе «Интегральное исчисление»,— он время от времени Строевых по-приятельски навещал. Однажды Павел Петрович по легкомыслию показал ему несколько свежих стихотворений; на несчастье, Пряжкин тоже был стихотворец, но только из тех, кто маракует от чрезмерной начитанности, и, конечно, строевские стихи произвели на него действие отравляющего вещества. Сначала Пряжкин чуть было не тронулся с горя, поскольку прежде он был уверен, что в наше время гении не живут, но потом, как говорится, взял себя в руки и решил предпринять кое-какие шаги в том направлении, которое проложили еще древние греки, вешавшие своих первых гениев, исходя из того убеждения, что совершенным место среди богов. Пряжкин почему-то для себя заключил, что выдающиеся поэты представляют серьезную общественную опасность, и надумал Строева погубить. Для начала он подкинул Павлу Петровичу шарж, изображавший поэта с ветвистыми рогами на голове и вообще в довольно дурацком виде. Тут был намек на связь Натальи Николаевны со Шлагбаумом, но в эту пору Павел Петрович жил идеей соотношения временного и вневременного, впоследствии вылившейся в стихотворение, которое начиналось примерно так:

Там-парам-парам беспечность,
Там-парам-пам своего,
Есть движение и вечность,
Больше нету ничего,—

и то, что выходило за рамки этой идеи, для него покамест не существовало. Тогда Пряжкин решил действовать напролом: он послал Павлу Петровичу письмецо, извещавшее о месте и времени очередного любовного свидания Натальи Николаевны со Шлагбаумом, которые действительно устраивала манекенщица Полетова по злобе. Расчет Пряжкина оказался верным: получив письмецо, Павел Петрович прихватил гаечный ключ и поспешил по указанному адресу отстаивать свою честь.

Ему долго не открывали, а когда открыли, то Наталья Николаевна оказалась уже одетой и, сидя на постели с ногами, курила, задумчиво выпуская дым из ноздрей, но на Шлагбауме были только спортивная майка с номером и трусы. Увидев Павла Петровича, он сильно смутился, и поэтому повел себя агрессивно.

— Давай вали отсюда,— сказал он, глядя куда-то вбок.— Вали-вали...

Тогда Павел Петрович вытащил из кармана гаечный ключ.

В то же мгновение, как он вытащил из кармана гаечный ключ, Шлагбаум нанес ему сокрушительный удар в голову, и Павел Петрович как-то так неловко упал, что получил черепно-мозговую травму, имевшую самые тягостные последствия.

Теперь Павел Петрович совсем не тот. После выхода из больницы он впал в тихую задумчивость, потом, когда Наталья Николаевна с ним развелась и вышла замуж за какого-то подполковника, напротив, целыми днями бодро ходил из угла в угол, заламывая пальцы и что-то бурча под нос. Алевтина как-то сделала ему успокаивающую инъекцию, но тогда Павел Петрович уселся на стул посреди комнаты и такими странными глазами вперился в стену, как если бы он ее ненавидел. Алевтина разрыдалась, выбежала на улицу и, увидев дорожных рабочих в оранжевых куртках, которые беззаботно балагурили меж собой, страшным голосом закричала:

— Товарищи, вы что?! Вы совсем очумели, да?! Вы соображаете, что вы делаете?!

Рабочие испугались и схватились за молотки.

С ТОЧКИ ЗРЕНИЯ ФЛЕЙТЫ

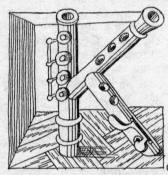

огда моя дочь подросла и вот-вот должна была пойти в школу, жена выписала из Семипалатинска свою мать, чтобы нашей девочке был уход. Тещу я не любил: внешностью и повадками она напоминает какого-то второстепенного хищника вроде росомахи или американской вонючки, словом, я ее не любил. Впрочем, нелюбовь этого рода в порядке вещей, и специально о ней не стоит распространяться.

Увеличение семьи на одну персону поставило нас перед необходимостью каким-то образом расширить жилую площадь. Моя жена, большая в этом смысле пройдоха, сочинила хитроумную комбинацию: мы разводимся, через некоторое время мне дают комнату, после чего мы опять сочетаемся браком и обмениваем комнату и двухкомнатную квартиру на трехкомнатную квартиру — просто, как выпить по сто, если выражаться словами дочери, которая бог знает где набирается этих слов.

Так мы и сделали. После развода я для пущей правдоподобности некоторое время ночевал по знакомым, преимущественно у мужиков из нашей скрипичной группы. На репетиции я являлся заспанным и небритым, на концерты — в помятом фраке и в конце концов разжалобил администрацию: они ходатайствовали перед районным Советом, и мне дали комнату. Я въехал в нее, и со мной что-то произошло.

Понятное дело, что в зрелые годы такой перелом не может пройти бесследно, но я долго не мог понять, что именно со мною произошло. Я часами обхаживал свою комнату, чувствуя легкое головокружение, временами мне в нос ударял старинный, полузабытый запах, с которым было связано что-то очень, очень приятное, и думал о том, что же такое произошло. Но ничего путного не придумал. Более или менее вразумительно я мог бы обрисовать только новое чувственное состояние. Чувство такое, как если бы ваш организм внезапно очистился от дурноты, как если бы вы посвежели, как-то возобновились, точно оправились после долгой-долгой болезни. Видимо, это меня до такой степени преобразил обособленный образ жизни, который имеет несколько освободительных преимуществ: во-первых, он освобождает от худшей разновидности эгоизма, а именно — семейного, то есть эгоизма, помноженного на число ваших ближайших родственников, во-вторых, от крохоборства, в-третьих, от необходимости сопереживать чужие мигрени, и в-четвертых, от одного труднопередаваемого чувства, должно быть известного породистым голубям, которым для привечания к дому выдергивают из крыльев специальные перышки. Преимущество нового положения показалось мне настолько значительным, что я ходил по комнате, держась за голову, и говорил: «Как это ты, дурак, раньше не спохватился? Ведь столько лет жизни коту под хвост!»

— Но вы, я надеюсь, не будете отрицать, что и семейная жизнь имеет свои неоспоримые преимущества? — сказала моя новая соседка Елена Ивановна Кочубей, с которой мы давеча затеяли разговор на матримониальные темы (мы с ней уже раза два болтали на кухне о том о сем).— Потом, если громадное большинство людей имеет семьи, значит, это чего-нибудь стоит. Наконец, продолжение рода? Хорошенькое дело, если мужчины перестанут жениться и возьмут курс на...— тут она запнулась, подыскивая оборот,— на расплождение безотцовщины.

— Этого я ничего не знаю,— ответил я.— Я знаю только то, что человеку лучше жить одному. Как говорил Лютер, на том стою и не могу иначе.

Кстати, о соседях... Или нет, о соседях рано, сначала о новом моем жилище.

Мне дали комнату в огромном старинном доме, построенном в 1897 году. Этот дом располагается, на мой взгляд, в одной из самых уютных частей Москвы, между улицей Воровского и улицей Герцена, но только ближе к Арбатской площади.

Сама по себе квартира непривлекательна, в старинных кварталах они все одинаковы: сумрачный коридор длины и высоты по теперешним понятиям необыкновенной, две-три лампочки, как будто нехотя рассеивающие мглу, чей-то сундук, старорежимное кресло у телефона, велосипед, подвешенный к потолку и постепенно теряющий свои очертания, а также много другой пылящейся чепухи. Пахнет сложно: чем-то нечеловеческим, должно быть кошками и мышами.

Но зато комната! Прелесть комната, или спецкомната, как сказал бы один мой приятель, известный актер, из-за чего я вынужден его фамилию опустить: у этого все из ряда вон выходящее приобретает приставку «спец», и таким образом получаются спецкомнаты, спецпортвейны, спецчеловеки. Моя комната головокружительной высоты, так что в сумеречное время потолок даже кажется подернутым перистыми облаками. Потолок лепной, карнизы тоже лепные, стены покрашены желтой краской, пол паркетный — одним словом, двадцать четыре метра изящного и благоустроенного жилья. Из обстановки у меня в настоящее время имеется шкаф, такой тяжелый и ветхий, что прежний жилец, вероятно, не решился его тревожить, обеденный стол, два стула и изумительная кровать, покрашенная под слоновую кость, с золотыми лепными фигурками и золотыми же ободами — моя мечта завести для нее балдахин. Все это расставлено по углам и уютнейшим образом организовывает пространство.

Теперь об одном странном свойстве этого помещения. Я уже говорил, что, как только я въехал в новую комнату, со мною начали совершаться разные малопонятные вещи. У меня появилась привычка просыпаться посреди ночи, внезапно стали ни с того ни с сего останавливаться часы, а в меланхолические минуты мне явственно слышались голоса, отдаленная музыка, перешептывание и другая «шотландия». Но это еще ничего: несмотря на капитальные стены и не менее капитальные перекрытия, эти звуки могли ко мне долетать от соседей, однако мне несколько раз слышался плач младенца!.. Младенцев не только у нас в квартире, в нашем подъезде не было ни души.

Как раз в это время мне в руки попались известные

катаевские мемуары, в которых он описывает свою комнату в Мыльниковом переулке, где перебывали многие знаменитости. Это обстоятельство натолкнуло меня вот на какую мысль: а что, если великие люди имеют обыкновение оставлять в тех помещениях, где они побывали, какие-то дуновения своего исключительного существа, этакие флюиды, которые могут влиять на чувства простых людей? А что, если в моей комнате прежде жил какой-нибудь баламут вроде Хлебникова и я под действием его окаянных флюидов постепенно схожу с ума? Я немедленно справился у соседей, кто такой жил в моей комнате до меня, но мне сказали, что жила старушка Ольга Ильинична, которая отличалась только религиозностью и еще тем, что питалась исключительно солеными огурцами. Тогда я подумал, что это обособленный образ жизни открывает мне свежий чувственный горизонт.

Через некоторое время жена попыталась мне все испортить. Она оборвала телефон — я отказывался разговаривать, она два раза поджидала меня у филармонии — я скрывался, наконец, она прислала письмо: «Ты избегаешь меня, что у тебя на уме? Я не понимаю твоего поведения».

— Что уж тут понимать,— сказал я себе, прочитав письмо,— нечего понимать...

И все-таки в душе у меня зашевелился сомнительный червячок.

Теперь о соседях. Соседей в нашей квартире было чрезвычайно много, и, должно быть, потребуется некоторое время, прежде чем я каждого буду знать хотя бы по именам. Сначала я познакомился только с двумя из них: слева от меня жила славная женщина Елена Ивановна Кочубей, с которой мы разговариваем, а справа — пожилой человек Николай Васильевич Алегуков. Впоследствии я познакомился и с другими гражданами нашей квартиры и благодарен судьбе за то, что она свела меня с такими занимательными людьми.

По очереди о первых моих знакомых.

Елена Ивановна Кочубей — женщина лет тридцати пяти. Она высока ростом и сложена таким образом, что дух захватывает, покуда не попривыкнешь. Лицо у нее печальной, задумчивой красоты, глаза немного слезятся, под глазами голубизна. Общее впечатление от этого лица таково: кажется, вот-вот она скажет: «За что вы меня не любите?» Надо полагать, что именно такая женщина подбила Евгения Евтушенко сочинить мудрые строки, смысл которых заключается в том, что если бог есть, то он — женщина, а вовсе и не мужчина.

Красота Елены Ивановны так меня поразила, что у меня до сих пор не поворачивается язык называть ее Леной, хотя она проста в обращении и мы с ней годки. Но это даже и хорошо, что не поворачивается язык, вообще недавно мне пришло в голову, что мы лишаем себя значительного удовольствия, избегая поклонов, снимания головных уборов и обращения по имени-отчеству — удивительного дара нашего языка. Одна моя знакомая англичанка, с которой я, правда, был очень давно знаком, говорила, что своей человечностью русские обязаны именно существованию отчеств, поскольку к обидчику и врагу всегда можно обратиться не со словами «гражданин Иванов», а со словами «Иван Иваныч».

Тут нужно оговориться, что я приврал, будто бы красота Елены Ивановны поразила меня как таковая. Нынче я склонен думать, что ни в женщине, ни в мужчине собственно красота, то есть правильное сочетание правильных черт лица плюс специальное выражение, не способна внушить серьезного чувства, разве что такая красота вызовет в вас сочувствие понятию «красота». Ничего не скажу от женщин, а нашего брата обыкновенно чарует что-то другое, что-то не поддающееся определению, что-то воздушное, как предчувствие. Это может быть следствием манеры как-нибудь особенно щурить глаза или употребления каких-нибудь милых слов — разные есть причины. Что же касается Елены Ивановны, то, как это ни странно, мое восхищение этой женщиной в первую очередь объясняется тем, что она когда-то снималась в кино, а в дальнейшем ее кинематографическая карьера сложилась неблагополучно. Она мне все про себя рассказала. Я слушал ее рассказ и ужасался подробностям киножизни.

— Моя первая и, увы, последняя работа в кино... Это было как влюбленность. Знаете, натуру снимали в Угличе, потом пошли все павильонные съемки. Мой режиссер был удивительный человек, таких мужчин встречают только раз в жизни. Как-то после съемок, до сих пор помню — в одиннадцатом павильоне, он меня... ну, вы понимаете, о чем я. И все это так, между делом, в каком-то пыльном закутке... Я в него влюбилась до потери чувствительности: девочка была, дура дурой. После того как картина вышла, меня целый год узнавали на

улице, а потом перестали узнавать, взяли и перестали...

Дальнейшее я читал у Елены Ивановны на лице. Видимо, не дождавшись приглашения на следующую картину, она стала искать встречи со своим режиссером,
тщетно обивала пороги актерских отделов, пробовалась
в театры, но все впустую. Наверное, ей советовали чем-
нибудь заняться, куда-нибудь поступить, чтобы ее молодость не пропала за понюх табаку, но она не принима-
ла ничьих советов, ибо была устроена по примеру одного великого композитора, который говорил, что он может
либо заниматься сочинением музыки, либо ничем. Уверен, что все эти годы она поддерживала себя идеей, будто сценический путь в принципе тернист и витиеват: Михаил Чехов был неудачник, Гоголя не приняли в Алек-
сандринский театр, Жемчугова умерла от туберкулеза.
Интересно только, на какие шиши она жила все эти
годы?

По вечерам — это бывало решительно каждый вечер — Елена Ивановна заводила проигрыватель и слу-
шала «Песню Сольвейг» — любимую вещь своего, так
сказать, первооткрывателя. Однажды, проходя мимо ее
двери, я услышал, как она плачет. Это меня доконало.
Внутри меня вдруг что-то разорвалось, и из этого «что-
то» по всему телу разлился ядовитый восторг. Я добрал-
ся до своей комнаты, лег на кровать и забылся. Через
некоторое время в голове у меня посветлело, и я подумал, что, видимо, полюбил Елену Ивановну, и полюбил
с такой силой, с какой я сроду никого не любил. Но
странно: эта любовь показалась мне не похожей на то,
что называют любовью к женщине, так как она была
свободна от пункта телесного обладания; это было похоже именно на просветление, на то щемительное, не-
объяснимое и, в сущности, трагическое чувство, какое
можно испытывать, например, по отношению к собственному народу. Но эта мысль только усугубила образо-
вавшуюся во мне муку, и суток так трое я находился
прямо-таки в болезненном состоянии: на меня напала
слезливость и какая-то странная повсеместная дрожь.
На четвертые сутки мне стало ясно, что если я не пред-
приму чего-то такого, что положит конец страданиям,
то я прямо не знаю, что сделаю над собой... Тогда в отсутствие Елены Ивановны я зашел в ее комнату — в нашей квартире комнаты не запираются — и украл со сто-
лика четвертной.

Хотите верьте, хотите нет, а мне полегчало. Наверное, этот поступок подготовился во мне сам, из видов милосердия к психическому организму. Спастись в данном случае можно было, наверное, только тем, чтобы совершить пакость, то есть нечто прямо противоположное волшебной деятельности души. Кстати, я глубоко убежден, что по той же логике спиваются гении: видимо, им страшно, что они гении.

Итак, я украл у Елены Ивановны четвертной, и мне полегчало: наводнение чувств прекратилось, восторг вошел в ровные берега, и на душе установилось долгожданное вёдро. Меня единственно угнетало, что я украл, но тут я напридумал себе таких утонченных оговорок и оправданий, что вскоре даже позабыл о своем проступке — будто бы и не крал. «На самом деле,— говорил я себе,— что это пошла за мода такая, совеститься где не нужно? И главное, украсть деньги — нехорошо, а книгу украсть — это уже будет признак высшего воспитания! Далее: бросить семью — тоже нехорошо, а хорошо всю жизнь промучиться среди погубителей твоей жизни?! Нет, как хотите, а все это пережитки феодальной раздробленности, когда от недостатка коммуникаций понятие, ну, положим, «честь» было таким же фактическим и весомым, **как в наши** времена понятие «заработная плата»...

Другой мой ближайший сосед — пожилой человек Николай Васильевич Алегуков. Он полноват, небольшого роста, у него удивительное лицо. Верхняя часть лица, то есть лоб и надбровные дуги, занимающие от целого не менее половины,— немного поката, а нижняя часть как-то устремлена. От этого складывается впечатление, что лицо Николая Васильевича состоит из двух самостоятельных половин. Недоброжелательный наблюдатель может сказать, что у этого лица питекантропическое начало. Если вам на улице встретится человек с лицом как бы увиденным в бракованном зеркале, то имейте в виду, что это Николай Васильевич Алегуков.

Одежда и нрав Николая Васильевича также состоят как бы из двух половин. Дома он ходит в валенках, в полосатых пижамных брюках, но в пиджаке, надетом прямо на голое тело, и в феске с кисточкой, которая болтается у виска. Феска старинная: фетровая, зеленая, пахнет от нее рахат-лукумом и жареными кофейными зернами. По квартире Николай Васильевич ходит легко, почти вкрадчиво, при встрече кланяется, много улыбается, если ему срочно понадобится в туалет, что извинительно в его годы, он кокетливо постучит вам костяшкой и, когда вы будете освобождать туалетное помещение, поклонится и проговорит:

— Пардонирую.

Николай Васильевич давно на пенсии, но он чрезвычайно деятельный человек. Ровно в восемь часов утра он занимает чулан, где стоит верстак и находятся его инструменты: он тут починяет телевизоры, утюги, игрушки, мебель, музыкальные инструменты. В двенадцать часов он выходит из чулана и говорит, ни к кому отдельно не обращаясь:

— Перерыв на обед.

Через сорок минут он опять в чулане, который вообще запирается ровно без двадцати минут пять. Запирая чулан, Николай Васильевич объявляет:

— Будем уважать законы своей страны. Раз восьмичасовой, то пускай будет восьмичасовой.

Однако при этих достоинствах Николай Васильевич часто позволяет себе один странный поступок: разгуливая по квартире, он останавливается у дверей и пускает матерной скороговоркой. Я сам мужчина и, если понадобится, всегда вверну крепкое российское слово, но брань Николая Васильевича мне кажется безобразной. Она меня оскорбляет, и, услышав ее, я даже чувствую, как мое лицо кривится в испуганную, беспомощную гримасу.

В последнее время он взял еще и такую моду: он приходит ко мне когда ему вздумается, и заводит невразумительные разговоры. Давеча он с полчаса рассказывал мне о том, как Ома объявили умалишенным и выгнали из учителей. «И правильно сделали!» — добавил он и ушел. А сегодня утром он приплелся ко мне чуть свет, распространил своей феской восточный запах, сел на кровать и сказал:

— Знаете, что я хотел бы отметить? Я хотел бы отметить, что англичане народ невероятной амбиции. Представьте, местоимение «я» они пишут только с заглавной буквы.

— Это не от амбиции, а от особенностей грамматики,— наставительно сказал я, поскольку лет десять тому назад я по-английски разговаривал как по-русски.— Грамматика у них такая. Англичане пишут «я» с большой буквы из-за того, что у них предложение всегда начинается с подлежащего. Это не то что у нас, хочешь напишешь «солнце всходило», а хочешь — «всходило солнце».

Николай Васильевич кашлянул и ушел, но не прошло и полминуты, как он вернулся с клочком газеты.

— Так...— сказал он.— Однако в придаточных предложениях они тоже пишут «я» с большой буквы. Вот взгляните...— И он протянул мне клочок газеты.

— Действительно...— сказал я и смутился.

— Стало быть, англичане народ невероятной амбиции! — почти закричал он.— Впрочем, я, кажется, вас отвлек. Пардонирую.

Он кряхтя поднялся с моей кровати и удалился, а я подумал о том, до чего же я стал забывчив. Английская грамматика — это еще понятно, но в последнее время я стал забывать природные, нашенские слова. Как-то я промучился целый день, припоминая глагол «твердить» — именно что промучился, другого слова не подберешь. И не вспомнил его до тех пор, покуда не услышал это слово на улице. Кстати, на какой улице я его слышал? Так: я ходил прицениваться к продажной флейте, американской флейте системы «Хайнес». О продажной флейте мне сказал гобой Матусевич, он говорил, что его сосед продает великолепную флейту; Матусевич живет у Патриарших прудов; ну, конечно, это было на Малой Бронной! Впереди меня шли двое мужчин, и один сказал:

— При чем тут сметная стоимость? Я уже устал тебе твердить, что сметная стоимость ни при чем...

Кажется, это было сказано неподалеку от парикмахерской, и даже точно, что неподалеку от парикмахерской, я еще, помнится, удивился на свежеподстриженного человека, который вышел из парикмахерской и улыбнулся от неловкого чувства, потому что его конечно же обкорнали. Мне пришло тогда в голову, что стрижка на короткое время делает человека чуточку странным, чуточку не в себе. А впрочем, что стрижка? Они и без стрижки все сделались чудными, прямо что ни человек — то загвоздка.

Это удивительно, но прежде, то есть до переезда на другую квартиру, мне не встречались такие чудные люди. Прежде мои братья и сестры по этой жизни казались мне чрезвычайно неинтересными и похожими друг на друга. Они одинаково думали, одинаково говорили, обнаруживали полное тождество в выражениях лиц, и я тосковал по недюжинному, как беременные женщины тоскуют по соленому огурцу. Это затмение длилось, длилось, и вдруг что-то произошло: люди стали таинственны, непонятны. Даже в тех, кого я знаю тысячу лет, приоткрылась непознанность, они сделались притягательны и загадочны, как слово «трансцендентальное». Здесь я в первую голову намекаю на своих товарищей, которых у меня двое. Раньше это были просто отличные мужики, с которыми всегда можно было что-нибудь обсудить, и вот оказалось, что они еще и большие оригиналы. Выяснилось это третьего дня, когда они зашли меня навестить. Они сидели, сидели, и вдруг один из них говорит:

— Я три года деньги копил — да я вам рассказывал — хотел поехать в Грецию по туристической путевке. Почему именно в Грецию, я и сам не знаю...

— В первый раз слышу,— перебил я.

— Скорее всего потому, что у нас в пятом классе историю вел директор,— мы его ненавидели и считали, что он все врет. Ну, накопил я деньги, и только нацелился на путевку, как замечаю: а жена-то который день не является ночевать!.. Я, честно говоря, знаю только одно средство вернуть женщину, как говорится, в лоно — это ей новую шубу купить. Купил я шубу, думаю: черт с ней, с Грецией, придется директорские байки принять на веру. Но тут начинает меня досада точить. Почему-то тянет меня в эту треклятую Грецию — никакой жены не нужно. Такая досада меня в конце концов одолела, что я взял и выкинул штуку одну. Только вы, братцы, того... молчок, а то ребята скажут, что я полоумный. Купил я в цветочном магазине оливковое дерево и, как бы это выразиться... всячески над ним издеваюсь. Например, табачным дымом его обкуриваю и приговариваю в сердцах: «Это тебе за то, что я такой неудачливый человек!»

— А еще был такой случай,— сказал другой мой приятель.— Когда Октавиан Август приехал в Египет, то он первым делом велел вскрыть гробницу Александра Македонского и отломал у мумии нос.

«Откуда они этого набрались? — думал я, слушая разговор.— Ведь такие были пентюхи, что сроду умного слова от них не слышал!»

Первое время я сильно удивлялся произошедшей во мне перемене, из-за которой я стал частенько видеть людей с совершенно неожиданной стороны. Это удивление было вызвано тем, что, по моему убеждению, видеть их таким образом значило то же самое, что видеть людей насквозь. Наверное, со мной должно было произойти что-то диковинное, из ряду вон выходящее, чтобы открыться такому видению,— словом, я очень этому удивлялся. Но потом я удивляться перестал, так как во мне произошла еще более удивительная перемена. Однажды утром я проснулся и первое, на что напал взглядом,— был мой венский стул, один из двух моих венских стульев. Я его не узнал. Мне показалось, будто это не тот стул, к которому я привык, а какой-то другой, хотя, безусловно, мой. Что за притча? Потом я сообразил, что меня озадачило. Меня озадачила поразительная соответственность параметров стула и параметров человека, которой я прежде не замечал. Я даже нашел в моем стуле некую затаившуюся одухотворенность, намекавшую на братство живого и неживого. Главное, неодушевленная сторона внезапно приобрела в моих глазах новую, благородную значимость, и я почувствовал к ней ту разновидность уважительного чувства, какое люди испытывают к собакам: вроде бы просто собака, а там черт ее знает, может быть, ей такое известно, что никому не известно, а мы ее водим на поводке...

Я начал по-хорошему подозревать окружающие меня вещи. Мне стало казаться, что они некоторым образом затаились, и, глядя, допустим, на обыкновенную алюминиевую кастрюлю, я могу загадочным образом чувствовать, что ей хочется быть отодвинутой от окна, где немного дует, и быть подвинутой к человеку, который дает тепло. Видимо, я неловко объясняюсь, все, что толчется у меня в голове, куда содержательней и сложнее; будет понятнее, если прибегнуть к помощи ощущения, а ощущение таково: как будто вот-вот откроется что-то великое и окончательное, будто бы в мозгу вот-вот вылупится некая формула бытия, объясняющая все что ни есть на свете, бесконечная в своей мудрости и простая, как табуретка. К этому ощущению у меня постоянно добавляется странный, полузабытый запах, с которым связано что-то очень, очень приятное.

Скажу заодно о запахах: они приобрели для меня особенное значение, верхнее чутье во мне открывается, так следует понимать. Я, например, за несколько кварталов унюхиваю ассенизационный автомобиль, я различаю, что мой венский стул пахнет совсем не так, как кровать, а кровать не так, как платяной шкаф. Когда я возвращаюсь домой, я чую по запахам, кто из соседей дома. Люди пахнут поразительным образом: хорошие люди обязательно пахнут какой-нибудь дрянью, а именно — потом, металлической стружкой, смазочными маслами; плохие, напротив, источают сложные ароматы, причем я заметил, что, чем подлей человек, тем неуловимей и утонченнее его запах. Начальник нашей жилищно-эксплуатационной конторы, которого все не любят за неправильное произношение, издает едва различимый запах сандалового дерева. Елена Ивановна Кочубей пахнет пылью. Николай Васильевич Алегуков, как уже говорилось, пахнет восточно, и этот запах я различаю задолго до появления его носителя. Как-то сидел я в своей комнате и вдруг почувствовал этот запах. Действительно, минуту спустя в мою комнату заглянул Николай Васильевич. Он опустил подбородок на грудь, так что кисточка фески повисла над переносицей, и сказал:

— А знаете, атаман Платов был доктором Оксфордского университета!..

Я ничего не сказал в ответ. Николай Васильевич немного помолчал, пристально глядя мне в глаза, и исчез.

Нет, это не со мной «что-то» произошло, это с людьми «что-то» произошло! Возьмем хотя бы такой случай: одна женщина в нашей квартире завела кур. Я хотел было спросить, зачем ей куры, но побоялся; я побоялся, что она мне скажет нечто ужасное, так как она время от времени обезглавливает их на кухне. Я доподлинно знаю, что перед расправой она выпивает стакан валерьянки. Кроме того, эта женщина — я вечно забываю, как ее имя,— замечательна удивительным тембром голоса. Наши хозяйки по нескольку раз на дню затевают на кухне пение, когда собираются за стряпней,— так вот эта женщина поет красивее всех. Пение, особенно женское, я люблю по-прежнему. Это, пожалуй, моя единственная прежняя привязанность, которой я так и не изменил.

Но вот о музыке вообще у меня в настоящее время складывается новое мнение. Мне стало казаться, что в гибели существующей музыки собственно музыки очень мало. Истинно музыкальных произведений, которые производят в вас переполох и еще то чувство, какое бывает, когда ненароком попадешь под напряжение и все вдруг покажется в странном свете,— так мало, что я их мог бы по пальцам пересчитать, вот только не хочется сердить музыкальных специалистов. Все остальное форменная симуляция, надувательство, и единственно из-за того не изругано и не позабыто, что самое точное сказание о роде человеческом — все-таки басня про голого короля. Когда я в концерте играю партию в какой-нибудь штуке, которую выдают за музыкальное произведение, мне так бывает неловко, как будто меня заставляют говорить глупости. Боюсь, что дальше я не смогу этого выносить и, как это ни прискорбно, работу придется бросить. Иначе получается не по совести...

Кстати, о совести — с ней у меня также новые счеты. Нужно начать с того, что в прежние времена я так ее понимал, что это суеверие, предрассудки. Иначе я и не мог ее понимать, поскольку за свою жизнь я сделал немало гадостей разной величины, а напоследок надул семью и украл у Елены Ивановны четвертной. Когда-то я рассеивался при помощи той укоренившейся отговорки, что вообще не подличать невозможно, и если это невозможно в целом, то какая, в сущности, разница: подличать вынужденно и эпизодически или как правило и по доброй воле; из этого, собственно, вытекало, что можно подличать и тем не менее оставаться порядочным человеком. Но потом меня осенило, что подличать не столько нехорошо, как не нужно, что человеку проще не подличать, это практичнее и удобней. Положим, я подличаю в нашем оркестре за определенную мзду — это невыгодно; выгоднее устроиться ночным сторожем и поигрывать на флейте в свое удовольствие, выгоднее потому, что в оркестре я мученик и каждый концерт стоит мне года жизни, а в ночных сторожах я на самом деле буду человеком, который в свое удовольствие поигрывает на флейте и одновременно что-то там сторожит. Что же касается некоторого убытка доходов и реноме, то я на него ноль внимания, поскольку я выигрываю в самом главном — в продолжительности своей жизни. Здесь, правда, нужно оговориться, что далеко не все то, что считается подлостью — подлость на самом деле; это недоразумение объясняется либо человеческой неорганизованностью, либо тем соображением, которое побудило профессора Крылова сказать во время купания в Ревеле, где вода показалась ему холодна: «Подлецы немцы!» Наконец, можно сделать такую гадость, от которой получится только прок, отчего из «гадости» ее следовало бы переименовать в «гражданский поступок».

Итак, меня осенило, что подличать непрактично. Новорожденная идея показалась мне дельной до такой степени, что внутри у меня посветлело, как будто там зажглись теплые лампочки. Я немедленно поделился этой идеей с Еленой Ивановной.

— Елена Ивановна! — сказал я, входя в ее комнату. — Третьего дня я украл у вас четвертной. Теперь я его возвращаю той же бумажкой, которой брал.

Елена Ивановна прикрыла глаза и засмеялась.

— Кто же в таких вещах сознается? — сказала она, смеясь. — Вы сумасшедший...

— Видите ли, я хочу, чтобы между нами не было недоразумений. Так мне проще. Так вообще проще.

Я сел. Я сел и внезапно отвлекся: мне показалось, что когда-то давным-давно я так же сидел на стуле, напротив меня заливалась женщина, а за окошком моросил дождь. Я не знал, когда и где это было, я только знал, что это было определенно. Отвлекся я, впрочем, на самый короткий миг, потом я спохватился и стал развивать новорожденную идею:

— Видите ли, Елена Ивановна, существует такое понятие — совесть. Сначала я думал: совесть — это что-то вроде предисловия к книге, можно читать, а можно и не читать. Теперь другое дело. Теперь я сказал бы так: совесть — это то, на чем держится человеческое сообщество; совесть — это самое естественное проявление человечности. Глядите, какая вырисовывается картина: положим, что суть нашего организма есть кровь, она превращает мертвую или полумертвую материю в жизнь; так вот, суть нашей жизни, ее, фигурально выражаясь, кровь и есть совесть. Подлость только потому и существует, что по-настоящему подличает ничтожное меньшинство. Если подличать будут все, то человечество перестанет существовать, всем подличать невозможно...

— Вы все-таки сумасшедший, — сказала Елена Ивановна и перестала смеяться.

Тогда засмеялся я. Я довольно долго смеялся. Отсмеявшись, я вышел от Елены Ивановны с таким легким сердцем, что едва не полетел. Мне самым серьезным образом показалось, что я сейчас полечу, я даже сделал над собой некоторое усилие, чтобы не полететь. Потом я оделся и отправился на улицу прогуляться. Я вышел к Никитским воротам и, повернув направо, пошел вдоль Суворовского бульвара, присматриваясь к прохожим. Мне вдруг захотелось кого-нибудь остановить и рассказать, что раньше я был ужасный дурак, а теперь мне очень многое стало ясно. Так мне этого захотелось, что я взял и остановил одного прохожего.

— Видите ли, — сказал я, — у Твардовского есть слова: «...этим странным и довольно обременительным аппаратом — душой». Не правда ли, хорошо? Можно с вами об этом поговорить?

Прохожий ничего не ответил. Он обошел меня стороной и вдруг побежал. Даже трудно сказать, как это меня огорчило.

Я гулял по Суворовскому бульвару еще два часа, прохаживаясь то туда, то сюда, а неприятное чувство все щемило меня, щемило. И тут... тут со мной произошло одно маленькое происшествие, которое меня удивило, но, прямо скажу, нисколько не напугало. Я уже собирался домой, когда шагах в двадцати впереди себя я увидел до боли знакомую спину; эта спина была даже не знакомая, а родная. Я поспешил, чтобы нагнать человека с родной спиной, и, когда почти поравнялся с ним, этот человек, видимо заслышав мои шаги, неожиданно обернулся. Я сразу узнал эти глаза, этот большой нос и губы, которые остановились в полуулыбке. Странно сказать, но это был я...

Некоторое время мы молчали, ласково рассматривая друг друга, потом другой я засунул руки в карманы, откинулся и сказал:

— Ты вот что. Ты не расстраивайся, старик,— сказал другой я.— В конце концов, то, что происходит с тобой, бывало со многими стоящими людьми. Тут тебе и Гаршин, и Жанна д'Арк, и Магомет, и Дмитрий Иванович Писарев. Ты, брат, попал в неплохую компанию...

СЛАВЯНЕ

рекде всего нужно оговорить-
ся, что этот рассказ, собственно, не рассказ, то есть
не рассказ в литературном смысле этого слова. Видите
ли, писательство — занятие щекотливое и даже двусмысленное. С одной стороны, писатель вроде бы ото-
бражает реальность, во всяком случае, сочиняя, он ориен-
тируется на правду, а с другой — занимается совершен-
ными выдумками, да еще жульнически снабжает их сим-
волами действительности, норовя, как говорится, продать
воробья за певчего соловья. Например, он пишет, сооб-
ражаясь со здравым смыслом, присовокупляет необяза-
тельные, но усиливающие впечатление вероятности опи-
сания и картины природы, придумывает персонажам ха-
рактерные имена, а также вкладывает им в уста бала-
больные речи, весьма напоминающие те, какие в ходу у
живых людей. Так вот, в этом смысле мой рассказ — не
рассказ, поскольку в нем отсутствует выдумка, и все то,
что последует ниже, имело место в Москве, в один из
ноябрьских дней 1983 года.

В этот день я писал все утро. Потом я навестил одного своего приятеля, захворавшего какой-то детской болезнью, забежал в издательство «Московский рабочий»
и, перед тем как воротиться домой, сделал визит в маленькую закусочную, известную под названием «рассып-
ная». Я взял портвейну, две карамельки и устроился у
окна. Только я устроился у окна, как ко мне подсажи-

вается человек и, я чувствую, сейчас замучает меня разговором. Действительно: он некоторое время заглядывал мне в глаза, а потом его, что называется, прорвало.

Честно говоря, сначала я пропускал его слова мимо ушей и только старался смотреть на него таким образом, чтобы ему было стыдно. Но затем я стал невольно прислушиваться — с этого все, собственно, началось.

— ...Куда ни пойдешь, везде наткнешься на какой-нибудь очаровательный закоулок,— говорил сосед,— просто удивительный город Москва! И знаете, есть один закоулок, который дороже мне всей Европы. Тут недалеко, рядом с Арбатом, в самом начале Малого Афанасьевского переулка, есть что-то вроде крошечной площади, чрезвычайно уютной и симпатичной. Если станешь спиной к Арбату, то направо будет остановка 39-го троллейбуса, а налево — палисадник с тремя кленами и туркменское представительство. Кругом старинные московские дома, окошки смотрят по-человечески и, вы знаете, не городская, какая-то буколическая тишина. С Калининского проспекта — шум, гам, а здесь тишина, только троллейбус изредка прошелестит...

Я на этом месте всю свою молодость простоял. Раньше была такая мода: встанешь, как дурак, и стоишь. Стоянка у меня была возле шестого дома, прямо напротив Филипповского переулка, там еще было одно окошко по правую руку: на фигурно вырезанной бумажной подстилке горшки с цветами, с иваном мокрым, кажется, белые занавески, накрахмаленные до сахарного состояния, а между горшками сидела куколка, изображающая младенца, раньше назывались они — «голыш». Стоишь себе, вдруг: тень-тень... колокола звонят, там рядом церковь апостола Филиппа. Старушки пошли. Потом, уже ближе к обеду, идут старшеклассницы в белых фартуках, и сразу в переулке запахнет отечественными духами...

А на четвертом курсе я женился и уехал на Запад. Дело в том, что моя жена была подданной Соединенного королевства. Мы с ней так договаривались: здесь поживем, там поживем, здесь поживем, там поживем... Там мы с ней жили в Люксембурге. Немного в Париже, немного в Брюсселе, но главным образом в Люксембурге. И знаете, что удивительно, люди везде живут одинаково, то есть обыкновенно. Первое время бросаются в глаза всякие мелочи, и поэтому кажется, что жизнь в Брюсселе не похожа на жизнь в Москве. Потом все становится по местам, но первое время даже сердишься, до того непривычно. Жизнь там, знаете ли, чистенькая, аккуратная, и с непривычки зло на нее берет. Во-первых, все страшно расчетливы, особенно насчет денег, и от этого складывается впечатление, что люди бедно живут. На самом деле просто у них во всем точность и экономия. Во-вторых, им не о чем разговаривать. У меня первое время от их разговоров прямо мозги чесались: ля-ля-ля, ля-ля-ля... и все это, знаете ли, с таким умным видом, с таким достоинством, а о чем ля-ля-ля?.. Ни о чем: в огороде бузина, а в Киеве дядька. Кроме того, вообще по-ихнему говорить — это целая мука. Видите ли, мы иначе говорим, не в том смысле, что на другом языке, а иначе. У русского, в сущности, у каждого свой язык, а, положим, англичане все говорят формулами, заготовками, это очень нудно так разговаривать. Потом, трудно обходиться без наших вроде бы ничего не значащих выражений, которые на самом деле многое значат. Например, на тебя напало такое чувство, что нужно сказать: «Ну, ты даешь!» — а ведь ни за что так не скажешь. Можно сказать «ты странно поступаешь», но «ты даешь» — хоть на уши становись, все равно не скажешь. Одним словом, мука...

И вот в один прекрасный день все это довело меня, как говорится, до точки кипения. Дело было в Париже. Значит, выпил я, выпил немного — там быть пьяницей может себе позволить только очень состоятельный человек,— выпил и стал безобразничать, как будто я в стельку пьян. Ну, там песню спел, пристал к одному прохожему, а под конец, хотите верьте, хотите нет, в знак протеста немного помочился на площади Этуаль.

Полтора месяца в тюрьме отсидел! Когда я на суде все рассказал, что к чему, судьи головы сломали, не знали, как квалифицировать мой поступок. Отсидел, как говорится, от звонка до звонка.

И вот как-то утром, уже на свободе, просыпаюсь я и — странное чувство... Такое чувство бывает по утрам у людей, которым рано идти на работу: так гадко, что жить не хочется. Что такое? Встаю, подхожу к окну: серенький индустриальный пейзаж, только нижние этажи праздничные, похоже на бедно одетого человека в новых ботинках. Машины мчатся, людей нет, пусто. И вдруг мне припоминается то самое окошко в Малом Афанасьевском переулке. Припоминается так живо, что меня прямо током ударило. Увиделись белые занавески, горшки с цветами, куколка, наши богомольные старушки, а на душе уже и колокола тенькают, и троллейбус шуршит, и какая-то мелодия играет — прямо скажу: тяжело! Так тяжело, что я, грешным делом, всплакнул. Стою у окна, реву, а за спиной жена ворочается в постели и вздыхает, по-английски, знаете ли, вздыхает, наши так не вздыхают.

Это называется — тоска по родине. Уж не знаю, естественно это или противоестественно, но прежде я ни о какой родине вообще понятия не имел. Ну что это за овощ такой, в самом деле: родился в Северодвинске, жил в Термезе, умер в Улан-Удэ...

Прямо скажу, не ожидал, что это так серьезно, не ожидал! Поразительное и, вы знаете, страшное чувство! Это неудобопонятно, но за простой тоской здесь проглядывает именно страх, именно он и есть, так сказать, лейтмотив всего этого дела. Страшно вдруг умереть, страшно, что все чужое, страшно, что на тысячи километров вокруг некому сказать «Ну, ты даешь», просто страшно. Это очень похоже на то чувство ужаса, которое испытывают маленькие дети, когда они теряются; я в детстве часто терялся.

Как только проснулась жена, я ей говорю: сегодня же едем в Союз. Говорю, что если я хоть раз не постою на своем месте в Малом Афанасьевском переулке, то не знаю, что я с собой сделаю. Она ни в какую. Капризничает, ругается и язвит насчет загадочной славянской души. Признаюсь, тут я не выдержал: дал ей по морде, потом надел свою московскую кепку и был таков. Теперь представьте мое положение: ни одного товарища на несколько окрестных государств, денег нет, есть нечего, о настроении я уже не говорю. Первая мысль — видимо, подохну где-нибудь под забором. Но, вы знаете, выкрутился. Дошел пешком до Гамбурга, там залез в трюм сухогруза, доплыл до Норвегии и здесь перешел границу. Бог меня вынес, границу я перешел, как шпион какой-нибудь, без сучка без задоринки. И вот он я!..

На этом мой сосед замолчал и стал томно озираться по сторонам.

— Послушайте,— сказал я,— а вы, случаем, не врете?

— Вру,— ответил сосед.— Я начинающий писатель, фамилию опустим. Зная, что вы член редколлегии журнала «Простор», я вам нарочно пересказал сюжет моего последнего рассказа, с той задумкой, чтобы его продать.

— Балаболка ты,— говорю я, обидевшись,— балаболка и дурак.

— Пускай я буду дурак,— говорит он,— только тебе, идиоту, такого рассказа сроду не написать.

— Я не идиот,— говорю я,— а советский писатель, и если ты сейчас же не извинишься, то я тебя убью не отходя от кассы.

— Ну, это, положим, одна фантазия,— говорит сосед, и вслед за этим у нас с ним выходит драка.

Дело кончилось плохо, нас обоих забрали в милицию.

— Что-то много у нас писателей развелось,— сказал милиционер, который разбирал нашу склоку,— то ни одного не видел, а то сразу двоих привели! Давайте-ка документы...

Я предъявил паспорт, а мой неприятель долго лазил по карманам и наконец вытащил водительские права, выданные дорожной полицией Люксембурга.

ПРОЩАЛЬНОЕ ПУТЕШЕСТВИЕ

 начале января 197... собственно, неважно, какого года, в тот год, когда в начале января в Москве стояли вопиющие холода, у себя на квартире в Серебряном переулке умирал некто Очковский. То есть он еще не умирал, а переживал очередной приступ почечных колик, но на душе у него было так тяжело, что ему казалось, что он именно умирал.

Очковский лежал в своем маленьком кабинете на оттоманке, и его лицо терялось среди подушек, которые были того же неорганического серого цвета, что и лицо, но глаза светились пронзительно, воспаленно, как в сумерках светятся камельки. Домашним наблюдать их было почему-то невмоготу — может быть, потому, что они не предвещали выздоровления.

На первых порах Очковский капризничал: он рвал бумаги, гонял домашних, жалобно бранился, отказывался от еды, но потом вдруг надулся и присмирел. Теперь он с утра до вечера тихо лежал в постели, и время от времени его прошибала мучительная слеза. Сквозь нее он рассматривал потолок, в котором ему чудилось что-то бесконечно-конечное, гробовое, и думал о предстоящем небытии. Когда он просто думал о предстоящем небытии, то есть о том, что вот-де все на свете имеет конец, который логически неизбежен, хотя эта неизбежность и не помещается в голове, то это было еще ничего; он даже позволял себе лирический взгляд на вещи, то есть до такой степени лирический взгляд на вещи, что в голос декламировал из Басё:

> В пути я занемог.
> И все бежит, кружит мой сон
> По выжженным полям.

Однако время от времени на него нападала мысль о той самой невыразимо жуткой, прощальной минуте, когда он будет навсегда унесен из жизни, и в нем поднималось огромное несогласие, которое запирало горло и начинало его душить. Это было так страшно, что, можно сказать, он всякий раз преждевременно умирал. Но проходила минута, другая, и огромное несогласие умудрялось как-то трансформироваться в покорность, в почти полное примирение с тем, что должно было неизбежно произойти. И тогда наворачивалась очередная мучительная слеза. Покуда она катилась до подбородка, Очковский себя утешал, как мог: он говорил себе, что через смерть прошли многие миллиарды людей, включая его отдаленных и непосредственных предков, которые, надо полагать, были ничем не хуже его, что, возможно, рождаться страшнее, чем помирать, и что, наконец, он прилично пожил на своем веку. Последнее соображение подкреплялось арифметически: Очковский подсчитал, что за прожитые годы он мог бы закончить одиннадцать учебных заведений — это, правда, включая среднюю школу и одни курсы иностранного языка,— мог бы раз пятнадцать обойти пешком земной шар, причем не спеша, с раздышкой, с остановками у центров древних цивилизаций, мог бы как минимум шестьдесят восемь раз жениться и шестьдесят девять раз развестись; одним словом, выходило, что это страшное дело, сколько можно наколбасить в течение одной человеческой жизни — в конце концов просто захочется прилечь где-то и помереть...

Самое интересное, что утешительное течение его мыслей постоянно заключалось следующим парадоксом: верно, жизнь потому и привлекательна, что есть смерть, поскольку бесконечное не может быть привлекательным, а привлекательное бесконечным.

Как только дело заканчивалось парадоксом, Очковский судорожно вздыхал и просветленным взглядом окидывал кабинет. Ему на глаза попадалась лампа старинной бронзы под сильно выгоревшим абажуром, портрет Мейерхольда, письменный стол, на котором неизвестно почему стоял эмалированный чайник, стремянка, кресло с высокой спинкой, и вдруг ему приходило на ум, что этим вещам будет без него одиноко. Тогда все начиналось сначала, то есть с той самой мысли, что вот-де все на свете имеет конец, который логически неизбежен, хотя эта неизбежность и не помещается в голове.

На шестой день болезни Очковскому стало хуже, и его увезли в Боткинскую больницу. После скрупулезных исследований, когда он со страху уже почувствовал себя лучше, лечащий врач предложил ему операцию. Очковский сказал, что подумает, и выписался домой.

Хотя он и был почему-то уверен, что непременно умрет на операционном столе, он все же решился на него лечь. Видимо, он принял это решение исключительно потому, что подчас самое вредное, даже гибельное и есть для нас самое притягательное, влекущее к себе грозновесело, нестерпимо. А поскольку в нашем характере есть еще и страсть к художественному оформлению всякого драматического обстоятельства, начиная от истинной трагедии и кончая недоразумением, не стоящим выеденного яйца, Очковскому очень захотелось перед операцией как-то проститься, как-то подытожиться, подвести под прожитым какую-то лирическую черту. В конце концов он решил съездить в Коломну, где он родился и прожил свои лучшие годы.

В один из последних дней января, темным морозным утром, Очковский напился на кухне чаю, потеплее оделся, сунул в карман фляжку молдавского коньяка и отправился в свое прощальное путешествие. На Казанском вокзале он купил билет до Голутвина, сел в электричку и приготовился размышлять. Вообще дорогой он намеревался поразмыслить на тему: «Жизнь, прожитая впустую»,— и, сидя в теплом вагоне, уже было предался тягостным думам, которые основывались на том, что поскольку на своем веку он не знал ни особенного счастья, ни особенного несчастья, то его жизнь как раз и называется — «жизнь, прожитая впустую», как вдруг вагон тронулся, поплыл, покатился, и Очковский самым пошлым образом задремал.

Очнулся он только перед Коломной, когда поезд уже ехал через Оку. Поежившись, он посмотрел сквозь заиндевевшее окошко на нелепые башни Старо-Голутвинского монастыря и пошел на выход, немного прихрамывая на левую ногу, которую нечаянно отсидел.

Как и пять тысяч лет тому назад, когда он рос в этом

маленьком городке и больше всего на свете гордился тем, что именно из Коломны князь Дмитрий Донской повел свое войско против Мамая, сразу за железнодорожной станцией теснились деревянные серенькие дома. Впрочем, они навеяли Очковскому умильное чувство, смахивающее на то, какое сентиментальные люди испытывают по отношению к зверушкам и детворе. Вообще на подходе было нечто щемительно-счастливое, и, дойдя до Воскресенской церкви, Очковский даже приостановился, чтобы дать этому нечто образоваться, но оно неожиданно отступило. В голову, как нарочно, полезла всякая чепуха. Например, ему ни с того ни с сего пришла мысль, что все одухотворенные чеховские юноши были провинциалы. Затем, ни к селу ни к городу, эта мысль получила следующее продолжение: все одухотворенные чеховские юноши впоследствии наверняка стали белогвардейцами; Очковский сплюнул и пошел дальше.

От Воскресенской церкви он двинулся в направлении краеведческого музея и, обойдя кремль со стороны Маринкиной башни, вскоре остановился возле небольшого двухэтажного дома, где он родился пятьдесят четыре года тому назад. Приглядевшись к фасаду, Очковский вступил в темноту подъезда, и она пахнула на него утонченно-противным запахом, который немедленно пробудил в нем воспоминания. Вспоминались почему-то вещи второстепенные, чуть ли не посторонние, положим, велосипед, прикованный к перилам лестницы настоящими старорежимными кандалами. Прорезался в памяти образ тетки Фетиньи, запомнившейся исключительно из-за имени, которого в жизни он потом никогда уже не встречал, а в литературе встречал только у Гоголя в «Мертвых душах»: у Коробочки была дворовая девка Фетинья, мастерица взбивать перины. Затем ему припомнились еще двое бывших его соседей: дядя Коля, участник гражданской войны, и Петр Иванович, учитель французского языка. Сколько помнил Очковский, они вечно враждовали между собой и, по крайней мере, два раза в неделю устраивали на кухне продолжительные скандалы. Но заканчивались эти скандалы до удивительного беззлобно. «Скотина!» — мирно говорил в заключение дядя Коля, поддергивая штаны. «Cela n'est pas vrai» [1], — мирно возражал учитель французского языка. Впрочем, временами они впадали в полосу взаимной симпатии и, усевшись на

_____
[1] Неправда (франц.).

кухне, заводили нескончаемый разговор: «Значит, мир?» — спрашивал дядя Коля; «Согласен», — отвечал учитель французского языка; «Без аннексий и контрибуций?»; «Без аннексий и контрибуций». Наконец, Очковскому припомнилось еще что-то трудноуловимое, что-то гарусно-кисейное, сдобренное запахом постного сахара и клопов.

Он еще немного постоял у подъезда родного дома, стараясь припомнить что-нибудь существенное, но кроме того, что тетка Фетинья время от времени подливала в соседские супы керосин, ничего существенного, как нарочно, не вспоминалось. Очковский судорожно вздохнул и тронулся в глубь безлюдного переулка.

Пройдя квартала два-три, он снова остановился и стал смотреть в окошки несколько покосившегося каменного строения со сводчатой подворотней. Окошки были как окошки, самые обыкновенные коломенские окошки — с потемневшей ватой между рамами, на которую были положены целлулоидные игрушки и елочные шары, с тюлевыми занавесками и кое-где выглядывавшими из-за них комнатными цветами в жестяных банках, — но когда-то давным-давно за этими окошками жила его первая любовь Лидия Иванова. Подробностей этого школьного романа Очковский тоже не припоминал, однако он отчетливо помнил то, что под окошками Лидии Ивановой его однажды ограбили и побили. Вернее, побили и ограбили, так как нападение было организовано соперником Снегиревым, который ставил перед своими дружками чисто романтическую задачу, но снегиревские дружки заодно отобрали у него перочинный нож, сорок копеек денег, фотографию киноактрисы Серовой и значок ворошиловского стрелка. По мнению Очковского, и в его первом романе, и в схватке под окнами Лидии Ивановой было много ненастоящего, игрового, вполне отвечающего теме «жизнь, прожитая впустую». К тому же ему внезапно пришло на память, что даже в самые неблагоприятные поры у него всегда был хлеб с маслом, а в самые благоприятные он не мог себе позволить разориться на бутылку французского коньяка. Теперь, когда смерть, можно сказать, была на носу и по воспоминаниям выходило, что в жизни он не знал ни особенного счастья, ни особенного несчастья, любая вариация этой темы приводила его в тихое исступление.

Следующей достопримечательностью биографического порядка был перекресток, где в 1954 году Очковского сбил пожарный автомобиль. Он перебегал улицу, и неожиданно перед ним выросла алая, огнедышащая гора: он почувствовал сокрушительный удар, и в этот самый момент его постигло какое-то молниеносное просветление, горячим сиянием озарившее его мозг, и вдруг все неясное стало ясно как божий день. Дежурный врач в городской больнице засвидетельствовал такие последствия столкновения Очковского с пожарным автомобилем: перелом нескольких ребер, ключицы, нижней челюсти, множественные ушибы — и ему было конечно же невдомек, что налицо еще одно, коренное последствие, состоявшее в том, что потерпевший сделался другим человеком, что он в некотором смысле переродился. Вообще всей своей последующей жизнью, включая такие частные достижения, как ряд специальных трудов и кандидатская диссертация, Очковский самым серьезным образом считал себя обязанным столкновению с пожарным автомобилем. Немудрено, что на достопримечательном перекрестке он стоял долго и как-то проникновенно, как стоял у родных могил.

Затем Очковский, опасливо озираясь по сторонам, пересек улицу немного наискосок, повернул налево и увидел юную девушку, одетую вероломно, как парижанка. Он остановился, проводил ее взглядом и сказал себе, что, когда он был молод, в Коломне таких девушек не водилось, а если бы какая-нибудь одна случайно и завелась, то ей грозили бы крупные неприятности. Очковский потому знал это наверняка, что много лет назад он сам предстал перед товарищеским судом, который инкриминировал ему слепое преклонение перед Западом. Суд постановил: сфотографировать Очковского в изобличающем виде, то есть в брюках-дудочках, пестром галстуке и в ботинках на пробковом ходу, а фотографии развесить на всех автобусных остановках. В течение месяца Очковский знал, что такое слава.

Неподалеку от библиотеки имени Лажечникова он приостановился напротив двухэтажного кирпичного здания так называемой фабричной архитектуры. Когда-то здесь помещалось отделение милиции, куда его однажды забрали ни за что ни про что: он шел улицей Пушкина с букетом гвоздик в руках, как вдруг на него налетели двое младших сержантов и, не обращая внимания на протесты, доставили в отделение; оказалось, что часом раньше кто-то оборвал клумбу гвоздик возле библиотеки, и милиционеры подумали на него. В дежурной части с Очковского сняли ремень, тщательно обыскали и отправили в изолятор. В камере было темно, хотя под потолком и мерцала маленькая лампочка, забранная решеткой, но, когда глаз приноровился к новому освещению, он разглядел дощатые нары, а на них мужика в пальто, который сидел по-турецки и, как болванчик, покачивал головой. Выпустили Очковского часа через два, и возможно, именно поэтому он теперь пришел к заключению, что и в тогдашней переделке было больше комического, чем ужасного, что он даже посидеть как следует не сумел.

Понемногу стало смеркаться, и Очковский почувствовал, что заметно похолодало. Воздух, наполненный мельчайшими блестками, точно в него накрошили алюминиевой фольги, сгустился и как-то остолбенел. Видимо подернулись изморозью золотые кресты какой-то церкви, возвышавшейся над кособокими крышами, которые уныло крутились многочисленными дымами. Коломенские сизари, рассевшись по карнизам, нахохлились и затихли.

Очковский решил, что он уже порядочно побродил по родному городу, слишком намерзся и что, пожалуй, пора домой. По пути к железнодорожной станции он, однако, подзадержался, так как на глаза ему попался знакомый особнячок, выкрашенный желтой, староказенной краской, с которым было связано что-то в высшей степени неприятное. Но что именно — это было темно. И все-таки Очковский припомнил, что в свое время в особнячке помещалось одно солидное городское учреждение, и он приходил сюда устраиваться на работу. Несмотря на то что он уже был положительный молодой человек и имел отличные рекомендации, на работу его не взяли. Виной тому были новые башмаки: башмаки скрипели, Очковский нервничал, и его приняли за дурака. Тогда он сильно переживал неудачу, считая, что и с карьерой покончено, и жизнь пошла прахом, но теперь он подумал, что эта неудача — дорогой подарок судьбы.

Внезапно Очковский остановился у простого фонарного столба и почувствовал, что сейчас ему откроется нечто важное. Он прикоснулся к столбу рукой, ощутил какой-то кроткий ответ, в котором было что-то от легкого электричества, и тут на него свалилось неожиданное откровение: «Господи,— сказал он себе,— какая была жизнь! Какая превосходная была жизнь!»

дно время на линейном корабле «Витязь» жила собака по кличке Мишка. Эту кличку она получила по той причине, что ее взял на борт лейтенант Михаил Иванович Кузнецов, командир бакового орудия. Мишка прожил на корабле около семи лет, а потом погиб; судьбина его наводит на следующие размышления...

Все-таки о собаках мы знаем еще не все. В сущности, нам только известно, что ее прародитель волк, что она преданнейший друг человека и отлично разбирается в интонациях нашей речи, что псы бывают маленькие и большие, что язык у них, помимо всего прочего, служит для терморегуляции организма. Из этого вытекает, что о собаках мы не знаем практически ничего.

Мишка был пес хотя и крупный, но беспородный, с укороченными лапами, обвислыми ушами и распущенным животом, но глаза его смотрели все же по-флотски, так сказать, много о себе понимающе. Характера же он был совершенно российского, то есть отчасти весело-пораженческого, отчасти сумрачно-боевого и при этом заметно побаивался начальства. Вооообще, если бы не было очевидно, что Мишка — это собака, а не какое-то иное подлунное существо, вполне можно было бы заподозрить, что он все-таки какое-то иное подлунное существо. Такое подозрение могло закрасться, скажем, из-за того, что за все семь лет жизни на «Витязе» Мишка только однажды, еще когда он был кобельком, столкнулся с мичманом Образцовым, который при встрече зачем-то погрозил ему кулаком, и поэтому больше они уже не встречались: стоило Мишке только почуять мичмана Образцова, как он немедленно прятался в каком-то укромном месте или практически бесшумно обегал его стороной. Второе: Мишка ходил в гальюн; этому он научился после того, как замполит несколько раз заставал его на месте преступления и со всей строгостью вопрошал:

— Михаил, ты чего это себе позволяешь?!

Третье: во всех случаях, когда команда выстраивалась на баке, Мишка прилаживался с краю на левом фланге, а при команде «Флаг и гюйс поднять» вставал на задние лапы и замирал. Но самое интересное было то, что Мишка непостижимым образом разбирался в военно-морских знаках отличия и безошибочно определял офицеров и рядовых. Более того: Мишка, безусловно, имел понятие об офицерских званиях, а возможно, и должностях, поскольку в присутствии замполита он позволял себе одно, в присутствии капитан-лейтенанта другое, а в присутствии капитана третьего ранга — третье; на виду у командира корабля он себе вообще ничего не позволял, а принимал ту же стойку, что и при команде «Флаг и гюйс поднять»; командир его по долгу службы не замечал. Узнавал Мишка и адмиралов, которые вгоняли его в панику шитьем мундиров и галунами.

Теперь собственно сказка. В середине восемьдесят пятого года линейный корабль «Витязь» пришел с дружеским визитом в один иностранный порт. По обычаю корабль посетили местные власти, которые сопровождали наш посол и атташе по военно-морским делам. Как только обозначился катер с гостями, на борту протрезвонили «большой сбор» и команда выстроилась на баке; Мишка, как всегда, расположился с краю на левом фланге.

Иностранных гостей Мишка встретил с достоинством и спокойно, при виде военно-морского атташе уважительно задышал, но когда в поле его зрения попал наш посол, с ним случилась истерика, и это немудрено: на после был невиданный, убийственно-значительный мундир из тончайшего сукна с канительным шитьем и роскошным позументом на обшлагах, который в Мишкиных глазах обличал даже не святителя, как, скажем, в случае с адмиралом, а некое нечеловечески высокое существо, вселенского начальника и творца. Этого мундира

Мишка не перенес; он жалобно завыл, потом запятился к леерному ограждению и прыгнул за борт; через секунду раздался всплеск, и вдруг стало так тихо, что сделалось слышно, как ветер колышет гюйс.

Команда сразу сообразила в чем дело, и глаза у всех затянула горькая пелена, потому что «Витязь» стоял на внешнем рейде и до берега было около двух с половиной миль. Ветер шевелил гюйс и ленточки бескозырок, приятно урчал радар, по левому борту кричали чайки, а этакая скала в восемьсот шестьдесят с чем-то отчаянных мужиков стояла по стойке «смирно» и давилась неуправляемыми слезами.

Иностранные гости ничего не поняли и поэтому сильно перепугались.

СОКРОВЕННОЕ

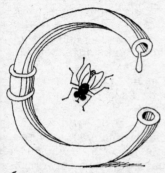

казать кому, что я не знаю большего удовольствия, чем сидеть возле кухонного окошка, глядючи в переулок,— наверное, засмеют. Сказать кому, что если бы мне предложили выбирать между концертом Елены Образцовой, бесплатным обедом в «Славянском базаре», туристической поездкой в Болгарию и сидением возле кухонного окошка, то я опять же выбрал бы сидение возле кухонного окошка — тут уж, наверное, не засмеют, а насторожатся. Между тем я действительно не знаю большего удовольствия, чем сидение возле кухонного окошка, потому что в эту пору мне иногда открываются разные мучительно-высокие вещи, которые не открываются ни в какую иную пору. Например, недавно мне пришло в голову, что фамилии людям следует присваивать на манер званий, а то у нас встречаются негодяи с такими фамилиями, как Добротворский, и провидцы с такими фамилиями, как Слепцов. Или: недели две тому назад я открыл, что правда и неправда состоят если не в родстве, то, во всяком случае, в свойстве; сформулировать это состояние мудрено, но наиболее точную его характеристику вобрала в себя невразумительная русская пословица «Не прав медведь, что корову съел, не права и корова, что в лес забрела».

Мои сидения возле кухонного окошка дороги мне тем более, что спокойно посидеть и поразмышлять мне удается довольно редко: то то, то се, то пятое, то десятое.

Разумеется, я жду такого случая, «как ждет любовник молодой минуты верного свиданья». Накануне я плохо сплю, а утром, позавтракав на скорую руку, спешу подсесть к своему окошку. На меня немедленно нападает какое-то сладостное оцепенение, и в голове начинают роиться мысли.

Теперь на дворе зима. За окошком стоит студеное январское утро со своими обычными принадлежностями: застывшим воздухом, который слегка искрится, сугробами, уже тронутыми пыльным налетом, ватными дымами, пооблупившимися крышами, ломающими линию горизонта, и той особенной, стеклянной тишиной, какой открывается всякий январский день.

Из моего кухонного окошка видна та часть нашего переулка, которая простирается от квасного ларька до жилищно-эксплуатационной конторы № 26, занимающей старинный юсуповский особняк. Этот отрезок составляют два довольно больших дома мрачной наружности, два маленьких дома, включая тот же юсуповский особняк, и один двор, который выходит непосредственно в переулок. Этот двор — обычный московский двор, полусквер, полузакоулок, полупустырь. Здесь я частенько наблюдаю... впрочем, об этом после. Замечу только, что особу, которую я частенько наблюдаю, сидючи у кухонного окошка, я ни разу не видел при других обстоятельства: ни на улице, ни в магазинах, и, что самое интересное,— никогда не видел из прочих окошек моей квартиры. Нет, все-таки это более чем занятно, что, как только я подсаживаюсь к кухонному окошку, со мною немедленно начинают происходить странные вещи, и меня даже порой посещает мысль, что это какое-то волшебное, так сказать *превращательное,* окошко, поскольку во всех прочих местах я — одно, а тут — ну совсем другое. Скажем, еще двадцать минут назад, когда все наше семейство завтракало на кухне, моя супруга Наталья Васильевна не вызывала во мне никаких неприятных чувств, но стоило мне устроиться в моем сокровенном месте, как даже призрак ее низкого голоса, который, казалось, все еще отзывался в районе мойки, начал внушать мне легкую дурноту. Или другое: покуда я умывался и чистил зубы, меня нисколько не трогало писклявое пение младшей дочери и резкий посудный гул, который умудряется наводить Наталья Васильевна, даже когда делает бутерброды; я не без удовольствия думал о том, что вот сейчас все уйдут, квартира опустеет и я примусь за отчет о работе нашей статистической службы, который мне для скорости позволили сделать дома; однако, позавтракав, я ненароком подсел к кухонному окну, и вот уже третий час, как я сижу возле него, глядючи в переулок.

Мысли, которые меня теперь занимают, с одной стороны, любопытны, но с другой стороны, тяжелы, даже мучительны, даже непереносимы. Собственно, все началось с того, что я увидел в окне синицу, и ее оперение навело меня на мысль о милицейских автомобилях. С милицейских автомобилей я перескочил на нашего участкового уполномоченного, потом на мою соседку по лестничной площадке с причудливой бородавкой на левой щеке, у которой недавно украли собачью шапку, и, наконец, застрял на кобеле по кличке Персей, живущем у пенсионера с первого этажа. Почему-то мне пришло в голову, что кобелю Персею, псу добродушному и живому, следовало иметь хозяином не противного пенсионера с первого этажа, а мою соседку с причудливой бородавкой, так как между Персеем и ею гораздо больше общего, нежели между Персеем и пенсионером с первого этажа. Затем это, казалось бы, постороннее соображение вылилось в целую самостоятельную идею. Я пришел к выводу, что важнейшими жизненными обстоятельствами, в значительной мере определяющими характер и течение бытия, люди, собаки, лошади и прочая духовная живность обязаны несчастному случаю приобретения или рождения где попало. Если в отношении тела всякое живое существо, по остроумному замечанию Молешотта, есть то, что оно ест, то в отношении духа оно скорее всего есть то, что и кто его окружает. Действительно, даже самая суверенная личность разве в силах совершенно устоять против различных внешних влияний и отчасти не сделаться тем, что эти влияния образуют, при этом отчасти простившись с тем, чем она сделаться запрограммирована, рождена? Возьмем, например, меня: если бы почти двадцать два года тому назад из-за неисправности водопровода не закрыли бы буфет в общежитии медицинского института и я не побежал бы перекусить в общежитие к педагогам и не познакомился бы в их буфете с Натальей Васильевной, и она через полгода не приняла бы моего предложения и, таким образом, не стала бы мне женой, разве я был бы теперь именно тем, что я есть? Разумеется, нет! Точнее, скорее всего, что нет, поскольку я прихожу к этому выводу, основываясь на симптоматике полупризрачной, эфемерной. Скажем, Наталья Васильевна жадновата, и ту же самую прижимистость я чувствую за собой, хотя в первой молодости я был мот и по сей день, не сморгнув глазом, могу оставить квартальную премию в ресторане. Скажем, моя старшая дочь человек узкий, и за собой я замечаю узость в некоторых вопросах, особенно отвлеченных, несмотря на то, что в моей жизни была пора, когда я одновременно исповедовал непротивление злу насилием, кьеркегорианство и диалектический материализм. Скажем, у нас в большой комнате висит копия яковлевского натюрморта, который Наталья Васильевна выиграла в художественную лотерею, и по милости этого натюрморта я давно уже потерял вкус к изобразительному искусству. Но, к сожалению, мое собственное, то есть обратное, влияние на вещную и человеческую среду настолько малозначительно, что временами мне кажется, будто я живу не в своей квартире или будто я и мои домашние относимся к каким-то разным подвидам высших млекопитающих. Очень может быть, что вопреки повышенной чувствительности к влияниям извне я все-таки частично уберег свою изначальную суть, и мне, понятное дело, дико, что меня окружают чужие вещи, и мне, понятное дело, дико, что мои дочери похожи на кого угодно, только не на меня. Конечно, я передал им кое-какие мелочи, например форму ушных раковин или манеру зажимать между коленями одеяло во время сна, но, с другой стороны, они нисколько не склонны к отвлеченному размышлению, которое составляет основу моего духовного бытия. А ведь не сломайся почти двадцать два года тому назад в нашем общежитии водопровод, не побеги я перекусить к педагогам и не повстречайся с Натальей Васильевной, какая-то другая женщина стала бы мне женой и, возможно, родила бы мне сыновей, которым я, возможно, передал бы не форму ушных раковин и не манеру зажимать между коленями одеяло во время сна, а именно склонность к отвлеченному размышлению. И все было бы другое: и дом другой, и люди другие, быть может, даже работа и та выдалась бы другая. Но вот что занятно: отсядь я сейчас от кухонного окошка, и голова немедленно заполнится разными пустяками.

Я часто прикидываю, что за женщина могла бы быть на месте Натальи Васильевны, и неизменно прихожу к заключению, что претенденток на это место не так уж много. Одна из них — некто Кирпичова, приятная брюнетка, которая живет прямо напротив моих окошек.

С той самой поры, как я пристрастился к кухонному сидению, в доме напротив, в крайнем правом окошке третьего этажа, я часто вижу миловидную женщину, до странного похожую на меня. У нее такой же высокий лоб, глаза, выражающие внимательную тоску, тот же нос с так называемой капелькой на конце и те же губы, сложенные в обиду. Я, бывало, смотрел на нее и думал: а ведь могло получиться так, что мы теперь не переглядывались бы через переулок, а сидели бы рядом, в ее маленькой темной комнате, наверное увешанной поблекшими фотографиями и вышивками под стеклом, сидели бы себе, как две старые птицы, и поглядывали в переулок. И была бы у нее милая родинка на плече, и звала бы она меня ласково, каким-нибудь «зайчиком», а не по фамилии, как Наталья Васильевна, и за обедом мы ели бы не вечные макароны, а, скажем, вареники с картофелем или рыбу по-монастырски — то-то была бы жизнь!.. Впрочем, со временем я поостыл, и вот по какой причине. Мне вдруг отчего-то приспичило узнать фамилию незнакомки, и, как-то наведавшись в ее дом, я выяснил из реестрика жильцов, приклеенного над звонком, что фамилию она носила ужасную — Кирпичова. Ошибки быть не могло, так как из пяти фамилий три были мужские, указанные в единственном числе, а четвертой значилась наш техник-смотритель Новопокровская, которую я знаю по имени и в лицо. Стало быть: Кирпичова. Это открытие меня сильно разочаровало, и теперь, приметив ее в окошке, я вот уже несколько лет делаю вид, будто рассматриваю подоконник.

Другая претендентка на место Натальи Васильевны — это та самая особа, которую я частенько наблюдаю во дворе, выходящем непосредственно в переулок. По утрам, а иногда еще перед сумерками, она прогуливает маленькую мерзкую собачонку. В отличие от Кирпичовой это, во-первых, создание юное, а во-вторых, относящееся к той довольно распространенной категории женщин, представители которой не столько люди, сколько именно женщины, то есть существа темного происхождения и, похоже, эволюционировавшие не по Дарвину. Когда она появляется во дворе, у меня от нежности делается такое сердцебиение, что я в панике поглядываю на скляночку с валидолом. Как ее имя, я не знаю и знать не хочу.

Сколько я ни напрягаю воображение, мне не удается представить себе ее домашнюю обстановку и таким образом постигнуть характер предположительных метаморфоз, которым я подвергся бы под влиянием ее мебели, картин, посуды и туалетов. Но зато я живо себе представляю, как мы с ней сидим на каком-либо приспособлении для сидения и милуемся: я целую ее в просвечивающую ключицу, а она теребит мне ухо и приговаривает: «Здоров же ты, брат, лизаться».

Между тем Наталья Васильевна может обвинить меня в чем угодно, но только не в излишней чувствительности; напротив, она считает, что я глубоко черств и несентиментален. Поскольку это неправда, само собой напрашивается заключение, что во мне сидят два разнохарактерных человека. Так оно и есть. Один человек — это я в первозданном виде плюс флюиды Натальи Васильевны, нашего переулка, двух непохожих на меня дочерей, яковлевского натюрморта, женщины с причудливой бородавкой, собаки по кличке Персей, моих товарищей по работе и так далее, и так далее. Другой — это я в первозданном виде, а впрочем, чересчур смело было бы отрицать некоторую влиятельность на вторую мою ипостась юного создания во дворе, выходящем непосредственно в переулок, а также Кирпичовой с воображаемой темной комнатой, поблекшими фотографиями и вышивками под стеклом, нелепыми, как сны Веры Павловны.

Точно могу сказать: этого другого не знает никто. Например, мои коллеги считают меня отличным работником, чуть ли не фанатически преданным медицине. Нет, я действительно предан своему делу, но почему я ему предан — я сам не знаю. Более того: что называется, в глубине души я отчасти солидарен с Толстым в его нападках на медицину, правда, в той суверенной редакции, что медицина не только полезна, но и вредна, поскольку она способствует, по крайней мере, перерождению вида. Собственно, на то и организм, чтобы побеждать всяческие болезни, собственно, на то и смерть, если недуг неистребим. И ведь пронюхай коллеги о моей вероломной позиции в отношении медицины, мне до скончания века руки никто не подаст! Впрочем, это неизбежно не столько потому, что мои коллеги сами фанатически преданы своему делу, сколько потому, что средний медик, как правило, ограниченный человек. Недаром у Чехова нет ни одного духовного медика, если не считать доктора Рагина из «Палаты № 6», да и тот был умалишенный. Наши невропатологи как-то нарочно устроили шуточный консилиум по этому поводу и, опираясь на некоторые симптомы, пришли к единогласному мнению, что доктор Рагин был точно умалишенный. Однако нужно быть справедливым: грань между широкой духовностью и легкими формами сумасшествия нащупывается с трудом. Вот я: я, безусловно, не сумасшедший, а между тем у меня есть муха, с которой я вот уже третий сезон как вожу компанию.

Это очень странная муха. Например, она прилетает, если ее позвать. Впервые мы с ней встретились, кажется, в декабре: она появилась, и я испугался, так как муха зимой — к покойнику, но она пролетала всю зиму, и ничего: у нас не только никто не умер, но даже не приболел. Летала она по квартире тяжело, медлительно, точно нехотя, как ходят очень полные люди. То ли по причине флегматического характера, то ли, напротив, потому, что это была какая-то отчаянная муха, она меня не боялась и, бывало, разгуливала по мне сколько заблагорассудится. Дело доходило до того, что я клал на ладонь крошечный кусок сахару и кричал: «Муха, лети сюда!» Через несколько секунд она прилетала с низким, каким-то авиационным гудением, садилась ко мне на ладонь и принималась мусолить сахар. Потом я решил придумать ей кличку. Я долго не мог найти ничего подходящего и в конце концов вынужден был залезть в словарь Ушакова, где пропечатаны все православные имена. Мне приглянулись Гликерия и Анфиса. Остановился я на Анфисе и с тех пор призываю ее по кличке. Она неизменно является на мой зов и если не находит кусочка сахару, то с сердитым видом расхаживает по мне минут десять туда-сюда.

А ведь узнай Наталья Васильевна о том, что я вожу компанию с мухой по кличке Анфиса, она меня точно спровадит в Матросскую Тишину. Особа из двора, выходящего непосредственно в переулок, вероятно, только бы посмеялась, Кирпичова, скорее всего, даже составила бы нам компанию, но Наталья Васильевна как пить дать упрятала бы меня в Матросскую Тишину. Ей это показалось бы так же диковинно, даже дико, как если бы она обнаружила у меня хвост или как если бы оказалось, что в годы войны я сотрудничал с немецкими оккупантами.

Из этого в первую голову вытекает, что Наталья Васильевна, равно как мои дочери и коллеги, несмотря на долгие годы сосуществования, знают меня в лучшем случае наполовину или даже на одну треть. Положим, Наталья Васильевна считает меня сильным, мужественным, то есть в практическом смысле положительным человеком. Увы! На самом деле я трусоват, капризен, мнителен, злопамятен, то есть, напротив, слаб. Вот доказательство: в течение десяти лет я веду тайную тетрадочку, в которую записываю даже самые поверхностные признаки нездоровья. Ну, например: «21 января стул в 11 часов 20 минут патологической консистенции; около часа дня резь в области поджелудочной железы; после обеда ощущение натруженности в правом колене; вечером: легкое першение в горле, некоторое онемение левой руки, покашливание, куриная слепота, сна — ни в одном глазу». Зачем я веду эту тайную тетрадочку, я не знаю, так как практической пользы от моих записей никакой, разве что в конце концов из них выведется, что я безнадежно болен.

Или вот еще такое недоразумение: мои коллеги считают меня безусловно порядочным человеком, но дудки! — я, например, предал одного своего товарища, в веселую минуту рассказав компании негодяев-анестезиологов о его связи со старшей медсестрой Лебедянской, и хотя я сделал это не специально, а оттого, что мне было весело и очень хотелось рассказать что-нибудь из ряду вон выходящее, я все равно поступил как форменный негодяй; например, на новоселье у заведующего отделением реанимации черт меня дернул украсть со стола бутылку армянского коньяка, что было конечно же замечено новоселом, который через несколько минут общупал меня, уличил и с позором выставил на лестничную площадку; один раз мне навязали взятку; наконец, я целовался с несовершеннолетней, будучи уверен, что она в меня влюблена, но потом оказалось, что ей было просто интересно поцеловаться с усатым мужчиной, — я в ту пору носил усы.

Итак, фигурально выражаясь, я человек с двойным дном. Но мне от этого ни жарко ни холодно, так как тут виноват не я, а несчастный случай приобретения. Кроме того, я не представляю собой социальной опасности и какой-либо угрозы гуманистическому началу. Разве что общение со мной сулит причудливые минуты и временами может быть неприятно по той самой логике, по которой не так неприятно выпить стакан сивухи, как стакан обыкновенного молока, если настроиться именно на сивуху. Что действительно скверно, так это то, что не, сломайся почти двадцать два года тому назад в нашем общежитии водопровод, не побеги я перекусить в общежитие к педагогам и не повстречайся с Натальей Васильевной, жизнь сложилась бы решительно по-другому. Возможно, другая жизнь была бы отнюдь не лучше теперешней, а просто это была бы другая жизнь, но мне почему-то кажется: одно это было бы лучше, гораздо лучше, ибо в моем случае любое иное равняется идеалу. И даже вот как: не то что все могло сложиться счастливее, а просто пропала жизнь...

Я пришел к этому, прямо скажем, неожиданному заключению, и меня прошиб пот. Ведь действительно прахом пошла моя бесценная жизнь, ибо я не то, что я есть, потому что я не с теми, с кем следует, и не там, где надо. А поскольку я — это не я, то немудрено, что я ни разу не боролся за справедливость, не плутал в тайге, не прививал себе холерные палочки, не был в Париже, не создал учения, не страдал за правду, наконец, я не посадил ни одного дерева, не построил ни одного дома и не убил ни одной змеи. Между прочим, это показалось мне так досадно, что в первую минуту я чуть было не прослезился. А во вторую минуту на меня напал ужас; я совершенно понял, что я наделал, и на меня напал такой несказанный ужас, что захотелось позвать на помощь. Я открыл форточку, высунул голову в переулок и негромко, застенчиво прокричал:

— Помогите!..

Нет ответа, только где-то неподалеку прошелестел грузовик.

— Помогите!..

Из подъезда соседнего дома вышел наш сантехник Подушкин и направился в юсуповский особняк, весело помахивая фибровым чемоданчиком, но, услышав мой крик, который еще реял над переулком, остановился на полдороге, посмотрел на меня и укоризненно покачал головой.

ПРОМЕТЕЙЩИНА

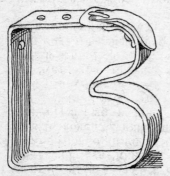 субботу, после уроков, на школьном дворе за хозяйственным сарайчиком семиклассник Веревкин, как всегда, поджидал клиентов. Он сидел на мусорном баке, положив на колени сумку от противогаза, в которой он носил учебные принадлежности, и болтал ногами, обутыми в резиновые сапоги.

Клиентов явилось трое: Болонкин из четвертого класса и два пятиклассника — Никифоров и Фомин. Они пришли и встали перед Веревкиным в одинаковых позах, немного похожих на ту, которую принимают беременные женщины, когда стоят в очереди, покорно держа авоськи под животом.

— Ну что, друзья? — сказал им Веревкин.— Какая у нас сегодня будет повестка дня?

— Лично у меня двойка по математике,— сказал Болонкин и шмыгнул носом.— Родители голову оторвут, это к бабке ходить не нужно.

Веревкин по-взрослому сделал рукой, давая понять, что все будет хорошо, и вопросительно кивнул пятиклассникам.

— У меня замечание в дневнике,— сказал пятиклассник Никифоров, глядя куда-то в сторону.

— За что? — строго спросил Веревкин.

— За критическое высказывание.

114

— Интересно! — воскликнул Веревкин и сделал рожу: оттянул нижние веки указательными пальцами чуть ли не до ноздрей.— А конкретно?

— Конкретно дело было так. Значит, сегодня утром по учебной программе был фильм «Культура Древнего Рима». Я и говорю на уроке истории: «Хорошенькое дело,— говорю,— по телевизору сегодня фильм «Культура Древнего Рима», а телевизора в классе нет». Историчка отвечает: «На вас, дармоедов, телевизоров не напасешься». Я говорю...

— Вообще, можно и покороче,— перебил Веревкин.

— Я и так короче. Значит, я говорю: «Денег,— говорю,— в государстве огромное количество, могли бы по телевизору в класс поставить». Историчка говорит: «У государства и без того полно расходов. На сельское хозяйство надо? На транспорт надо? На милицию тоже надо». Тут я и говорю: «Если бы побольше давали денег для школ, не надо было бы тратиться на милицию». Вот за это высказывание она мне замечание и влепила.

— И правильно сделала! — сказал Веревкин.— Не мели языком.

— А у меня вот какая проблема,— вступил пятиклассник Фомин.— Я из химического кабинета украл банку плавиковой кислоты. Мне для опытов нужно, потому что я кое-что мастерю.

— Поймали? — поинтересовался Веревкин.

— Нет, не поймали, но могут поймать.

Веревкин как-то умственно помолчал и вслед за этим стал подводить итоги.

— План работы ясен,— сказал он, почесывая переносицу.— Такса, друзья, будет такая: за двойку по математике пятьдесят копеек, за критическое высказывание восемьдесят копеек, за банку с кислотой — рубль.

— Чтой-то дорого,— несмело сказал Фомин.

— А ты не воруй!

Мальчишки, вздыхая, отсчитали Веревкину затребованные деньги и затем всей компанией тронулись со двора.

Сначала пошли к двоечнику Болонкину. Пятиклассники остались дожидаться внизу, а Веревкин с потерпевшим отправились объясняться.

Дома у Болонкиных была одна мать, которая занималась на кухне какими-то хозяйственными делами. Впрочем, как только Веревкин с потерпевшим разулись и прошли в детскую комнату, она немедленно возникла в дверном проеме.

— Ну, как там у нас на учебном фронте? — спросила мать, вытирая руки о кухонное полотенце.

Болонкин открыл было рот, чтобы все испортить, однако Веревкин успел его упредить:

— Что касается вашего сына,— сказал он на печальной-печальной ноте,— то с ним все в порядке. Он даже если двойку получит, то это будет эпизод, несчастный случай на производстве. Хотя эпизод, конечно, закономерный, потому что ваш сын одаренный мальчик, а выдающихся людей преследуют неудачи. Например, Чехов был второгодник, Некрасов целых три года сидел в пятом классе, Белинского за плохую успеваемость даже исключили из университета...

— Не может быть! — сказала Болонкина и испуганно всплеснула кухонным полотенцем.

— Правда, правда! — горячо подтвердил Веревкин.— И Пушкин учился с тройки на двойку, и... ну, одним словом, всех выдающихся людей с самого начала преследовали разные неудачи. А отличники в то время все шли служить в Третье отделение. Вообще, по-моему, хорошо учатся только бездарности, эгоисты и маменькины сынки. Вот возьмите меня: я хоть и круглый отличник, а все равно толку из меня не получится, потому что я на самом деле середнячок и добываю пятерки, просиживая штаны. А ваш сын все схватывает на лету...

— Это правда,— сказала Болонкина и зарделась.

— А двойки — что двойки?.. Двойку всякий может получить, даже если он семи пядей во лбу. Понимаешь, что это нехорошо, а все равно нет-нет да и получишь неудовлетворительную оценку. Жизнь! Вот, предположим, взрослые отлично понимают, что врать — это нехорошо, а все-таки бывает, что и соврут. Жизнь — вы согласны?

Болонкина подумала и кивнула.

— А я прямо какой-то заколдованный человек,— продолжал Веревкин.— Все у меня из рук валится, и душа ни к чему не лежит. Я прямо не знаю, чего отдал бы, чтобы получить хоть половину талантов вашего сына! Я даже согласен на одни двойки учиться, только бы заполучить какой-никакой талант...

— Честно говоря,— сказала Болонкина,— я тоже всегда считала, что мой сын одаренный мальчик. И я рада, что вы разделяете это мнение.

— Я это мнение очень даже разделяю! — сказал Веревкин и стал прощаться.

Болонкина пригласила его за компанию посмотреть по телевизору детскую передачу, но Веревкин отказался, сославшись на то, что ему пора идти протирать штаны.

Пятиклассники покорно ждали Веревкина на лавочке у подъезда.

— Что-то ты очень скоро,— сказал при его появлении похититель Фомин.— Наверное, ты халтуришь.

— Да нет, просто у Болонкина сговорчивая мамаша. Таких блаженных родителей укротить — это, друзья, раз плюнуть. Даже если бы Болонкин школу поджег, и то бы я его запросто оправдал.

— Везет некоторым! — сказал критикан Никифоров.— А у меня не родители, а людоеды. Реакционные у меня родители, ты с ними, Веревкин, намучаешься, помни мои слова.

Действительно: с никифоровскими родителями Веревкину пришлось основательно повозиться. Начать с того, что сразу после знакомства и нескольких общих фраз Веревкин было с места в карьер заговорил о том, как важно быть искренним человеком и при любых обстоятельствах резать правду, но Никифоров-отец его невежливо оборвал.

— Я придерживаюсь противоположной субординации,— с мрачным выражением сказал он.— Длинный язык до хорошего не доведет. Как говорится: в доброе время — молвить, в худое — промолчать.

— Не скажите,— сказал Веревкин.— Мир во все времена держался на честных людях. Как говорил Горький: правда — бог свободного человека. Но это, конечно, не всех касается, а только людей выдающихся, ненормальных. Я, положим, и предам, и совру, и оклевечаю, но есть такие люди, которые на подлости не способны. Из них-то и получаются разные знаменитости. Так даже можно определять, будущая знаменитость перед нами или мелкая сошка. Если режет правду-матку в глаза, значит, будущая знаменитость, если промолчит или соврет, значит, мелкая сошка.

— А у нас на производстве,— сказала никифоровская мать,— правду говорят только запойные пьяницы, которым нечего терять, которые допились до полной свободы слова. Вот у нас сменный мастер краску ворует. Пускай я буду мелкая сошка, но я ему слова наперекор не скажу. Мне сына надо растить.

— Вы меня не так поняли,— спохватившись, сказал Веревкин.— Я вот что имел в виду: для нормальных людей, как мы с вами, соврать или смолчать — обыкновенное дело, но есть такие выдающиеся натуры, которые вечно говорят правду за всех нормальных людей. Среди них, например, Диоген, Коперник, Козьма Прутков, Никифоров и другие. Причем это довольно несчастные люди, поскольку им всегда попадало за прямоту, и поэтому их нужно окружать уважением и заботой.

— Погоди! — сказал Никифоров-отец и поднял руку как бы для отдания чести.— Это ты какого Никифорова приплел? Что за туманная реминисценция?!

— Я имел в виду вашего сына,— невозмутимо сказал Веревкин.— Я считаю, что ваш сын — это будущая знаменитость первой величины. Потому что он за правду горой, где что не так, обязательно выскажется, не смолчит.

— А вот как я возьму отцовский-то ремень,— сказала никифоровская мать,— так он у меня сразу забудет, как лезть в знаменитости!

— Нет, это, конечно, ваше семейное дело,— согласился Веревкин,— но думаю, что потомки вас не одобрят. Так и будет написано в Большой советской энциклопедии: «Прожил трудное детство, постоянно истязался родителями». Хорошо это, как вы считаете?

— А ведь чем черт не шутит,— сказал Никифоров-отец, натруженно улыбаясь,— вдруг наш оболтус и впрямь окажется знаменитостью? Нет, мать, ты давай сворачивай этот индивидуализм, а то потом в веках позору не оберемся.

— Конечно,— сказал Веревкин,— если бы ваш сын был такой негодяй, как я, то десять ремней об него обтрепать не жалко. Ведь я, если приспичит, отца родного выдам за пятачок. А ваш, я считаю, просто герой, и поэтому он должен быть окружен уважением и заботой. Вообще, я бы такую линию гнул: ему за правду замечание в дневнике, а я: «Молодец, сынок, жарь в том же духе!»

Вероятно, эта линия пришлась Никифорову-отцу по душе, так как он пригласил Веревкина отобедать. Но никифоровская мать по-прежнему хмуро поглядывала то на Веревкина, то на сына, который, в свою очередь, поглядывал на всех несколько свысока. Обедать Веревкин отказался, так как, по его словам, ему еще нужно было писать кляузы на старшую пионервожатую, уборщицу и редактора стенгазеты.

На повестке дня оставалось только дело похитителя Фомина. Это дело решилось споро, так как родители Фомина еще в пятницу уехали к родственникам на дачу и дома была одна его бабушка, которая плохо видела, туго слышала и слабо соображала.

— Это, бабуля, мой товарищ Веревкин,— сказал ей Фомин, как только они переступили порог квартиры.

— Ась? — сказала бабушка и приложила к уху ладонь.

— Я говорю, это мой товарищ Веревкин,— повторил Фомин.— Мы с ним будем геометрией заниматься. Я его взял в смысле геометрии на буксир.

— Ну-ну,— согласилась бабушка.

— Вообще-то меня надо брать не в смысле геометрии на буксир,—сказал Веревкин,— а в смысле воспитания в духе идеалов социализма. Вы знаете, бабушка, я удивляюсь на нашу школу: в ней учат чему угодно, только не нравственности. Именно поэтому у нас полно отличников, готовых сотрудничать с разведкой классового врага. Именно поэтому я в смысле морального облика конченый человек.

— Ась? — сказала бабушка.

— Я говорю, что в смысле морального облика я конченый человек. Ворую я, бабушка, вот в чем беда: у первоклассников деньги отбираю, в школьной раздевалке по карманам шарю, а недавно собаку соседскую убил, ободрал и шкуру на шапки продал.

— Так у тебя, наверное, денег вагон и маленькая тележка,— сказала бабушка и сострадательно улыбнулась.— Куда же ты их деваешь, скажи на милость?

— Расходов у меня много,— ответил Веревкин.— Во-первых, я пью. Во-вторых, подкупаю хулиганов, чтобы они терроризировали строгих учителей. В-третьих, я постоянно плачу штрафы за нарушение общественного порядка. Но дело не в этом; дело в том, что я вор. Хотя согласитесь, что воровство бывает разное: бывает воровство, а бывает экспроприация. Положим, стянуть у империалистов нейтронную бомбу, это уже будет даже не экспроприация, а геройство.

— Ась? — сказала бабушка.

— Я говорю, это уже будет не экспроприация, а геройство.

— Тут я согласна,— сказала бабушка.— Я в тридцатом году сама распатронивала двух подкулачников и одного махрового кулака.

— Точно так же и в школе,— продолжал Веревкин,— один, вроде меня, ворует, чтобы подкупать хулиганов, а другой из государственных интересов, потому что он что-то там мастерит. Я считаю, что за такое воровство нужно не наказывать, а как-нибудь награждать...

Бабушка похитителя Фомина одобрительно улыбнулась.

— Ну ладно,— сказал Веревкин,— до свидания. Пойду воровать дальше...

Явившись домой, Веревкин потихоньку разделся, намереваясь незаметно проскочить в свою комнату, но отец его все-таки заприметил и позвал в кухню на личный досмотр, который он производил практически ежедневно. В карманах отец не нашел ничего, кроме записочек и разной мальчишеской ерунды, но, когда он опрокинул вверх дном сумку от противогаза, на пол пролился разноцветный монетный дождь.

— Так,— сказал отец,— опять какие-то деньги... Говори, собачий сын, откуда у тебя деньги?!

Веревкин внимательно посмотрел в потолок.

— Так...— сказал отец и взял со стола ремень.

Поскольку порка давно стала для Веревкина делом обыкновенным, он перенес ее более или менее по Сократу. Он лежал на маленьком диване, морщился от боли и мысленно огрызался. «У-у, хищник, истязатель! — думал он про отца.— Жри мою печень, жри!»

Я И ДУЭЛЯНТЫ

Мир должен быть оправдан весь,
Чтоб можно было жить.

К. Бальмонт

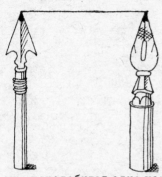

режде чем перейти к делу, мне понадобится одно короткое отступление.

Я писатель. Правда, я писатель из тех, кого почему-то охотнее зовут литераторами, из тех, о ком никогда никто ничего не слышал, из тех, кого обыкновенно приглашают на вечера в районные библиотеки. Однако не могу не похвастаться, что и я немножко белая ворона среди пишущей братии, посколько я работаю день и ночь, а кроме того, имею особое мнение насчет назначения прозы: я полагаю, что ее назначение заключается в том, чтобы толковать замечательные стихи. Подобное мнение ущемляет божественную репутацию моего промысла и мою собственную значимость как писателя, следовательно, я прав. А впрочем, один мой собрат по перу, некто Л., капризный и много о себе понимающий старичок, утверждает, что книги умнее своих сочинителей. Если это так, то я лишаю поэтов всех привилегий и не претендую на особенности моего литературного дарования, которое определило меня на второстепенные роли. И вот еще что: литературное реноме Николая Васильевича Гоголя вовсе не пострадало из-за того, что Пушкин науськал его написать «Мертвые души».

Разумеется, я вполне сознаю ценность своего творчества относительно литературного наследия Гоголя, почему и позволяю себе, как правило, трактовать поэтические недосказанности сошки помельче. В данном случае мое воображение задели два стиха Константина Дмитриевича Бальмонта, приведенные выше в качестве увертюры. С другой стороны, меня вдохновила одна неслыханная история, к которой я имел отношение и как свидетель, и как в некотором роде действующее лицо. История эта до того в самом деле дика и невероятна, что диву даешься, как такое могло случиться в наш деликатный век, в нашем добродушном, не помнящем зла народе, в каких-нибудь наших северо-западных Отрадных среди детского поиска и развевающегося белья. Во всяком случае, для того чтобы дать теперь этой истории ход, я вынужден выворачивать наизнанку свое литературное рубище и если этого покажется мало, то даже присягнуть на здоровье своего двенадцатилетнего сына, лгуна, балбеса и двоечника, что все, о чем пойдет речь в дальнейшем, правда, и только правда.

Завязкой этой истории послужило изобретение инженером Завзятовым какого-то особенного пневматического молотка. Я знаю Завзятова понаслышке и никогда не видел его в глаза, но полагаю, что его последующие поступки обязывают меня изобразить Завзятова человеком лет тридцати пяти с неаккуратной прической, отсутствующим взглядом, непоседливыми руками, в брюках по щиколотку, в пиджаке с загнувшимися вперед лацканами и секущимися рукавами.

Насколько мне известно, вплоть до изобретения пресловутого пневматического молотка знакомые Завзятова были о нем самого ничтожного мнения, хотя одна женщина загодя говорила, что в нем есть что-то потустороннее, демоническое; с этой женщиной он потом жил.

Другой герой моего рассказа — молодой человек по фамилии Букин, ответственный секретарь одного технического журнала, почему я с ним, собственно, и знаком: когда-то, в незапамятные времена, я сам работал в этом журнале чем-то вроде мальчика на посылках. Вообще, Букин производит располагающее впечатление, разве что в нем смущает редкая в наше время и, по моему мнению, предосудительная страсть к игре на бегах и дымчатые очки, которые придают ему надменное выражение.

Кроме этих двоих в описываемой истории были замешаны женщина, редакция одной столичной газеты и кандидат юридических наук, специалист по римскому праву, некто Язвицкий.

Дело было так. В прошлом году, в сентябре, Завзятов подал заявку на авторские права. Одновременно он из тщеславных соображений принес в редакцию журнала, где служил Букин, статью собственного сочинения, в которой расписывал достоинства молотка. Отдел, куда попала статья, переадресовал рукопись Букину, а тот нашел, что все это в высшей степени чепуха. Букин еще не успел положить рукопись в «гибельный» ящик письменного стола, как Завзятов явился в редакцию за ответом. Его объяснение с Букиным, продолжавшееся вплоть до обеденного перерыва, относится к той категории разговоров, при воспоминании о которых внутри образуется нервное неустройство. Они разошлись врагами, воспылав (я этот глагол потом заменю) такой ненавистью друг к другу, что некоторое время просыпались и засыпали с одной только думой: как бы неприятелю отомстить. Вспоминая про Букина, Завзятов называл его титулярным советником, сволочью и тупицей, а Букин, вспоминая Завзятова, находил успокоение исключительно в том, что, вероятно, имеет дело с помешанным, каких на своей должности он видел немало; потом он даже наказал вахтеру, чтобы впредь Завзятова не пускать.

История эта, возможно, так и закончилась бы заурядным скандалом, если бы Букину не пришла в голову мысль и вправду отомстить изобретателю молотка за те оскорбительные намеки, которые тот по его поводу отпустил. В другой раз эта мысль вряд ли пришла ему в голову, так как Букин был человеком отходчивым и незлобным, но накануне его при всех ударила по лицу одна молодая женщина, которой он с год не давал проходу. Теперь он то и дело вспоминал про эту пощечину, и перед ним вставал ужасный вопрос: почему такое он терпит поношение от мерзавцев, почему не научится себя защищать — мужчина он или же размазня? Этим вопросом Букин со временем до того себя распалил, что решил написать в одну газету, где у него был приятель, тоже любитель бегов, язвительную статью под названием «Изобретатель велосипедов». Недели через две замысел был осуществлен, и статья увидела свет. А еще через неделю Завзятов подстерег Букина у подъезда, и между ними произошел следующий разговор:

— Это вы написали гаденький пасквиль о моем изобретении? — сказал Завзятов, бегая глазами и медленно вынимая из кармана правую кисть.

— Я,— сказал Букин и панически улыбнулся.

— Вы поступили неосмотрительно. Вы подумали, что скажут о вас потомки?

Букин смолчал, так как, по его мнению, потомки тут были решительно ни при чем. Завзятов же, не дождавшись ответа, неловко размахнулся и ударил Букина по лицу.

Теперь попробуйте представить себя на месте человека, который в течение месяца получил две пощечины, и, если вы не лишены некоторого воображения, вам откроется самая мучительная комбинация чувств. Букину было и стыдно себя, и жалко себя, и ежеминутно изводило желание как-нибудь неслыханно отомстить. Но пока он выдумывал, как бы это ловчее сделать, Завзятов опередил его и в том, что касается усугубления ненависти, и в том, что касается жажды мести,— возможно, он действительно был не совсем здоров.

В одно прекрасное утро Букин получает письмо. «Милостливый государь (именно «милостливый», а не милостивый)! — пишет ему Завзятов.— Если вы думаете, что мы окончательно расквитались, то вы ошибаетесь. Я оскорблен вашей грязной статейкой не на жизнь, а на смерть. Подлость, которую вы совершили против отечественной науки и техники, смоется только кровью. Я вызываю вас на дуэль. Если вы не баба и не тряпка, то соглашайтесь. Я пришлю за ответом своего секунданта. Завзятов».

— Прекрасно! — воскликнул Букин, прочитав письмецо, и нехорошо засмеялся.— Дуэль? Прекрасно! Пусть будет дуэль! — От ненависти к Завзятову и перспективы крови у него что-то задергалось в голове.

Два дня спустя к Букину на квартиру явился завзятовский секундант, та самая женщина, которая загодя угадала в Завзятове что-то потустороннее, демоническое; фамилия ее была Сидорова. Не переступая порога, эта женщина потребовала ответа на завзятовский вызов и тут же оговорилась, что в случае отказа от дуэли она просто его убьет. Оговорившись, Сидорова испытательно посмотрела ему в глаза. В этом взгляде сквозила такая лютая сила, которая даже не может быть свойственна женщине, и Букин оторопел. Он ответил, что принимает вызов, но от смятения говорил как-то робко, и Сидорова, уходя, презрительно улыбнулась. После этого он и Сидорову стал ненавидеть.

Несколько дней Букин прожил в полуобморочном состоянии. С одной стороны, он по-прежнему терзался ненавистью и в душе торопил развязку, но, с другой стороны, ему было досадно, что он из-за пустяков попал в переплет, который принял уж слишком зловещее, несовременное продолжение; вообще, у него было такое чувство, точно вдруг незаметно сломалось время, и мир повернулся назад, к сожжению ведьм, избиению младенцев, антропофагии. Эта сторона дела очень смущала Букина, и он даже подумывал, не отказаться ли от дуэли, сославшись на то, что его враг клинический идиот. К сожалению, от дуэли он так и не отказался; более того: он неожиданно постиг спасительный смысл той этической категории, которая прежде обозначалась выразительным словом «честь».

Поединок было решено обставить традиционно. Завзятов два дня просидел в Исторической библиотеке и выписал из Дурасовского кодекса все, что касается правил и церемониала. После этого Букин дважды встречался с Сидоровой; на первом свидании, назначенном возле пригородных касс Ярославского вокзала, решался вопрос, как драться, то есть насмерть или до первой крови,— решили, до первой крови; на другом свидании выбирали оружие. Это оказался сложный вопрос: пистолеты взять было негде, поножовщина претила обоим, фехтовать не умел ни тот, ни другой. Наконец, в качестве дуэльного инструмента выбрали спортивные луки. На луках остановились, во-первых, потому, что у Сидоровой были знакомые лучники из общества «Локомотив», а во-вторых, потому, что, по справкам, на церемониальной дистанции из спортивного лука нельзя было нанести смертельную рану. Правда, оставалась опасность попадания в голову, но к этой опасности дуэлянты отнеслись легкомысленно, рассудив, что, в конце концов, это все-таки дуэль, а не пьяная потасовка.

Когда все детали поединка были оговорены, Букин стал искать секунданта. Не знаю, что его дернуло, но он явился ко мне. Я выслушал его, не веря своим ушам, несколько раз справился, не дурачит ли он меня, и в конце концов послал к черту. Букин сказал, что он пошутил, мы посмеялись и выпили по маленькой коньяку, который я прячу от жены в солдатской фляге на антресолях.

К тому времени я уже был серьезно озадачен теми двумя бальмонтовскими стихами, которые предваряют эту историю. Из них вылуплялся какой-то рассказ. Душа его уже проклюнулась, но телесности не было никакой, и я ухватился за букинский анекдот, в котором мне почудилась соответствующая телесность. Я уже было засел писать, но дело, как я ни силился, не пошло. Сомневаюсь, чтобы мне удался даже плохой рассказ, скорее, я бы вообще никакого не написал, уж больно тяжеловесной оказывалась телесность, но тут ко мне опять заявился Букин. Он был чуть ли не в лихорадке. Я спросил его, что стряслось, и он признался, что давеча не соврал, что дуэль действительно намечается, а пока стороны решают следующую проблему: если дело закончится серьезным ранением одного из соперников, то каким образом избавить другого минимум от сумы, максимум от тюрьмы? Эта проблема оказалась настолько сложной, что враги решили было обратиться в юридическую консультацию. Впрочем, они вовремя опомнились, и все кончилось тем, что Сидорова, у которой вообще оказалась масса полезных знакомств, свела дуэлянтов с юристом Язвицким.

Язвицкий принял их у себя на даче. Во время разговора он держался заносчиво, но совет дал дельный. Он посоветовал, запасясь четвертинкой водки, в случае рокового исхода опоить пострадавшего и затем безбоязненно доставить его в ближайшую поликлинику; там следовало объяснить ранение несчастной случайностью, например: выпил лишнего, пошел прогуляться, споткнулся, напоролся на сук. В заключение Язвицкий выкинул неожиданный фортель: он предложил свои услуги в качестве букинского секунданта.

Стреляться договорились в Сокольниках. Чуть в стороне от Оленьих прудов, по словам Сидоровой, было одно укромное место. Дуэль назначили на субботу, 30 октября.

Несколько дней, остававшихся до этого рокового числа, соперники, надо полагать, провели в неотступных думах о смерти и вообще находились в том неприятно-тревожном состоянии духа, которое мнительные люди испытывают в ожидании врачебного приговора. В последнюю ночь Завзятов, наверное, до рассвета ходил из угла в угол, ерошил волосы и поминутно проверял, не дрожат ли руки. А Букин, может быть, решил напоследок полистать дорогие книги и нечаянно задремал.

Утром 30 октября участники дуэли встретились на трамвайной остановке «Мазутный проезд». Пока шли до места, все тяжело молчали, и только Язвицкий ни к селу ни к городу начал рассказ о том, что в этих местах когда-то купался Пушкин; впрочем, через минуту он опомнился и замолк.

Уже вторую неделю как выпал снег. Он стал было

таять, но неожиданно ударили холода, и зазимок лег искрящейся стеклянною коркой, которая весело похрустывала под ногами. Еще во многих местах на деревьях зеленела листва, и снег, который кое-где прилепился к кронам, производил неприятное впечатление.

Шли минут двадцать. Букин заметно побаивался, но Завзятову, тащившему бутылку водки и луки, завернутые в газету, опасность была, кажется, нипочем. Более того: он с таким зловещим спокойствием озирался по сторонам, что казалось, он сейчас непременно выкинет что-нибудь безобразное.

Поляна, о которой рассказывала Сидорова, на самом деле оказалась местом уединенным. Вокруг недвижно стояли сосны, о которых Букин подумал, что в них есть что-то вечное, самодовлеющее, как в жизни вообще относительно смерти в частности.

Придя на место, все, кроме Язвицкого, закурили. Язвицкий тем временем с судейской аккуратностью осмотрел луки и четыре стрелы, наконечники которых он самолично наточил до содрогающей остроты. Потом он отмерил двадцать пять метров между барьерами, расставил противников по местам и, немного помедлив, дал им сигнал сходиться.

Стрелялись одиннадцать раз, так как ни Завзятов, ни Букин никогда прежде лука в руках не держали и никак не могли попасть. На одиннадцатый раз стрела, выпущенная Букиным, угодила Завзятову в глаз, то есть случилось худшее из того, что только могло случиться. Впрочем, стрела застряла в глазном яблоке и внутрь черепа не проникла. Завзятов даже не потерял сознания, хотя из-под стрелы на снег, перемешанный с зелеными и желтыми листьями, хлынул неправдоподобно бурный фонтанчик крови. Стрелу извлекли, и Сидорова стала лить прямо на то место, где у Завзятова только-только был глаз, перекись водорода; на ране зашипела очень большая, пузырящаяся, розовая гвоздика, и кровь постепенно остановилась. После этого Завзятов минут десять не мог отдышаться, а когда отдышался, то первым делом попросил водки. Ему налили два стакана подряд; третий налили Букину, с которым случилась истерика.

Однако то, что случилось на самом деле, было до такой степени отвратительным и ужасным, что написать об этом в рассказе было положительно невозможно. Кроме того, действительность противоречила бальмонтовской идее, и я придумал другой конец. Придя на место, дуэлянтам показалось холодно стреляться, и Букин от страха предложил понемногу выпить. Предложение было принято. Выпили по одной — показалось мало, выпили по другой — показалось мало, потом, конечно, послали Сидорову в магазин за добавком, короче говоря, как водится, напились. После этого стали выяснять отношения. Во-первых, сошлись на том, что затея с дуэлью, конечно, глупость, во-вторых, стали прикидывать, как это они дошли до такого умопомрачения, и, наконец, каждый из присутствующих на дуэли высказал собственный взгляд на вещи. Посредством этих оправдательных монологов я и наметил дать прозаическое толкование бальмонтовских строчек насчет того, что мир должен быть оправдан весь, чтоб можно было жить.

Итак, дело у меня венчалось нетрезвым, но поучительным разговором. Сидорова пускай говорит, что, по ее мнению, человечество существует главным образом для того, чтобы тиранить самых совершенных представителей своего вида, то есть гениев. Пускай она укажет на пример Циолковского или Торквато Тассо, чью суммарную полезность можно приравнять к суммарной полезности двух человеческих поколений, и при этом добавит, что это большое счастье — встретить на жизненном пути такого гения, как Завзятов, с которого прямо нужно сдувать пылинки.

Затем вступит Букин. Он будет говорить о том, что в конце концов все сделаются неврастениками, если не научатся себя самым решительным образом защищать. Букин будет горячо обличать людей, которые легко и много прощают и в лучшем случае способны ответить на оскорбление оскорблением, потому что это ведет к отмиранию личности. Что же касается гениев, скажет он, то гении они или нет, это еще вилами на воде писано. Когда дело дойдет до Язвицкого, он станет оправдывать свое умопомрачение тем, что теперешняя жизнь лишена остроты и однообразна, как гудение комаров; что временами непереносимо хочется чего-нибудь из ряда вон выходящего, уксуса с перцем, чтобы всего ознобом пробрало, иначе можно помутиться в рассудке, иначе можно подумать, что жизнь прожита впустую. Наконец, Завзятов объявит, что отечественная наука и техника — это святое дело и ради их торжества он готов стреляться хоть ежедневно.

В самом конце рассказа я приписал фразу насчет того, что все разошлись по домам довольные и хмельные, вздохнул и поставил точку. Затем я перечитал написанное и даже перепугался, до чего получилось умственно, хорошо.

— Ну,— закричал я жене, которая в это время делала что-то на кухне,— если это не самое сильное из того, что существует в теперешней литературе, то я вообще ничего не смыслю. Слышишь? Когда Л. прочитает этот рассказ, он покончит жизнь самоубийством. Он скажет, что со мною невозможно быть современником.

— Господи,— ответила из кухни жена,— когда все это кончится?..

Ну что ты будешь делать, скажи на милость!..

ПРИКЛАДНАЯ ДЕМОНОЛОГИЯ

дин относительно молодой литератор, некто Охапкин, пошел на поводу у времени и купил в Осташковском районе Калининской области полуразвалившуюся избу. Изба была из рук вон худая, с ободранной крышей, сгнившим крылечком и разобранными полами. Охапкин дал ей кое-какой ремонт и летом 1983 года перевез сюда жену с семилетней дочкой, годовалого пойнтера, названного по имени главного охапкинского врага, критика Спиридонского,— Спиридонским, и поэта Бугаева, с которым его связывал тот род профессионально-дружеских отношений, какой у нас называется — рука руку моет.

Охапкинское приобретение находилось в местах труднодоступных, малонаселенных, словом, довольно-таки глухих. От Осташкова нужно было еще целых два часа ехать автобусом, а затем долго идти лесами, полями и прочими обстоятельствами среднерусского пейзажа. Обитаемых деревень на этом пути не было ни одной, зато заброшенные встречались довольно часто. Их вид производил на свежего человека тот восторженно-грозный ужас, с каким впервые читается пушкинский «Пир во время чумы». Как раз посредине одной из таких деревень и стояло охапкинское приобретение, расположившись прямо напротив белоснежных руин деревенской церкви, которые были испещрены скабрезными существительными и эмблемами «Спартака».

130

Как это ни глупо, но с легкой руки Охапкина деревенская жизнь была сразу же подчинена жесткому распорядку. С утра пили чай, потом сама собой затевалась беседа, которую охапкинская жена называла — «филологическое ля-ля», потом шли купаться на речку, потом обедали, потом спали, потом опять пили чай и в заключение допоздна разводили пресловутое «филологическое ля-ля». Этот распорядок был отчасти нарушен только однажды: в последних числах августа Охапкин после утреннего чая отправился по грибы.

Примерно через два часа беспорядочного хождения, в каком-то особенно дремучем уголке здешнего леса, который начинался сразу за балочкой, поросшей папоротником и осокой, Охапкин присел передохнуть на упавший ствол. Он сидел, размышляя о стилистическом значении отточия, как вдруг кто-то кашлянул у него за спиной. Охапкин вздрогнул и обернулся.

То, что он увидел, его основательно напугало. Метрах в двух позади него стоял голый мужик чрезвычайно высокого роста и, что называется, атлетического сложения, но с брюшком. Лицо у него было большое и темное, руки жилистые, крюкастые, ноги мощные, как дорические колонны. Но самым примечательным в этом мужике было то, что его с головы до ног покрывал густой рыжеватый волос, который на ощупь, должно быть, производил эффект точильного колеса.

— Не извольте беспокоиться,— сказал голый мужик, приметив, что его появление Охапкина основательно напугало.— От меня вреда никакого. Я существо тихое, человечное. Можно сказать, деликатное существо.

— Вы кто? — спросил Охапкин и поперхнулся.

— Я-то? — переспросил голый мужик и сделал паузу, в течение которой он дважды кашлял в кулак и один раз задумчиво смотрел вправо.— Вообще-то я леший. Это хотите верьте, хотите нет.

— Вы что-то темните,— сказал Охапкин.— Леших не бывает. Что за идеализм на лоне природы!..

— Бывает! — настойчиво сказал леший.— Просто они редко встречаются, их экология доконала.

— А я говорю, не бывает! — стоял на своем Охапкин.

— Экий вы Фома! — сказал леший.— Говорят вам, что я леший, значит, я леший! И нету тут никакого идеализма. Справка для тугодумов: лешие произошли от медведя и человека, как, примерно, мул от лошади и осла. Где же здесь, спрашивается, идеализм?! Знал бы, что вы такая Коробочка, ни за что бы не подошел!..

— Послушайте! — возмутился Охапкин.— А чего вы вообще ко мне пристаете?

— «Чего пристаете!..» — передразнил его леший.— Поговорить охота, вот и пристаю! Все-таки в лесу живем! С барсуком мне, положим, не о чем разговаривать.

Эти слова были сказаны лешим на довольно опасной ноте, и Охапкин зарекся ему перечить.

— Ну что же, давайте побеседуем,— сказал он.— Предлагайте тему.

— Вы, например, чем промышляете? — спросил леший.

— Вообще, я литератор,— сказал Охапкин.

— Вот давайте о литераторах и поговорим. Вы кого из них больше всего обожаете?

Охапкин пожал плечами.

— А я Гоголя обожаю. По правде сказать, читать я ни по писаному, ни по-печатному не умею, поскольку я все же воспитывался в лесу. Да, слава богу, в Новоселках живет отставной библиотекарь Иван Лукич — он мне Гоголя и читает. Убедительный писатель! А с другим писателем я даже компанию водил, это, хотите верьте, хотите нет, Слепцов Василий Алексеевич — не слыхали?

Охапкин призадумался и сказал:

— Нет, кажется, не слыхал.

— Тоже убедительный писатель, хотя жила уже не та. Леший печально вздохнул и огляделся по сторонам.

— Разные бывают писатели, это точно,— сказал Охапкин.— Некоторые пишут хорошо, но с грамматическими ошибками. Я считаю, что уж лучше писать без стилистических выкрутасов, но зато в абсолютном соответствии с техническими нормами русского языка. Где дефис, там дефис, где запятая, там запятая.

— Это я без понятия,— сказал леший.

— А то, знаете ли, слог у него гоголевский, образность тургеневская, психология достоевская, идейность толстая, а в слове «трансцендентальное» он делает две грамматические ошибки! Моя бы власть, я бы этих стилистов пересажал.

— Так-так,— согласился леший.

— Или, положим, ты десять лет разрабатываешь какую-нибудь идею, например «влияние на интимную жизнь роботизации производства», а этот негодяй настрочит за полчаса какую-нибудь фитюльку, и ты весь в навозе, как умирающий Гераклит!

Леший подозрительно покачал головой.

— Наконец, с ними невозможно общаться!.. Он за всю жизнь два десятка рассказов только и написал, а гонору у него на полное собрание сочинений. Ходит церемониальным шагом, одет как француз, в глазах меланхолия, а самому жрать нечего! На пиво и то рубль просит! У, нытики, очернители, паразиты — всех к чертовой матери картошку копать!

Охапкин в сердцах сплюнул, накуксился и замолк.

— Вот и поговорили,— после некоторой паузы сказал леший.— Душевно поговорили, на месяц хватит.

— В таком случае я пошел,— сообщил Охапкин.

— Путь-дорога! — сказал леший и отдал честь.

Вернувшись домой, Охапкин первым делом поведал поэту Бугаеву и жене о своей фантастической встрече с лешим. Бугаев поднял Охапкина на смех, но жена была, кажется, заинтригована.

— Вот это, я понимаю, мужик! — говорил Охапкин, выкатывая глаза.— Руки, как у нас ноги, ноги, как я прямо не знаю что. Племенной мужик. Соловей-разбойник!

В пятом часу всей компанией сели пить чай, и между мужчинами затеялось «филологическое ля-ля».

— Возможно, это и спорная точка зрения,— говорил Охапкин,— но мне очень близка такая трактовка понятия «художественная проза», когда под художественной прозой подразумевается не обсасывание какой-нибудь копеечной мыслишки, не постановка нового эстетического вопроса и не игра в красивые обороты, а поток сознания. Да, да! голый поток сознания, который идет навстречу читателю в чем мать родила! Все эти убогие дидактические умствования и беспардонная морализация в наше время ничто не способны оплодотворить. Сейчас надо писать так, как обычные люди дышат, слышат, видят, переживают. То есть: «Он проснулся и подумал о ней. На востоке поднималось апельсиновое солнце. Было слышно, как буровики лязгают сковородами». И так далее, и таким манером до самой финальной точки...

— Ну, не знаю! — встревал Бугаев.— У тебя все эстетика, дидактика, морализация, а, по-моему, все очень просто: хочется писать — пиши, не хочется — не пиши. Пей пиво.

На этом месте в разговор вступила охапкинская жена.

— Послушай,— сказала она супругу,— а где именно ты его встретил?

— Ты про кого говоришь? — тупо спросил Охапкин.

— Про лешего,— сказала ему жена.

Охапкин объяснил ей, в каком именно месте он встретил лешего, и вслед за этим мужчины вернулись к своей беседе, которую они вели до захода солнца.

Опомнились они только тогда, когда уже сильно стемнело и на небе вскочила сумеречная звезда. Тут-то Охапкин и обнаружил, что жены нигде нет. Он осмотрел избу, огород, несколько соседних огородов, побывал на церковных руинах и даже подключил к поискам пойнтера Спиридонского, но все впустую: жены нигде не было; ее так странно не было, как если бы ее не было никогда.

А охапкинская жена в это время преданно разглядывала большое и темное лицо лешего, которое загораживало ей добрую половину ночного неба.

— Интересно,— говорила она,— кто бы у нас с вами мог родиться, не приведи бог?

Леший не отвечал.

ЦЕНТРАЛЬНО-ЕРМОЛАЕВСКАЯ ВОЙНА

а самом деле пресловутая загадочность русской души разгадывается очень просто: в русской душе есть все. Положим, в немецкой или какой-нибудь сербохорватской душе, при всем том, что эти души нисколько не мельче нашей, а, пожалуй, кое в чем основательнее, композиционней, как компот из фруктов композиционнее компота из фруктов, овощей, пряностей и минералов, так вот при всем том, что эти души нисколько не мельче нашей, в них обязательно чего-то недостает. Например, им довлеет созидательное начало, но близко нет духа всеотрицания, или в них полным-полно экономического задора, но не прослеживается восьмая нота, которая называется «гори все синим огнем», или у них отлично обстоит дело с чувством национального достоинства, но совсем плохо с витанием в облаках. А в русской душе есть все: и созидательное начало, и дух всеотрицания, и экономический задор, и восьмая нота, и чувство национального достоинства, и витание в облаках. Особенно хорошо у нас сложилось с витанием в облаках. Скажем, человек только что от скуки разобрал очень нужный сарайчик, объяснил соседу, почему мы победили в Отечественной войне 1812 года, отходил жену кухонным полотенцем, но вот он уже сидит у себя на крылечке, тихо улыбается погожему дню и вдруг говорит:

— Религию новую придумать, что ли?..

Надо полагать, что эта особенность русской души, в свою очередь, объясняется множеством причин самого неожиданного характера, однако среди них есть совсем уж неожиданные и малоисследованные, которые при всей их мнимой наивности представляются такими же влиятельными, как, допустим, широкое распространение лебеды,— например, топонимика, климат и пейзаж.

Топонимика в русской жизни имеет темное, но какое-то электрическое значение. Как бы там ни было, но раз человек у нас родился в городке Золотой Плёс, или в поселке Третьи Левые Бережки, или в селе Африканда, или на улице Робеспьера, то это не может пройти для него бесследно. Тем более если принять в расчет, что в Золотом Плёсе, предположим, существует проволочная фабрика и он совершенно заплеван шелухой от подсолнухов, что в Третьи Левые Бережки катер ходит не каждый день, в Африканде только одна учительница английского языка знает, что такое «субъективный идеализм», а на улице Робеспьера отсутствуют фонари. Конечно, возможно, что значение топонимики отчасти преувеличено, но, с другой стороны, ни для кого не секрет, что москвичи так же отличаются от ленинградцев, как слова «губернатор» и «гувернер», которые имеют в своей основе единый корень.

Нужно признать, что в приложении к местности, где в июле 1981 года развернулась Центрально-Ермолаевская война, роль топонимики в человеческой жизни очень невелика. Правда, здесь есть городок Оргтруд, но собственно название Ермолаево пошло от Федора Ермолаева, который в двадцать втором году взорвал динамитом здешнюю церковь и таким образом неумышленно вписал в российскую географию свое имя; прежде деревня называлась Неурожайкой, и существует легенда, что это та самая «Неурожайка тож», которая помянута у Некрасова. Почему поселок Центральный называется Центральным, это неведомо никому.

Что касается климата, то в здешних местах он работает главным образом на разобщение. Например, если допустить, что в Центральном вдруг изобрели вечный двигатель, то в Ермолаеве об этом станет известно не раньше, чем минует одна из двух дорожно-транспортных эпопей. Эта климатическая особенность, как ни странно, имеет серьезный культурный смысл, прямо противоположный тому, который из нее логически вытекает, поскольку при богатстве характеров, поголовном среднем образовании и отсутствии под рукой то того, то другого тут постоянно что-то изобретают. Даже ермолаевский пастух Павел Егоров, в некотором роде реликтовый человек, и тот изобрел новый способ постреливания кнутом, дающий такую воинственную ноту, что ее побаивается даже финский бугай Фрегат. Прибавим сюда бесконечные зимние вечера, уныло озвученные бубнением телевизора или стуком швейной машинки, сиверко, который то и дело страшно заговаривает в дымоходе, авитаминоз по весне, а по осени взвесь ключевой воды, матово стоящую в воздухе,— и у нас получится, что климат, по крайней мере, значительно влияет на психику здешнего человека.

Наконец, пейзаж. Ермолаево стоит совершенно среди полей; по восточную околицу находится заброшенная конюшня, за нею поле, ограниченное речкой под уничижительным названием Рукомойник, далее черемуховые заросли, потом опять поле с неглубокими, но сырыми оврагами, где буйствует болиголов, крапива и гигантские лопухи, потом поле плоское, как скамейка, потом несколько кособокое, как шляпка боровика, и только далеко-далеко, возле самого Центрального, начинаются перелески. По правую околицу тоже одни поля.

Собственно Ермолаево представляет собой обыкновенную деревню в полсотни дворов со всеми приметами обыкновенной деревни: с загадочным строением без окошек, возле которого на старинной липе висит обрезок рельса — здешний вечевой колокол, с бревенчатыми колодцами, пахнущими болотом, с тележным колесом, валяющимся возле бригадного клуба, может быть, еще со времен конфликта на КВЖД, с металлическими бочками из-под солярки, обросшими лебедой,— одним словом, со всем тем, что роднит среднерусские деревушки между собой в гораздо большей степени, нежели единоутробие близнецов.

В свою очередь, Центральный тоже обыкновенный поселок, даже, если можно так выразиться, минус-обыкновенный, поскольку здесь нет своего клуба, но зато есть автобусная станция, столовая, ремонтные мастерские и большая клумба напротив поселкового Совета, в центре которой стоит гипсовый футболист, выкрашенный серебрянкой, а какие-то мелкие розовые цветочки, расположенные вокруг него, искусно выстраиваются в надпись: «Кто не работает, тот не ест».

Спору нет, пейзажи в этой местности так себе, кроткой живописности пейзажи, однако они настойчиво наводят на одну серьезную мысль, на мысль прямо-таки гоголевского полета: эти пейзажи к чему-то обязывают; к чему именно, не поймешь, но к чему-то обязывают — это точно. Говорят, Женевское озеро ни к чему не обязывает, и апеннинские «дерзкие дива природы, увенчанные дерзкими дивами искусства» тоже ни к чему не обязывают, а эта околопустыня обязывает, вот только никак не поймешь к чему. Во всяком случае, она определенно обязывает призадуматься над тем, к чему она обязывает, а это уже немало.

Кроме того, российская околопустыня периодически вгоняет человека в то бесовское состояние духа, когда одновременно хочется и заплакать, и засмеяться, и выкинуть что-либо необыкновенное, огневое. Короче говоря, нет ничего неожиданного в том, что в июле 1981 года молодежь деревни Ермолаево и поселка Центральный ни с того ни с сего затеяла между собой форменную войну.

Непосредственные причины ее темны; пожалуй, помимо обстоятельств, основательно влияющих на формирование национального образа мышления, вроде топонимики, климата и пейзажа, причин у Центрально-Ермолаевской войны не было никаких, и посему этот традиционный пункт можно безболезненно опустить. Касательно же сил, вовлеченных в междоусобицу, следует оговориться, что они были вовсе даже не многочисленны: с обеих сторон в ней приняли участие практически все тамошние юнцы, в общей сложности человек сорок, а также участковый инспектор Свистунов, зоотехник Семен Аблязов, тракторист Александр Самсонов и один работник районной конторы Заготзерно. Силы Центрального возглавлял восемнадцатилетний слесарь-ремонтник по прозвищу Папа Карло, а ермолаевскими верховодил двадцатидвухлетний шофер Петр Ермолаев, внук того самого Ермолаева, который взорвал динамитом церковь.

Как это и случается чаще всего, поводом к началу Центрально-Ермолаевской войны послужил пустяк. 17 июля 1981 года Петр Ермолаев приехал на своем мотоцикле в Центральный, чтобы по поручению дяди выкупить шестой том Медицинской энциклопедии. Когда он выходил из книжного магазина, засовывая за борт синей нейлоновой куртки том, возле его мотоцикла стоял Папа Карло и задумчиво глядел на заднее колесо.

— Алё! — сказал Папа Карло.— Сколько стоит этот велосипед?

— Я его в лотерею выиграл,— ответил Петр Ермолаев,— но вообще-то он стоит пятьсот рублей.

— Вот что, Петро, я тебе за него предлагаю пятьсот пятьдесят, и знай мою широкую душу.

— Нет, Папа Карло, машина не продается. В лотерею выиграть — это, считай, подарок.

Петр Ермолаев отказал так непоколебимо, что Папа Карло понял: ермолаевский мотоцикл ему не удастся заполучить — и с досады решил над Петром немного поиздеваться.

— Слыхал,— сказал он,— в двадцати километрах от твоего Ермолаева егерь набрел на стадо диких коров. Коровы самые обыкновенные, сентиментальской[1] породы, но только дикие.

— Это нереально,— возразил Петр Ермолаев.

— Коровки-то, между прочим, ваши, колхозные,— не обращая внимания на это возражение, продолжал Папа Карло.— Егерь говорит, что это они по лесам от бескормицы разбрелись. Сами небось колбасу лопаете, а скотина у вас на хвое. До чего же вы все-таки, ермолаевские, лоботрясы и куркули!

Петр Ермолаев от этих слов даже оцепенел. Во-первых, несмотря на то что Центральный был обозначен на географических картах как поселок городского типа, его обитатели вовсе не считали себя городскими, а во-вторых, ермолаевские отродясь не отличались ничем, кроме необузданности и нахальства.

— Ты думай, что говоришь! — сказал Петр Ермолаев и постучал себя по лбу костяшками пальцев.— Тоже городской выискался!.. Лапоть ты, Папа Карло, и более ничего!

Теперь уже Папа Карло оцепенел, так как по дикости нрава он давненько-таки не слышал в свой адрес не только что бранного слова, но и подозрительного междометия.

— А если я тебе сейчас в рог дам?! — с ужасной вкрадчивостью спросил он.— Тогда как?!

Папа Карло, несмотря на юношеский возраст, был

---

[1] то есть симментальской.

малый крупный, мощный, снабженный от природы грозно-огромными кулаками, и Петру Ермолаеву было ясно, что в одиночку с ним, конечно, не совладать. Он посмотрел на обидчика вдумчиво, проникновенно, как смотрят, решая про себя навеки запомнить то или иное мгновение жизни, потом завел мотоцикл, сел в седло, дал газ и немедленно окутался тучами желтой пыли.

— Таким лоботрясам,— крикнул ему вслед Папа Карло,— только на лотерею надеяться и остается!..

Этого напутствия тем более невозможно было спустить, и Петр Ермолаев взял с себя слово при первом же удобном случае поквитаться.

Такой случай выдался два дня спустя после того, как он сцепился с Папой Карло возле книжного магазина — это было 19 июля, День полевода. На праздник в Ермолаево понаехали гости со всей округи, включая весьма отдаленный городок Оргтруд и несколько деревень, названий которых ермолаевские даже и не слыхали. Поселок Центральный был представлен на Дне полевода вечерней сменой слесарей-ремонтников во главе с Папой Карло и букетом девиц самого бойкого поведения.

Около трех часов пополудни правый берег Рукомойника стал заполнять народ. Мужчины явились в темных костюмах, с непременной расческой, засунутой в нагрудный карман, в белых рубашках, преимущественно застегнутых на все пуговицы, и в сандалиях; на женщинах были бедно-пестрые платья и газовые косынки, повязанные, если так можно выразиться, отрешенно, как будто ими хотели сказать, что надеяться больше не на что, ну разве на чудеса; молодежь была одета демократично.

Вскоре на грузовике приехал буфет, потом наладили громкоговоритель, и начались танцы. В первом перерыве между танцами сельсоветский сказал речь о значении хлеба, во втором вручали почетные грамоты, а в третьем одна из приезжих девиц залезла в кузов грузовика и спела заразительную частушку:

Вологодские ребята
Жулики, грабители,
Мужичок г... возил,
И того обидели.

Затем гости пошли по дворам угощаться, затем ермолаевский драматический кружок дал небольшой концерт, затем опять начались танцы, словом, праздник в высшей степени удался. Правда, тракторист Александр

Самсонов было выехал на бульдозере разгонять народ, но его слегка поучили и отправили отсыпаться. Однако ближе к вечеру, когда ввиду надвигающихся сумерек танцы перенесли в клуб, а если точнее, то вскоре после того, как зоотехник Аблязов в четвертый раз завел «Танец на барабане», позади клуба разразилась крупная потасовка. Увертюрой к ней послужила следующая сцена: Петр Ермолаев подошел к Папе Карло, отвел его в сторону и сказал:

— Ну что, Папа Карло, весело тебе у нас?

— А то нет,— ответил Папа Карло и плюнул на пол.

— Сейчас будет скучно.

С этими словами Петр Ермолаев широко размахнулся и смазал своего обидчика по лицу. Тот только крякнул и пошел на выход, набычившись, как финский бугай Фрегат.

За клубом человек пять ермолаевских немедленно приняли Папу Карло в дреколье и кулаки, однако на выручку к нему подоспела вечерняя смена слесарей-ремонтников и по-настоящему поквитаться не удалось. Впрочем, можно было с чистой совестью утверждать, что Папа Карло свое получил, и парни из Центрального первое сражение проиграли. Побили слесарей, правда, не очень крепко, но в сопровождении тех унизительных выходок и словечек, которые хуже любых побоев.

Именно поэтому парни из Центрального сочли себя оскорбленными не на жизнь, а на смерть и договорились нанести немедленный контрудар. Добравшись до родного поселка на попутном грузовике, они подняли на ноги утреннюю смену слесарей-ремонтников, трех шоферов, кое-кого из учащихся средней школы и на грузовике же, но только не на давешнем, а на другом, обслуживающем ремонтные мастерские, вернулись в деревню мстить.

Было еще не так чтобы очень поздно, часов одиннадцать или начало двенадцатого, однако на дверях клуба уже висел большой амбарный замок. Деревенская улица тоже была пуста и не подавала никаких признаков жизни, если только не брать в расчет, что по дворам томно побрехивали собаки, но вдалеке, у заброшенной конюшни, теплился загадочный костерок. Ребята из Центрального были так огорчены, как если бы их обманули в чем-то большом и важном, и только предположение, что это не кто иной, как противник, полуночничает у дальнего костерка, вселяло в них бодрость духа.

Возле полупотухшего костерка сидела компания ермолаевских мальчишек, которые пекли в золе картошку и вели свои беспечные разговоры. Как ни сердиты были парни из Центрального, они не могли себе позволить отыграться на мелюзге. В результате с мальчишек всего-навсего поснимали штаны и бросили их в костер, да напоследок, чтобы как-то избыть досаду, помочились в кружок на угли, картошку и тлеющие штаны.

Поутру ермолаевские мальчишки рассказали старшим братьям о вылазке слесарей, и единодушно было решено провести ответную операцию. В ночь на 22 июля ермолаевские явились в Центральный и нанесли поселку заметный ущерб: они побили фонари вокруг автобусной станции, разорили клумбу напротив поселкового Совета, при этом обезглавив гипсового футболиста, отлупили одного подгулявшего слесаря, поломали ворота у Папы Карло и сняли карбюраторы с двух тракторов «Беларусь».

На обратном пути ермолаевские пели песни, а их вождь время от времени выкрикивал навстречу ветру следующие слова:

— Вот это жизнь, а, ребята?! Вот это, я понимаю, жизнь!

В дальнейшем Центрально-Ермолаевская война приняла затяжной характер, деятельно-затяжной, но все-таки затяжной. Произошло это вот по какой причине: в Ермолаеве временно поселился участковый инспектор Свистунов. Под вечер 24 июля парни из Центрального погрузились в автобус и поехали в Ермолаево, имея в виду дать деревенским решающее сражение, но на мосту через Рукомойник они неожиданно повстречали Свистунова и сочли за благо ретироваться. Правда, Свистунов был не в полной форме, а, просто сказать, в фуражке, майке, галифе и домашних тапочках, и тем не менее Папа Карло заподозрил подвох; больше всего было похоже на то, что ермолаевские смалодушничали и придали конфликту официальное направление. Итак, вечером 24 июля Папа Карло уговорил свою компанию отступить.

По возвращении восвояси много шумели: нарочно ермолаевские заманили к себе участкового инспектора или он оказался у них случайно? К единому мнению, разумеется, не пришли, но в результате настолько ожесточились, что, если бы не зоотехник Семен Аблязов, подгулявший в Центральном на свадьбе своей сестры, война наверняка приняла бы не позиционное, а какое-то более жестокое направление.

Зоотехник Аблязов был неожиданно обнаружен на автобусной станции, возле кассы, у которой он подремывал стоя, по-лошадиному, и будто нарочно, для вящего сходства, время от времени всхрапывал и вздыхал. Слесари подхватили его под руки и отволокли на двор к Папе Карло, положив наутро во что бы то ни стало выудить у него сведения, однозначно отвечающие на вопрос: нарочно ермолаевские заманили к себе участкового инспектора Свистунова или он оказался у них случайно?

Заперли Семена Аблязова в баньке, стоявшей позади дома. Утром он проснулся чуть свет и долго не мог понять, где он находится и зачем. То, что он сидел в баньке, было ясно как божий день, но вот у кого в баньке, почему в баньке? — это была загадка. Аблязов покричал-покричал и смолк.

В восьмом часу его посетил Папа Карло; он вошел в предбанник, сел на скамейку, закурил и сказал:

— Зачем у вас в Ермолаеве околачивается Свистунов?

— Это допрос? — поинтересовался Аблязов.

— Допрос, — сказал Папа Карло.

— В таком случае я отказываюсь отвечать.

Папа Карло с досадой понял, что он дал маху, что, верно, к Аблязову следовало подъехать не с силовой, а с какой-нибудь располагающей стороны, но было уже поздно: пленный, как выражались в Центральном, уперся рогом.

— Ну а если мы тебя пытать будем, тогда как? — сказал Папа Карло, хищно прищуривая глаза.

Аблязов оживился; кажется, он был этим предположением сильно заинтригован.

— Интересно, — спросил он, — как же вы меня рассчитываете пытать?

— А вот посадим тебя на одну воду, небось сразу заговоришь! Или можем предложить раскаленные пассатижи.

В пассатижи Аблязов не поверил, а пить ему хотелось до такой степени, что перед глазами ходили огненные круги.

— Ладно, пытайте, — согласился он. — Только давайте начнем с воды.

Папа Карло плюнул и вышел вон. Некоторое время он бродил вокруг баньки, а потом присел на охапку дров и начал смекать, как бы ему вывести зоотехника на чистую воду. Из-за стен баньки послышалось невнятное бормотание.

— Алё! — громко сказал Папа Карло.— Ты чего там, Семен, бубнишь?

— Ась? — донеслось из баньки.

— Я говорю, ты чего там бубнишь? Помираешь, что ли?

— Нет, это я стихотворение сочиняю. У меня такая повадка, пока я не отремонтируюсь: стихотворения сочинять.

— Ну и чего ты там сочинил?

— А вот послушай:

Чем веселее на улице пение,
Тем второстепенней зарплаты значение.

— А что?! — сказал Папа Карло.— Законный стих!.. Жизненный, складный, политически грамотный. Тебе бы, Семен, в газетах печататься, а не телок осеменять. Ты в газеты-то посылал?

— Посылал,— донеслось из баньки вместе с протяжным вздохом.— Не печатают они, сукины дети, моих стихов. Говорят, с запятыми у меня получается ерунда.

— Дурят они тебя. На самом деле твои стихи не печатают потому, что характер у тебя пакостный, потому что только их напечатай, как ты сразу потребуешь персональную пенсию. И во всем ты такой! Например, тебя по-человечески просят рассказать, зачем у вас в Ермолаеве околачивается Свистунов, а ты из себя строишь незнамо что!

Банька ответила тишиной.

Вскоре на двор к Папе Карло явилось за новостями несколько слесарей. Поскольку желанных новостей не имелось, команда посовещалась и решила-таки прибегнуть к помощи пассатижей. Папа Карло сбегал за ними в сарай, слесари тем временем затопили печь в летней кухне, и после того, как пассатижи раскалили до малинового сияния, так что от промасленных концов, которыми обернули ручки, пошел вонючий дымок, всей командой ввалились в баньку.

Увидев раскаленные пассатижи, решительные физиономии слесарей и сообразив, что дело принимает нешуточный оборот, Аблязов сразу поник лицом. Он уже рад был бы ответить на любые, самые каверзные вопросы, однако он не только не знал того, зачем Свистунов

144

«околачивается» в Ермолаеве, но и того, что в Ермолаеве «околачивается» Свистунов. Впрочем, неведение в некотором роде облегчало аблязовское положение, ибо у него не было искуса повести себя малодушно. С отчаянья он играл желваками и даже улыбался, но все-таки руку ему попортили в двух местах.

Так как толку от Аблязова парни из Центрального не добились, около обеденного времени они отпустили его пить пиво и стали советоваться, как быть дальше. В конце концов Папе Карло пришло на мысль заслать в Ермолаево своего человека; человек этот, именно один работник районной конторы Заготзерно, приходился шурином Папе Карло. Он как раз собирался в Ермолаево по делам, и его обязали навести справку относительно инспектора Свистунова, каковую он впоследствии и навел.

В свою очередь, ермолаевские были до такой степени обеспокоены пассивностью неприятеля, что попросили тракториста Самсонова, который направлялся в Центральный менять поршневые кольца, разнюхать, не готовятся ли тамошние как-либо диковинно отомстить. Однако Самсонов никаких сведений не представил, ибо ему принципиально всучили такие поршневые кольца, что он намертво встал в двух километрах по выезде из Центрального и с горя заявился домой в невменяемом состоянии.

Между тем работник Заготзерна исправно донес о том, что участковый уполномоченный Свистунов просто-напросто гостил в Ермолаеве у своего двоюродного брата, что утром двадцать четвертого числа он надолго отбывает в Оргтруд и что в тот же день вечером вся ермолаевская молодежь соберется в клубе на репетицию пьесы «Самолечение приводит к беде», которую сочинил тамошний фельдшер Серебряков.

Таким образом, на 29 июля наметился переход от позиционного периода к боевому. Как оно намечалось, так и вышло: утром того памятного дня ермолаевские избили водителя поселкового грузовика, который вез продукты из Оргтруда и неосмотрительно остановился у Рукомойника освежиться, а вечером произошло, так сказать, Ермолаевское сражение.

Около пяти часов вечера парни из Центрального погрузились в автобус, прихватив с собой велосипедные цепи, обрезки шлангов и картонный ящик, обернутый мешковиной. В седьмом часу автобус остановился возле моста через Рукомойник, команда спешилась и стала дожидаться сумерек, так как ударить было решено под покровом ночи. Чтобы скоротать время, сначала выкупались в реке, а потом развели костер, уселись вокруг него и принялись за скабрезные анекдоты. Наконец, на синюшнем небе проступила первая сумеречная звезда, парни из Центрального затушили костер и цепью тронулись на деревню.

В это время ермолаевская молодежь, как и было обещано, репетировала пьесу «Самолечение приводит к беде». Режиссировал фельдшер Серебряков; он сидел на бильярдном столе, держа между пальцами самокрутку, и говорил:

— Вы поймите, товарищи, что тут у нас драма, почти трагедия. Потому что человек из-за этого... из-за вольнодумства, вместо того чтобы вылечиться, еще хуже заболевает. Тут, товарищи, плакать хочется, а вы разводите балаган! Давайте эту сцену сначала! Давай, Ветрогонов...

Щуплый, не по-деревенски бледный паренек, представлявший Ветрогонова, шмыгнул носом и произнес свою реплику:

— Я признаю исключительно народные средства. Например: сто граммов перца на стакан водки.

— Вступает Правдин,— распорядился Серебряков.

— На такое лечение денег не напасешься,— вступил Правдин, которого изображал Петр Ермолаев.— Если, конечно, их не печатать.

— Отлично, Правдин,— похвалил его Сергей Петрович и показал большим пальцем вверх.— Теперь опять Ветрогонов.

— Мне печатать деньги ни к чему, я всегда от жены заначку имею...

— Нет,— оборвал парнишку Серебряков,— так не пойдет! Ты давай говори эти слова, как сказать... развратно, что ли, потому что в разделе «Действующие лица» у нас имеется примечание: «Роман Ветрогонов, молодой механизатор, любитель семейной свободы». А ты эти слова так говоришь, как будто прощенья просишь. Повтори еще раз!

— Мне печатать деньги ни к чему, я всегда от жены заначку имею,— повторил Ветрогонов, состроив такую дурацкую мину, что прочие действующие лица прыснули в кулаки.

— Это абсурдные слова,— сказал Правдин.— В

семье все должно быть обоюдно, при полном согласии сторон. Потому что семейное счастье — явление хрупкое. Оно складывается из трех категорий: духовной, физической, материальной. И материальная база в семейном счастье занимает не последнее место, поэтому получку ложи в одно место с женой. Чем крепче семья, тем крепче отечество!..

— Так! — сказал Серебряков.— Теперь у нас идут звуки из-за кулис: «Мычание коров, блеяние овец, рев быка». Пашка?! Куда подевался Пашка?

— Я тут,— отозвался пастух Павел Егоров, которому из-за придурковатости смогли доверить только «звуки из-за кулис».

— Давай, Емеля, твоя неделя,— язвительно приказал кто-то из ермолаевских.

Павел добросовестно изобразил то, что от него требовалось.

— Так! — сказал Серебряков.— Правдин уходит, остается один Ветрогонов. «Эх, полечиться, что ли...»

— Эх, полечиться, что ли,— покорно повторил Ветрогонов.

— «Берет стакан,— начал читать ремарку Серебряков,— сыплет в него перец, ромашку, ревень, ваниль, заливает водкой, размешивает, подносит ко рту». Тут у нас снова голос из-за кулис...

— Самолечение приводит к беде! — произнес Павел Егоров гробовым голосом, выглянув из-за трибуны, выкрашенный под орех, и деланно рассмеялся.

— Это ктой-то говорит?! — довольно натурально произнес Ветрогонов.— Привидение, что ли?

— В привидения верят только старые бабки и дураки,— ответил ему Правдин, выйдя из-за кулис.— Это говорит голос разума...

Как раз на словах «это говорит голос разума» противник из Центрального, скрытно вторгнувшийся в Ермолаево, завершил окружение клуба широким полукольцом, и Папа Карло начал распаковывать ящик, в котором оказались бутылки с зажигательной смесью, приготовленные поселковым умельцем по прозвищу Менделеев. Разобрав бутылки, ребята из Центрального изготовились и застыли.

В клубе тем временем зажгли свет, и ярко вспыхнувшие окошки отбросили на мураву огромные бледные прямоугольники. Где-то вдалеке промычал теленок, промычал жалобно, призывно, точно пожаловался на что-то. Явственно слышался голос Петра Ермолаева, разоблачавшего народную медицину. На крыльцо вышел какой-то парень с крошечной звездочкой сигареты, несколько раз затянулся и через минуту исчез за дверью.

— Пора! — сказал Папа Карло, и в окна клуба полетели бутылки с зажигательной смесью: зазвенело стекло, раздался надрывный визг, дробно, панически застучали по полу ноги; потом из окон повалил масляно-черный дым, погас свет, и внутренность клуба зловеще озарилась занимающимся огнем.

Расчетам вопреки ермолаевских не сломила внезапность и причудливость нападения. Повыскакивав из клуба и напоровшись на парней из Центрального, они почти сразу опомнились и оказали неприятелю жестокий отпор. С четверть часа ситуация оставалась невнятной: кто сдает, кто берет верх,— этого было не разобрать. Только жутко свистели в воздухе велосипедные цепи, со всех сторон слышалось горячее дыхание, дикие возгласы, матерщина. Петр Ермолаев свирепо раскидывал слесарей, приговаривая:

— Эх, кто с мечом к нам придет!..— дальше он почему-то не продолжал.

Папа Карло воевал молча.

Однако, когда уже сделалось так темно, что своих от чужих отличить было практически невозможно, ребята из Центрального вынуждены были отойти сначала к заброшенной конюшне, а там и к Рукомойнику, где их поджидал автобус.

Очистив деревню от неприятеля, ермолаевские вернулись в клуб подсчитать потери. Собственно, потери были исключительно материальные, если не принимать во внимание ссадины, шишки и синяки: в клубе были побиты стекла да сгорел бильярдный стол, сундук, в котором хранили елочные украшения, и два никудышных стула. Тем не менее эти мизерные потери были приняты близко к сердцу, и ермолаевские, морщась от запаха гари, стали прикидывать, как бы опять же Центральному отомстить. Предложения были следующие: потравить дустом поселковую пасеку, которую постоянно вывозили на ермолаевскую гречиху, разобрать избу Папы Карло, взорвать ремонтные мастерские. Но ни одному из этих предложений не суждено было осуществиться, так как в силу некоего космического происшествия Центрально-Ермолаевская междоусобица неожиданно пресеклась.

На другой день рано утром, едва отзвонил обрезок

рельса и путем не проспавшийся народ направился на работы, тракторист Александр Самсонов начал распространять беспокойно-любопытную весть: будто бы 31 июля ожидается последнее в двадцатом столетии полное солнечное затмение.

Эта весть почему-то произвела на деревне смуту: старики злобно взбодрились, видимо предвкушая исполнение библейского обещания, ермолаевские среднего возраста немного занервничали, глядя на стариков, молодежь же принялась коптить стекла. Стекла коптили буквально с утра до вечера, используя на это дело каждый досужий час. Петр Ермолаев пошел еще дальше: он взял отгул и сел сооружать маленький телескоп, на который пошла «волшебная трубка», то есть калейдоскоп, два увеличительных стекла, два дамских зеркальца и старинный светец, обнаруженный за рулоном толя на чердаке.

В пятницу 31 июля все ермолаевское население с раннего утра высыпало на улицу, и как ни бесновался бригадир, гнавший колхозников на работу, молча простояло возле своих дворов до тех пор, пока не увидело обещанного затмения. Это была по-своему пленительная картина: раннее утро, еще свежо, улица, сотни полторы ермолаевских, которые задрали головы и с самыми трогательными выражениями смотрят в небо, полная тишина; впечатление такое, что грядет какая-то небывалая общечеловеческая беда или, напротив, обязательное и полное счастье; чувство такое, что если сверху ничего так-таки и не упадет, то это будет ужасно странно; а тут еще Петр Ермолаев забрался с телескопом на крышу своей избы и до страшного похож на жреца, который готовится к общению с небесами.

Солнце довольно долго не подавало признаков ожидаемого затмения, и вскоре среди ермолаевских пошел ропот. Но вдруг правый краешек огненного диска тронула легкая пелена, как если бы это место несколько притушили,— толпа вздохнула и обмерла. Затем началось нечто апокалиптическое, похожее на гриппозное сновидение: постепенно стало темнеть, темнеть, внезапно смолкли все звуки, кузнечики в поле и те притихли, и только на ферме дико заревел финский бугай Фрегат; через некоторое время блеснули звезды, и даже не блеснули, а навернулись, что ли, как наворачивается слеза, и немедленно пала ночь; по земле побежал ветерок, пугающий на манер неожиданного прикосновения, затхло-холодный, как дыхание подземелья. Черное солнце смотрело сверху пустой глазницей, оправленной в золотое очко, потусторонним светом горела линия горизонта, и было несносно тихо, по-космическому тихо, не по-земному.

В общем, затмение ошарашило ермолаевских, особенно молодежь. Впечатление от него оказалось настолько значительным, что не обошлось без кое-каких капризных последствий, например тракторист Александр Самсонов зарекся пить. Что же касается молодежи, то она на какое-то время притихла, смирилась, как это бывает, когда дети получат заслуженный нагоняй. Собственно, никто не понял, что такое произошло, но все поняли: что-то произошло. Впрочем, во влиятельности на нашего человека затмений, топонимики, климата, пейзажа нет ничего особенно удивительного, ибо у нас почему-то ничто так не перелопачивает человека и его жизнь, как наиболее внешние, казалось бы, посторонние обстоятельства. Суховеи у нас подчас ставят на край могилы самою российскую государственность, как это было в начале семнадцатого столетия, необузданные пространства и эпидемии определяют направление литературы, хвостатые кометы до такой степени сбивают с толку власть предержащих, что они провоцируют соседей на интервенции; а разливы рек, уносящие целые погосты? а благословенные русские дороги, имеющие великое историческое значение, так как они испокон веков обороняют нас от врагов? а грамматика нашего языка, которая обусловливает огромную внутреннюю работу? а, наконец, широкое распространение лебеды? Одним словом, не так глупо будет предположить, что солнечное затмение вогнало в меланхолию ермолаевскую молодежь по той самой логике, по какой даже отъявленный негодяй, встретивший похороны, на какое-то время становится человеком.

Логично также будет предположить, что дело тут отнюдь не в небесной механике, суховеях и грамматике русского языка, что просто какой-то чрезвычайный закон нашей жизни строит универсальные характеры, чрезмерно богатые судьбы и разные причудливые происшествия, от которых так и тянет ордынским духом. Но это все-таки сомнительная идея, потому что это сомнительно, чтобы фермер из какой-нибудь Оклахомы был нравственно организованнее механизатора из-под Тамбова, чтобы жизнь в Осташковском районе была менее содержательной, нежели жизнь в округе Мэриленд, а там деревенская молодежь все же не так изголяется, как у нас. Следовательно, разгадка все-таки в том, что в русской душе есть все, а все в ней есть потому, что она отчего-то совершенно открыта перед природой, в которой есть все, и, следовательно, дело именно в небесной механике, суховеях и грамматике русского языка.

Итак, сразу после окончания солнечного затмения 31 июля 1981 года Центрально-Ермолаевская междоусобица нежданно-негаданно пресеклась. Формальный мир был заключен 4 августа в деревне Пантелеевке, стоявшей на пути в городок Оргтруд, во время тамошнего престольного праздника, на который съехалась вся округа. Петр Ермолаев и Папа Карло столкнулись в самом начале танцев. Папа Карло уже было полез в задний карман за разводным ключом, припасенным на всякий случай, однако вид у врага был до того добродушный, миролюбивый, что на первых порах он решил ограничиться свирепым взглядом из-под бровей. Петр Ермолаев подошел к нему твердым шагом, протянул сигарету, зажженную спичку, потом спросил:

— Затмение видел?

— Ну, видел...— сказал Папа Карло.

— Правда, впечатляет?!

— Ну, впечатляет...

— Слушай, Папа Карло, давай мириться?

Папа Карло оглянулся на своих слесарей, стоявших поблизости наготове, и произнес:

— Мириться мы никогда не против. Прости, если что.

— И ты прости, если что,— сказал Петр Ермолаев.

Поскольку от «прости» вообще отечественное «прости» отличается тем, что имеет самостоятельное значение, как правило избыточное, даже чрезмерное относительно его возбудителя, наступивший мир оказался таким же отчаянным, как и давешняя война. Бывшие неприятели не на шутку сдружились и впоследствии дело зашло так далеко, что было решено осуществить совместную постановку нового опуса фельдшера Серебрякова под названием «Внимание — бутулизм!». Тракторист Александр Самсонов, правда, предупреждал юных односельчан, что их благодушие преждевременно, так как в январе ожидается еще полное лунное затмение, и, принимая во внимание некоторые особенности национального характера, невозможно предсказать, чем оно обернется.

ВЕЛИКИЙ ИНВАЛИД

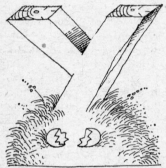 дивительное дело: отчего школьникам не устраивают экскурсий на кладбище? Разве это менее поучительно, чем, скажем, экскурсия на кондитерскую фабрику или в цветочные парники? Ведь каких только чудесных историй, неугомонных характеров, драм и просто счастливых жизней, имеющих прямое дидактическое значение, не закопано на стандартной глубине в один метр пятьдесят сантиметров, за этими приземистыми оградами, среди этих веселых берез, под этими обелисками, плитами и крестами. Тут только дай волю — разыграется любое, даже самое смирное воображение. А какие мысли приходят в голову! Положим, прочитаешь такую надпись: «Под сим камнем покоится тело купца второй гильдии Семена Еремеевича Двоеглазова, жития его было 82 года» — прочитаешь и призадумаешься. Вот ведь, скажешь себе, восемьдесят два года оттрубил, бедолага, шуточное ли дело, а, должно быть, нечувствительным сном показалась ему вся его жизнь, как говорится, только закрыл глаза, а глядь — уже утро. И значит, это только чудится, что смерть далека и неправдоподобна. Так она, костлявая, близко, так близко, что голова кругом идет.

Но школьникам не устраивают экскурсий на кладбища. По этой причине, например, в городе Скопино выросла легкомысленная молодежь. Правда, здешнее кладбище в четырех километрах за городом, но это не отговорка.

Кладбище обыкновенное: посреди поля гектар березовой рощи, обнесенный почерневшим забором, который валится в обе стороны и странно, почему до сего времени не упал. Как войдешь — направо железный, покрытый ржавчиной обелиск, на котором написано белилами: «Вот и все». Кто здесь лежит — неведомо никому. Сразу за этим обелиском — другой: деревянный, с шелушащейся пятиконечной звездой, размытым дождями фотографическим портретом и дощечкой из жести. На дощечке написано: «Иван Филопаторович Лучкин 1926—1951. Скончался от ран, полученных в Великой Отечественной войне».

Это неправда. Иван Филопаторович, будучи выпивши, замерз в первые октябрьские заморозки в собственной баньке, куда он забрался переночевать, так как накануне насмерть разругался с деверем и мамашей. Но все остальное, что еще можно узнать о нем, если поинтересоваться,— правда чистой воды.

Иван Филопаторович Лучкин родился в день усекновения главы, то есть 11 сентября, в той самой баньке, где ему по странной случайности выпало умереть. Отец его, Филопатор Ильич, до революции учился в казанской духовной семинарии, а в послереволюционные времена заведовал клубом железнодорожников. Мать была Евдокия Васильевна — больше о ней ничего не скажешь.

Для полноты биографической справки следовало бы еще упомянуть деда Илью, который питал слабость к переводному роману, довольно редкую для простого русского человека. Ею, между прочим, объясняется то обстоятельство, что дети его носили чудные, неправославные имена, а одна из теток даже звалась Марией-Антуанеттой.

По достижении школьного возраста Иван Филопаторович был определен в семилетку, выучился с грехом пополам и до самой войны строил в Скопине двухэтажную маслобойню. Весь день он месил раствор, подтаскивал кирпичи и бутил «американскую» кладку, а по вечерам выходил на улицу озоровать. Он шел по Революционному проспекту от дома до железнодорожного вокзала и мешался во все недоразумения и потасовки. Дрался Иван Филопаторович так жестоко и беззаветно, что на него жутко было смотреть.

22 июня 1941 года Иван Филопаторович с утра прибирался в доме, потом слушал репродуктор и пил чай. В двенадцатом часу он было пошел купаться, но тут по репродуктору стали передавать сообщение о нападении Германии на Советский Союз, а затем выступал Вячеслав Михайлович Молотов, нарком иностранных дел. Иван Филопаторович слушал его с приятным волнением и смотрел на мальчишек, которые прямо напротив окон кричали «ура» и, сбившись в команду, маршировали туда-сюда, по-дурацки размахивая руками.

Иван Филопаторович еще с полгода достраивал маслобойню, потом был мобилизован на трудовой фронт и вплоть до лета 1944 года работал на валке леса. Из этой поры его жизни достойным упоминания представляется только то, что он едва не женился на вдове одного высокопоставленного железнодорожника, генерала тяги, расстрелянного под Минском в первые дни войны. Дело было как раз накануне курской победы. Все лето они со вдовой бедокурили по стогам, и это дело неминуемо закончилось бы сельсоветом, если бы нечаянно не открылось, что у вдовы имеются двое детей, находившихся в эвакуации в Сталинабаде, о которых она до поры до времени не желала распространяться. Прознав о детях, Иван Филопаторович страшно избил вдову.

В августе 1944 года он был призван в действующую армию.

Сборный пункт был во Пскове. Здесь его месяца два обучали солдатскому мастерству, и к концу обучения это так ему надоело, что о войне у него сложилось самое неблагоприятное впечатление. Потом его зачислили рядовым в гвардейский пехотный полк и отправили в Белоруссию, на передовую.

В день прибытия в часть он был уже в деле. Погода выдалась редкостная: было тепло, небо застила легкая серенькая пелена, которую местами просвечивали солнечные лучи, и поэтому окрестности отдавали в дымчато-голубое с золотой искрой.

Рота заняла оборону перед деревней Броды. Иван Филопаторович долго, с усердием устраивал свой окоп: уминал землю вокруг себя, углублял нишу, предназначенную для дисков, выщипывал высохшую куриную слепоту, загораживающую обзор, и при этом томился каким-то веселым и трепетным чувством, очень похожим на первомайское, если к концу гулянья ожидается потасовка.

Противника не было. Перед глазами долго тянулось поле, за полем голубел лес, и ничто не намекало на перспективу кровопролития. Это показалось Ивану Филопаторовичу подозрительным, и он даже засомневался: а точно ли идет война, а не обвели его, случаем, вокруг пальца? По этой причине Ивану Филопаторовичу прямо-таки не терпелось увидеть живого немца, так не терпелось, как если бы ему предстояло увидеть свою будущую жену. Но долго еще вокруг стояла степенная тишина, только ветер слегка ерошил высохшую траву, со стороны леса долетало постукивание дятла, и кто-то кашлял в окопах, точно стучал деревяшкой о деревяшку. Иван Филопаторович посмотрел, кто кашляет: ближайший сосед слева раскинул руки и уткнулся головой в бруствер — возможно, дремал, а справа — слюнил крошечную самокрутку, причмокивал и ласково разглаживал ее указательным пальцем. У него были топорщащиеся усы и маленькие глаза, сидевшие так глубоко и далеко друг от друга, что сосед производил крайне неприятное впечатление.

— Вот теперь тихо,— сказал вдруг сосед,— кажется, живи — наслаждайся. А все равно туловище саднит, как будто ты банный день пропустил. Ты чей будешь?

— Я-то? — переспросил Иван Филопаторович.— Архангельский, северно́й...

— Значит, не земляки... Ну так вот. А как немец полезет, тут нашему брату отдышка. Тут уж не думаешь ни о чем, а лупишь его почем зря согласно долга перед социалистической родиной.

Вдруг в метрах пятидесяти перед позициями что-то тяжело тюкнулось в землю, потом раздался ужасный грохот, поднялся столб земли, и над окопами просвистела стая осколков.

— Ну, вот и гудок, нам на смену,— сказал сосед и припал к прикладу, а Ивана Филопаторовича внезапно обуял такой страх, какого он никак не мог от себя ожидать. Услышав голос невидимой смерти, которой, по его мнению, был нашпигован каждый сантиметр воздуха, он опустился на дно окопа и решил, что нет такой силы, которая заставит его подняться: он подумал, что было бы хорошо умереть прямо сейчас, дабы избежать последующего ужаса и стыда.

С четверть часа он сидел на дне окопа, сжавшись в комок, и прислушивался к разрывам, которые становились все реже и реже. Потом вокруг него началась суматоха: послышались команды, бойцы, ругаясь, стали вылезать из окопов и побежали в сторону леса. Иван Филопаторович огляделся по сторонам и, убедившись, что вокруг него не было ни души, тоже выкарабкался наверх и побежал вслед за всеми, подгоняемый страхом остаться один на один со смертью.

Некоторое время бежали молча, было слышно только сопение, звяканье и топот сапог. Впереди висела грязно-серая пелена, распространявшая кислый запах и скрадывавшая перспективу. Из-за нее Иван Филопаторович поначалу не мог взять в толк, куда и зачем все бегут, но тут кто-то чего-то крикнул, и вдруг со всех сторон грянуло отчаянное «ура». Это «ура» произвело на Ивана Филопаторовича сильное впечатление, одновременно ему сделалось весело, тревожно и озорно. Он тоже стал кричать «ура», кричать изо всех сил, до першения в горле, тем временем чувствуя, как что-то скачет в нем от восторга и, казалось, вот-вот выпрыгнет из него и побежит наперегонки. От сознания себя частью сокрушительного человеческого потока, и не просто человеческого, а русского, то есть самого злого и безоглядного в драке, Иван Филопаторович ощутил себя таким геркулесом, что, кажется, встань перед ним стена, он пройдет сквозь нее, как это делают привидения.

И тут он увидел чью-то широкую спину, к которой автоматически почувствовал неприязнь. Иван Филопаторович сразу сообразил, что это был немец, и удивился тому, что немец выглядел вполне человечно, точнее, выглядел бы вполне человечно, если бы его китель не был того странного, зеленушного цвета, какой на другой-третий день приобретает скошенная трава. Иван Филопаторович дал по немцу очередь, но промахнулся. Он собирался дать еще одну очередь, но немец вдруг остановился и повернулся к нему лицом. Это был пожилой мужичок, рябой, со светлыми волосами. Он уставился на Ивана Филопаторовича, и глаза его приняли такое выражение, как будто хотели сказать: «Господи, до чего же все это надоело!»

Немец, видимо, собрался сдаваться в плен, но Иван Филопаторович этого не сообразил; от неожиданности он тоже остановился, и, таким образом, сделалось тягостное противостояние. Это противостояние длилось, длилось, покуда поблизости не разорвался снаряд, от которого вопреки всякой целесообразности досталось обоим: немец упал, а Иван Филопаторович вдруг почувствовал слабость в левом колене, как будто на месте колена внезапно образовалась противоестественная пустота.

Иван Филопаторович качнулся и сел на землю. Уже далеко вперед убежали бойцы, уже едва стали долетать с дальнего конца поля стрельба и крики, уже опять в лесу застучал дятел, а он все сидел, разглядывая какое-то колесо, валявшееся неподалеку, и удивлялся тому, что сознания не теряет. Странным ему казалось еще и то, что он не испытывал сколько-нибудь значительной боли, вот разве что слабость и такое чувство, как будто перед глазами напустили туману, вот разве что колотье и стеснение в левой ноге, от которых делается самое большее себя жаль. Иван Филопаторович как бы прислушался к себе и определил, что его состояние до странного похоже на колесо, валявшееся по соседству, так как в нем тоже было нечто отторженное и круглое.

Между тем наша атака натолкнулась на заградительный огонь неприятеля и захлебнулась. Примерно час спустя, когда Иван Филопаторович потерял уже много крови, его подобрали наши бойцы, посадили на руки, сложенные «качелями», и понесли. По дороге ему несколько раз выговорили за то, что он не сделал себе перевязку.

Вскоре Ивана Филопаторовича доставили на сборный пункт раненых, который представлял собой четыре вместительные палатки, составленные в каре. Внутри них пахло так гадко, что Ивана Филопаторовича стошнило. Ему сказали, что это нервное.

Дожидаясь перевязки, он разглядывал соседей. Все они казались удивительно похожими друг на друга. Один солдат держался за подбородок, как если бы страдал зубной болью, и мелко-мелко сучил ногами.

— Чего это он? — спросил Иван Филопаторович, пугаясь.

— Это Хромов,— последовало в ответ.— Ему осколком, считай, пол-лица отчинило, а ничего, сам пришел — геройский боец...

Потом до него донеслись слова, идущие из дальнего конца палатки:

— Это же надо, такое невезение! Как назло, нынче с утра сухарей нажрался!.. Нет бы поголодать. Эх, жадность! А теперь у меня, может быть, в пузе осколок. Кабы натощак — я жилец, а на сытый желудок мне, конечно, кранты.

В палатку внесли еще одного раненого бойца. На месте левого глаза у него было темное отверстие, другой смотрел дико.

— Не жилец...— сказал тот, который жаловался на сытый желудок, и повернулся на другой бок.

— А у меня сын в артиллеристах воюет,— послышался новый голос,— и вот я думаю: что же это будет после войны? Ведь сколько он зверства этого насмотрелся? Допустим такой случай: затею я его распатронить по-отцовски — а вдруг он меня прибьет?

И тут в Иване Филопаторовиче что-то перевернулось. Он стал озираться вокруг с таким дико-вопросительным выражением на лице, как будто он серьезнейшим образом сомневался: а все ли действительно так, как он видит? а нет ли здесь какого-нибудь недоразумения или оптического обмана?.. В эту минуту к нему подошел санитар и сказал:

— Ну, боец, твоя очередь.

Услышав эти слова, Иван Филопаторович потерял сознание.

После того как ему обработали рану и сделали противостолбнячный укол, его вместе с другими ранеными отправили в медсанбат. В медсанбате ему отрезали ногу. Иван Филопаторович первое время плакал и обходил зеркала, но потом привык. В госпитале уже, в городе Бологое, он отошел совершенно и даже научился бегать на костылях.

По госпиталям Иван Филопаторович проскитался до осени 1945 года, получил медаль «За победу над Германией», инвалидность второй группы и в октябре месяце прибыл к себе домой. Он прошел по Революционному проспекту через весь город, стуча костылями и улыбаясь, а бабы в калитках провожали его убито-приветливыми глазами.

Погуляв с неделю, Иван Филопаторович устроился на картонажную фабрику делать футляры для градусников. По вечерам, а также по воскресеньям он торчал либо в разливочной, либо в пивной и приставал к посетителям со словами:

— Уважь инвалиду, оставь на донце...

Справедливости ради надо сказать, что, принимая во внимание пенсию, получал он вполне прилично, однако ему казалось, что положение инвалида обязывает его кое к каким жалким выражениям и поступкам. Впрочем, мелкое попрошайничество воспринималось в то время как нечто должное, и Ивану Филопаторовичу не только оставляли, что он просил, но иногда даже ставили, как тогда говорили, «сто пятьдесят с прицепом», то есть стакан водки и кружку пива.

Почти сразу по возвращении в Скопино он взял моду рассказывать всякому встречному-поперечному о своем первом бое, передавая его подробности в соответствии с истиной, и привирал только в том, что будто бы он подбадривал одного новобранца, все время говоря: «Не тушуйся, сынок, это ж шпана». Свой рассказ он заканчивал на очень высокой ноте:

— Вот как, оказывается, бывает: один бой — и ты великий инвалид в восемнадцать лет!

Иван Филопаторович имел в виду «инвалида Великой Отечественной войны», но по косноязычию у него выходило не совсем то, что следовало сказать.

В сорок седьмом году, сразу же после реформы, Иван Филопаторович женился. В супруги он взял немолодую, крупную женщину, у которой был ребенок от первого брака, мальчик семи с половиной лет — его Иван Филопаторович почему-то не полюбил. Тем не менее жили они ничего.

В пятидесятом году, в ноябре, Иван Филопаторович попал в одну пакостную историю. Однажды утром он сам и двое его приятелей, а именно шофер трехтонки Поленов и один душевный мужик по прозвищу Самурай, подрядились доставить в Архангельск сорок ящиков стеклотары. Заведующий продпалаткой посулил им за это сотню.

Выехали в девятом часу утра. Уже рассвело, хотя в воздухе еще было что-то темное, сонное, тянуло сырым и холодным ветром, с неба сыпались редкие хлопья снега. Иван Филопаторович и Самурай, сидевшие на ящиках в кузове, закурили и, чтобы развлечься, завели разговор о драке, которая случилась третьего дня в пивной.

— Моя такая будет инициатива,— говорил Самурай,— человек человеку брат. Не то что побить, грубое слово сказать кому и то не годится. Уважь человеку, и тебе радостно. Вот тогда это будет не жизнь, а постоянные именины!

— Ты у нас блаженный, тебе бы мяса не есть, а вот я в сорок четвертом году...— и Иван Филопаторович опять начал рассказ о своем первом бое, который он закончил только на въезде в поселок Починная Горка, где еще загодя было решено остановиться перекусить. Приятели зашли в чайную, выпили по два стакана водки, перекусили и поехали дальше. Как раз на перегоне между Починной Горкой и деревней Алфимово вышла пакостная история.

Только что грузовик въехал в сосновый лес, как из-за поворота показалось стадо коров. Поленов затормозил, но машина продолжала катиться навстречу стаду, норовя закрутиться то задом, то передом; тогда он дал резкий тормоз: грузовик развернулся поперек дороги и рухнул на бок, подмяв под себя бычка.

Кроме бычка, никто не пострадал, но этот бычок, на несчастье, оказался дорогой племенной скотиной. Положение усугубилось еще и тем, что, во-первых, незадолго до этого вышел специальный указ насчет социалистической собственности, а во-вторых, в прокуратуре почему-то усмотрели преступный сговор. В связи с этой историей — дело было дня за два перед судом — Ивану Филопаторовичу пришла мысль: он подумал, что, видимо, существует какая-то верховная сила, которая руководит человеческой жизнью и обстоятельствами, которая вот нежданно-негаданно и, в сущности, ни за что подвела его под тюрьму, которая заставляет следователей дотошно расследовать никому не нужное дело, а судей, образованных и справедливых людей, ничего, вероятно, не имеющих против него и занятых своей собственной жизнью, заставляет осуждать его на продолжительное несчастье. Впрочем, Иван Филопаторович отделался по суду двумя годами условного наказания, в то время как Поленов получил четыре года тюрьмы; Самурая за благостность оправдали. Но зато Ивана Филопаторовича выгнали с фабрики и от него вскоре ушла жена.

Больше у него в жизни не было решительно ничего. То есть если подойти к биографии Ивана Филопаторовича с арифметической стороны, то окажется, что она состоит из следующих слагаемых: семилетка, строительство маслобойни, трудовой фронт, вдова генерала тяги, первый бой, ампутация ноги, женитьба, пакостная история. Разве еще о том остается упомянуть, что незадолго до смерти Иван Филопаторович сильно привязался к мальчишкам из соседних дворов. Он покупал им с пенсии леденцы, рассказывал о своем первом бое, мастерил бумажные змеи и запускал их, смешно ковыляя на костылях. Уже сколько лет прошло, а те, кому сегодня под сорок, с умильным чувством вспоминают Великого Инвалида, и на Пасху его могила всегда завалена крашеными яйцами и кусочками куличей. Между тем многие соседние холмики даже в этот день остаются без внимания и привета. Взять хотя бы могилу какой-то Зинаиды Ивановны Хомутовой (1919—1951), которая располагается чуть правее,— никто не приходит к ней. Что из того, что она, наверное, не воевала, не была под судом и не жаловала мальчишек? Ведь, надо полагать, были и на ее недолгом веку всякие поучительные происшествия — то есть недаром же пожил человек?..

ТРАГЕДИЯ СОБСТВЕННОСТИ

рудон утверждал, что собственность есть кража, и был, безусловно, прав. Он был прав именно безусловно, потому что его утверждение справедливо даже в тех случаях, когда собственность не есть результат собственно воровства, например, когда собственность есть результат того, что вы зарабатываете слишком много, ибо денег в стране все-таки ограниченное количество и если вы зарабатываете слишком много, то кто-то зарабатывает слишком мало, а это очень похоже на воровство. Впрочем, изложенная идея не столько идея, как каламбур. В действительности дело обстоит следующим образом: всякое благосостояние, слагающееся, например, из того, что читают, на чем сидят и едят, посредством чего прикрывают тело, когда это благосостояние соразмерно той пользе, которая вытекает из вашего общественного бытия,— это законно, это подай сюда. Но все остальное — кража чистой воды, даже если она комароносанеподточительна. Эта оговорка, кстати сказать, круто принципиальна, так как в последнее время у нас распространилась та обманчивая идея, что если человек занимается воровством, за которое его почти невозможно упечь в тюрьму, то это не воровство. Такая позиция конечно же требует разоблачения, но разоблачения не на уровне «красть нехорошо», и не на уровне «красть нехорошо, как бы это ни было безопасно», и даже не на уровне «сколько веревочке не виться», а такого разоблачения, которое бесповоротно убедило бы и первого умника, и последнего дурака: красть невыгодно и глупо, разумнее и выгоднее не красть. Во всяком случае, разумнее и выгоднее в наших условиях, в географических пределах СССР, где из-за некоторых особенностей жизни и национального характера несоразмерная собственность — это трагедия, рок, обуза. Вспомним хотя бы Акакия Акакиевича, который худо-бедно жил без новой шинели, а приобрел новую шинель — и погиб.

Разумеется, классическому ворью ничего не докажешь, поскольку книг оно не читает, поскольку у нас издревле так повелось: или человек читает, или уж он крадет; но тот, кто ворует, наивно полагая, что он наживается, а не ворует, нет-нет да и возьмет книжку в руки — это известно точно.

Так вот же им доказательство того, что в наших условиях разумнее и выгоднее не красть...

В Москве, в большом новом доме у Никитских ворот, живет относительно молодой человек по фамилии Спиридонов. Он работает приемщиком на пункте по сбору вторичных ресурсов. В романтические пятидесятые годы, когда еще стеснялись таких профессий и когда вторичные ресурсы назывались утильсырьем, должность приемщика едва обеспечивала существование, но в деловые восьмидесятые годы Спиридонов извлекает из нее баснословные барыши. Как он это делает... Во-первых, он продает пуговицы; во-вторых, он занимается оптовой торговлей мужскими костюмами, пришедшими в относительную негодность, которые нарасхват берут частники, шьющие из них кепки; в-третьих, он наживается на книгах, сдаваемых под видом макулатуры; в-четвертых, он нанимает женщину, которая распускает ему шерстяные вещи, и отдельно торгует шерстью... ну и так далее. В общем, самостоятельных прибыльных статей у Спиридонова так много, что есть даже в-одиннадцатых и в-двенадцатых. Но это как раз не самое примечательное, самое примечательное как раз то, что с точки зрения уголовного права эти статьи комароносанеподточительны, и Спиридонова практически невозможно упечь в тюрьму.

Результаты его плутовской деятельности, что называется, налицо: у него дача, фарфоровые зубы, автомобиль, красавица жена и яхта, которую он держит под Ярославлем. До самого последнего времени в его квартиру было страшно войти: прихожая обита шагреневой кожей, в гостиной одна стена зеркальная, другая тоже зеркальная, а третья заклеена громадным видом императорского дворца в Киото, спальня отделана кремовым шелком, ванная — дубом, туалет — фальшивыми долларами, кухня оборудована под шкиперский кабачок.

К настоящему времени у Спиридонова в целости-сохранности только фарфоровые зубы и яхта под Ярославлем, все остальное в той или иной степени пошло прахом. И вот что интересно: это не первый крах в истории спиридоновского рода. Спиридонов-прадед, владевший галантерейной фабрикой, лишился всего в результате Великой Октябрьской социалистической революции и до самой смерти торговал папиросами в Охотном ряду. Спиридонов-дед начал сызнова строить родовое благосостояние и, надо сказать, начал довольно оригинально: он собирал дань. В 1926 году, когда Спиридонов-дед работал объездчиком в Забайкалье, в двухстах километрах за станцией Борзя, он как-то наткнулся на многочисленный род эвенков, которые оказались до того добродушны и беззащитны, что нельзя было их как-нибудь не надуть: Спиридонов-дед провозгласил себя комиссаром Забайкальского улуса и повелел платить дань. Три года спустя обман был раскрыт, и липовый комиссар срочно бежал в Россию. На станции Муром Владимирской области у него украли баул с деньгами, которые он выжулил у эвенков,— этого удара он не перенес и умер от нервного потрясения в Муроме же, в больнице. Таким образом, Спиридонову-отцу тоже пришлось начинать с нуля. Начинал он так: выкопал собственный водоем и заселил его мальком зеркального карпа. Два года спустя, когда карп достиг товарного веса, Спиридонов-отец выручил десять тысяч рублей, на третий год целых пятнадцать тысяч, но на четвертый год окрестные поля удобрили каким-то гибельным химикатом, и карп немедленно передох. После этого Спиридонов-отец так крепко запил, что не оставил сыну практически ничего, если не считать тысячи рублей, которые он подарил ему после окончания средней школы. На эти-то деньги последний Спиридонов и купил себе должность приемщика на пункте по сбору вторичных ресурсов, которая позволяет ему извлекать баснословные барыши.

Теперь вот какой неожиданный поворот. В том же самом доме, даже в том же самом подъезде, но только двумя этажами выше, живет еще один относительно молодой человек, специалист по автоматическим системам управления, некто Бурундуков. Этот Бурундуков издавна недолюбливал Спиридонова, имея на то серьезные, но несколько путаные причины. Первая причина: Бурундукову претило несоразмерное спиридоновское благосостояние, что в общем можно понять, так как нормальный советский интеллигент — это существо благостное, отчасти даже поэтическое, во всяком случае, подозрительно косящееся на все, что выходит из рамок двухсот пятидесяти рублей. Вторая причина: он терпеть не мог походки скрывающейся знаменитости, которой отличался последний Спиридонов, и обычного выражения его лица, на котором, кажется, было написано: «Придурки, учитесь жить!» Третья причина: Спиридонов был все-таки хамоват. Наконец, причина четвертая и последняя: Бурундуков питал симпатию к спиридоновской жене, и даже немного больше. Это обстоятельство потому нельзя упустить из виду, что всякий раз, когда Бурундуков случайно встречал спиридоновскую жену, она неизменно говорила ему глазами: может быть, ты и ничего мужик, но по большому счету ты не мужик. Это доводило Бурундукова до исступления: его глубоко оскорбляла мысль, что жулик, добывающий полторы тысячи рублей в месяц,— это мужик, которого обожают и, возможно, даже боготворят, а он, отличный специалист по автоматическим системам управления,— не мужик, так как он не умеет ловчить, не имеет нюха на то, что плохо лежит, и в результате располагает только тем, что читают, на чем сидят и едят, посредством чего прикрывают тело, если, правда, не считать кое-каких цивилизующих мелочей вроде телевизора «Старт», показывающего почему-то только учебную программу, и велосипеда «Харьков», у которого к тому же то и дело отказывают тормоза. В конце концов эти мысли привели Бурундукова к одному неожиданному и не совсем оправданному поступку: в горькую минуту он спиридоновскую жену немного поприжал в лифте.

Когда жена пожаловалась Спиридонову на придурка с четвертого этажа, тот не долго думая выпил стакан коньяку, взял отвертку, вызвал лифт и поехал мстить. Он звонил в квартиру к Бурундукову и думал: «Пусть меня посадят, но я его замочу!»

Бурундуков вышел к нему в спортивных штанах с лампасами и в вязаной женской кофте.

— Здравствуй, сука! — сказал Спиридонов.— Сейчас я буду тебя мочить!

— Проходите,— отозвался Бурундуков, и это отрешенное «проходите» подействовало на Спиридонова некоторым образом расслабляюще, так что у него почти пропала охота мстить. Он даже сделал усилие, чтобы не дать сползти с лица свирепому выражению, и вошел.

— Дома, как нарочно, никого нет,— добавил Бурундуков,— можете начинать.

— Что начинать-то? — спросил его Спиридонов, и свирепое выражение его лица все-таки сменилось на просто сердитое, бытовое.

— Как что?! Вы же пришли меня это... уж не знаю, как по-вашему, короче говоря — убивать. Ну и убивайте! Классовая борьба — это кровь.

— Какая еще классовая борьба? Что вы там плетете? — сказал Спиридонов, перейдя на настороженное «вы».

— Самая настоящая классовая борьба! По одну сторону баррикад — работники, то есть мы, а по другую — жулики, то есть вы. И пускай вы меня сейчас убьете, все равно мы рано или поздно раздавим вашу «пятую колонну», которая методически подтачивает основы социализма!

— Знаете что,— сказал Спиридонов,— вы тут кончайте демагогию разводить! Ну, какой я к чертовой матери классовый враг?! Я деловой человек, вот я кто! Если бы таких людей, как я, назначали на ответственные посты, то через десять лет Америка боролась бы за экономическое сотрудничество с Востоком.

— Ну, это дудки! — сказал Бурундуков.— Деловые люди — это кто дело делает, а вы — деньги. По-настоящему, вы все душевнобольные, вот вы кто!

— Это почему же мы душевнобольные? — с обидой в голосе спросил Спиридонов и присел на стул.

— Например, потому, что вы время от времени садитесь в тюрьму из-за денег. Ведь это же курам на смех — сесть в тюрьму из-за денег, как вы не понимаете! Или вот еще что: вы все уверены, что умеете жить, а между тем вы представления не имеете о том, что значит жить! Вы как младенцы, у которых мир ограничен пределами песочницы и коляски, в то время как этот мир измеряется даже не двором, даже не улицей, даже не городом и даже не страной...

Спиридонов вытащил из кармана носовой платок, высморкался и сказал:

— Это идеализм и полный отрыв от жизни. Философия, одним словом, как говорится, без пол-литры не разберешься. Кстати, не найдется у вас пол-литры?

— Не пью,— буркнул Бурундуков и слукавил: на самом деле он попивал.

Спиридонову стало немного не по себе.

— Слушай, может быть, перейдем на «ты»? — предложил он из опасения, что дело принимает нежелательный оборот.— Тебя как зовут-то, блаженный ты человек?

— Павел,— ответил Бурундуков.

— А меня Серега.

Бурундуков с минуту пристально смотрел на Спиридонова, как если бы он намеревался его окончательно раскусить, а потом пошел в кухню, из которой он неожиданно принес початую бутылку водки и жареной картошки сковороду.

— Подогреть или так срубаем? — спросил он, показывая картошку.

— Так срубаем,— ответил Спиридонов, махнув рукой.

Когда выпили по второму стакану и немного потыкали вилками в сковороду, Бурундуков накуксился и сказал:

— Жалко мне тебя, Серега, до слез жалко, потому что профуфукал ты бесценный дар жизни!

— Ну, это еще бабушка надвое сказала,— возразил Спиридонов.

— Нет, Серега, это определенно. У нормальных людей деньги всегда были чем угодно, но только не всем. Средством накопления, средством платежа, мировыми деньгами — только не всем. Так что погубил ты себя, Серега, без ножа зарезал и заживо закопал!

— Нет, это ты зря.

— Что — зря? Я вас не понимаю...

— Мы на «ты».

— Я тебя не понимаю. Что — зря?

— Да все! Может быть, ты только потому на меня критику наводишь, что у тебя денег нет.

— Поклеп!..— с чувством произнес Бурундуков, поматывая головой.— Если бы у меня были деньги, то знаешь, что бы я с ними сделал? Я бы купил грузовик конфет! Встал бы где-нибудь на перекрестке и раздавал москвичам конфеты за просто так. Писатель Ильф об этом очень мечтал.

— Ты думаешь, я так не могу? — сказал Спиридонов.

— Конечно, не можешь, потому что ты жулик и крохобор!

— А вот и могу!

— Нет, не можешь!

— А я тебе сейчас докажу, что могу. Ты думаешь, что барахло для меня все? что у меня за пазухой не русская душа?..

— Бумажник у тебя за пазухой, а не душа!

— Нет уж, это извини-подвинься! Давай поспорим на штуку, что я смогу?

— Штука, это что?

— Тысяча рублей.

— Ну, подумай своей головой: откуда у меня тысяча рублей?

— Действительно... Ну ладно, я и без тысячи докажу. Есть у тебя ломик?

Бурундуков подумал и сказал:

— Ломика нет.

— А палка покрепче есть?

— И палки нет. Но можно снять вот этот карниз,— и Бурундуков указал головой в сторону карниза, на котором висели шторы.

Спиридонов внимательно посмотрел на карниз, вытащил отвертку и начал его снимать. Когда дело было сделано, они положили карниз на плечи и стали спускаться по лестнице с четвертого этажа. Ходу было максимум полминуты, но так как карниз то и дело заклинивало в пролетах, тащились они минимум полчаса. Во дворе Спиридонов отобрал у Бурундукова карниз, подошел к своей «Ниве», занес карниз над капотом так, как заносят цеп, и ехидно проговорил:

— Значит, не могу?

— Не можешь,— подтвердил Бурундуков.

Карниз обрушился на капот, сильно помяв его примерно посередине.

— Значит, не могу? — повторил Спиридонов и, не дожидаясь ответа, обрушил карниз на лобовое стекло...

Он корежил автомобиль еще минут десять, пока Бурундуков ему не сказал:

— Ну, хорош, Серега, я тебе верю. Теперь пойдем мою квартиру громить, а то это будет несправедливо.

— А чего ее громить? — возразил Спиридонов.— Она у тебя и так хижина дяди Тома. Пойдем лучше мою громить, там для меня работы — ну, непочатый край!..

— Нет, твою квартиру нельзя, баба обидится.

— Она у меня вот где! — сказал Спиридонов, показывая кулак.

— В таком случае я не против.

Они обнялись и с песней пошли громить спиридоновскую квартиру...

ВОВА И ЕВА

Монтеня есть такие слова: «К чему вооружаемся мы тщетным знанием? О, сколь мягко и сладостно изголовье для избранных — незнание и простота сердца».

Это, конечно, глупо. И даже не то что глупо, а как-то французисто, оглашенно, верно сказал Толстой: «Монтень пошл». Ну, посудите: разве не премудро устроен наш брат человек, если, несмотря на пропасть прочитанных книг и одну печальную неизбежность, он остается до такой степени легкомысленным и оптимистичным, что даже нет-нет и призадумается: дескать, должна же иметь какое-то особое назначение эта загадочная и неведомо откуда свалившаяся на голову штука — жизнь? Но, видимо, мы устроены уж очень премудро, поскольку у каждого из нас есть за душой что-то такое, что наполняет и оправдывает наше великолепное временное присутствие и таким образом отвечает на этот беспокойный вопрос, может быть, демагогически, но все-таки отвечает. У одних это будет идея бесконечного служебного продвижения, у других какая-нибудь посторонняя мысль, например, почему это бытие определяет сознание, а не наоборот; что же касается собственно героев этого рассказа, то у них зацепка иного рода, о ней разговор особый.

Вова и Ева... как бы это сказать — необычная пара. Если их встретить в то время, как они бродят по улицам, тесно прижавшись друг к другу, точно они боятся прохожих либо опасаются потеряться, то почему-то придет на ум, что их обязательно должны обижать уличные мальчишки. Вова — неловкий, худенький мужичок лет так тридцати восьми, самое большее сорока. Усы и борода у него не растут, нос намного больше положенного, отчего по зимней поре, когда он носит облезлую шапку с опущенными ушами, он сильно смахивает на грача. Независимо от времени года брюки у Вовы едва прикрывают щиколотки, и всегда можно сказать, какие на нем носки. Вообще, все вещи у Вовы не по размеру, например, он носит такое большое пальто, что плечи его загадочно шевелятся, как будто они живут особенной, отдельной от Вовы жизнью. Самое замечательное в Вове — это выражение его лица, выражение ежеминутного ожидания чего-то такого, что его до смерти насмешит.

Ева относится к той категории женщин, которая у порядочных мужчин вызывает недоумение и даже некоторую брезгливость. Лицо у нее неженское: морщинистое, все в сиреневых ниточках, с вялыми мешочками под глазами, спереди не хватает одного зуба. Руки у Евы тоже неженские, какие-то деревянные, ногти покрыты кровавым лаком. Она носит простые чулки, неказистые платья и цветные косынки, которые повязываются по-старушечьи. Но вот что странно — голос у нее неожиданно тонкий и приятный на слух. Говорит она всегда с таким выражением, как будто она что-то позабыла, а вспомнить лень.

Вова и Ева женаты четыре года. Детей у них нет. Они с рождения живут в одном маленьком городке, таком маленьком, что если посреди ночи на одном конце его запоют, то на другом конце будут ворочаться и ругаться. Тем не менее встретились они только четыре года тому назад. Такая задержка могла выйти из-за того, что одно время Вова отбывал наказание за нарушение паспортного режима, а еще раньше за ограбление продовольственного ларька, хотя был без малого ни при чем; в юности же он так увлекался аккордеоном, что, кроме аккордеона, можно сказать, знать ничего не знал.

В первый раз они встретились в очереди за газетой — это случилось в тот день, когда в Чили совершился переворот. Вот что оказалось: когда они находятся поблизости друг от друга, с обоими приключается нечто волнующее и очень приятное; у Вовы светлеет в глазах, как это бывает, когда из-за туч выплывает солнце, а

Ева начинает обонять какой-то прелестный, таинственный аромат.

С этой очереди за газетой и начинается их совместная жизнь. Купив по газете, они пошли в городской парк, где до самого вечера катались на карусели и для разнообразия посетили комнату смеха, но не смеялись, а, напротив, конфузились своих отражений. На другой день они, что называется, расписались.

Сначала они жили в общежитии строительно-монтажного управления, но вскоре им дали довольно большую комнату напротив универмага, и они убрали ее тщательно и с любовью. На полу у них крест-накрест половики, на стенах: коврик с швейцарским видом, репродукция «Рубки леса», наборный портрет Есенина и дорожка, вышитая васильками. Куда ни посмотришь, на шкаф ли, на тумбочку или на этажерку, везде что-нибудь да стоит, какая-нибудь копеечная безделушка, а вроде и ничего. Наводит умиление множество разновеликих салфеток исключительной белизны и какая-то особенная, пасхальная чистота, от которой веет синькою и крахмалом.

Прежде Ева работала уборщицей в строительно-монтажном управлении, но вскоре после свадьбы перешла на трикотажную фабрику, чтобы быть поближе, как она выражается, к самому. Когда заканчивается смена, они встречаются у проходной и идут домой. В эту пору любопытно за ними понаблюдать. При малейшем препятствии, случающемся на пути, они наперебой поддерживают друг друга под локоть, то и дело поправляют один другому головные уборы и воротники, а если на одежде у Вовы окажется ниточка, Ева аккуратно снимет ее, навернет на палец и потом с тяжелым укором посмотрит в глаза супругу.

По вечерам они никуда не ходят. Они либо картежничают, либо читают вслух городскую газету, но если по телевизору передают что-нибудь стоящее, то могут посмотреть телевизор. Больше всего они любят цирковые программы и даже аплодируют особенно понравившимся номерам. Про телевизор они говорят «играет» и «заведи».

Есть у них еще одно развлечение, странное развлечение: Ева умеет таким образом закатывать глаза, что видно одни белки.

— Ева, сделай глазами,— время от времени просит Вова, и Ева закатывает глаза. Вова ухмыляется, но не поймешь, чего больше в этой ухмылке: удовольствия или испуга.

Разговор их утомительно ласков. По утрам Вова говорит одно и то же:

— Что-то ты, Ева, сегодня не того... Ты часом не температуришь?

— Ничего,— отвечает Ева,— не бери в голову.

Или Ева скажет:

— Ты, Вова, сегодня поберегись.

— Чего это?..

— Аванс сегодня у народа, ни за что обидят.

— Да я ни грамма никого не боюсь!

— Все равно поберегись.

Есть у них еще сны, которые подробнейшим манером пересказываются и обсуждаются. Сны по всем приметам неблагоприятствующие: про сырое мясо, выпадение зубов и нашествие тараканов. Но пока эти сны не сбываются, хотя и без снов можно предсказать, что впереди их ожидает большое горе, поскольку один из них точно другого переживет. Если бы не это печальное обстоятельство, можно было бы радостно заключить: даже дух захватывает, до чего мудро и справедливо устроена наша жизнь!

А впрочем, может быть, потом еще что-нибудь найдется у Вовы... или у Евы, если именно Ева Вову переживет...

КОЛУМБИАДА

изнь вообще хороша. В частности же она хороша потому, что нас время от времени подстерегают приятные неожиданности. Допустим, идешь по своим делам и вдруг наткнешься на кошелек или встретишься взглядом с какой-нибудь очаровательной женщиной. Кажется, как будто солнце всходит в тебе, обдавая нутро ласковыми лучами,— так вдруг сделается весело и теснительно хорошо.

Один молодой человек по фамилии Комнатов както не поладил с женой. Ссора вышла из-за того, что Комнатов наотрез отказался встречать на вокзале тестя, которого он не любил такой удивительной нелюбовью, что всякий раз, когда тесть приезжал гостить, у него делалось расстройство желудка. По этому случаю жена устроила Комнатову нахлобучку. Мало того, что она наговорила ему незаслуженных колкостей, среди которых попадались такие, какие слышать от жен бывает невмоготу, но после того, как Комнатов заткнул указательными пальцами уши, она еще и два раза стукнула его кулаком по спине. Это его самым серьезным образом оскорбило. Он отправился в ванную, заперся там и стал в упор разглядывать себя в зеркале. Ему было горько. Он смотрел в глаза своему отражению, и ему было так жалко своего оскорбленного отражения, что начинало щемить в носу. В эти минуты он думал о том, что можно полжизни прожить с каким-нибудь якобы родным человеком и вдруг обнаружить, что на самом деле этот человек тебе чужд, как идеалистическое мировоззрение.

В ванной он пробыл всего десять минут, но умудрился за это время до такой степени растравить себе душу, что неожиданно надумал уехать далеко-далеко, куда-нибудь туда, где еще машут вслед перелетным птицам и поездам. Вообще он был взбалмошный человек и на своем веку наделал немало глупостей.

Итак, Комнатов отправился на вокзал, купил билет на одесский поезд, но еще долго томился, сидя в купе, где пахло давнишним хлебом, пылью, углем и еще чем-то горелым.

Компания в купе подобралась неприятная. Ехала до Курска бабка с чудовищным багажом и пожилые супруги — собственно до Одессы. Бабка сердито молчала и все время ела соленые огурцы, а супруги немедля завели нудный и невразумительный разговор. Из-за этого разговора, из-за бабки, неутомимо поедавшей соленые огурцы, и еще из-за того, что сразу после Калуги в тамбуре подрались двое матросов, Комнатову стало нехорошо. «И куда это я еду, зачем?» — с тоской спрашивал он себя. Ему вспомнился его дом, где так покойно, так славно пахнут родные вещи и сквозь занавеску видно, как на балконе развеваются разноцветными вымпелами женины лифчики и прочая милая дребедень. Тут ему до першения в горле захотелось назад, домой, чтобы лежать теперь на диване и чтобы над ухом сонно жужжали мухи. А поезд уносил его, уносил...

Комнатов залез на верхнюю полку, дабы заспать тоску, немного поворочался и в скором времени задремал. «Дурак,— говорил он себе сквозь сон,— набитый дурак!»

Проснулся он ночью. За окном пробегали редкие, неприютные огоньки, вагон покачивало, что-то скрипело, а на сердце лежала такая тяжесть, какая бывает, если совершишь во сне тяжкое преступление. Комнатов насилу дождался станции и сошел.

По причине раннего времени на платформе не было ни души, и неодушевленное пространство, в котором занималось холодное утро, наполнило его совсем уже непереносимым чувством одиночества и тоски. Он стоял, глядя в ту сторону, где за сизыми предрассветными тучами давало о себе знать тревожного цвета солнце, и даже солнце, которое было решительно ни при чем, казалось ему враждебным.

Сразу за станционным зданием Комнатову открылась большая площадь, вымощенная булыжником, который поблескивал от росы, точно площадь только что подвергли влажной уборке. Вообще чисто и как-то порядочно кругом было не по-нашему, хотя и кособокие домики теснились в прилегающих переулках, и тлеющие заборы огораживали палисадники, и нелепые конторские вывески были приколочены там и сям. Самым примечательным ему показалось то, что, несмотря на ранний час, площадь уже жила: по-лошадиному цокая подковами, прохаживались задорные мужики, женщины улыбались встречному-поперечному, кое-где чинно беседовали старушки, а со дворов доносился бодрый утренний кашель. Главным образом Комнатов подивился тому, что увиденное им по эту сторону станционного здания нисколько не походило на виденное по ту, как если бы он нечаянно прошел в волшебную дверь и вдруг очутился в чудесном мире. Этот мир с первого взгляда пришелся ему по душе, тоска улетучилась, и напало волнующее ожидание неожиданностей.

Неожиданности, как говорится, не заставили себя ждать: не успел он хорошенько осмотреться, как один мужик ни с того ни с сего угостил его сигаретой, другой предложил поменяться ботинками, третий выпросил спичечный коробок. Наконец, его остановила компания мальчишек; тот из них, что несколько пришепетывал и был, наверное, заводилой, взял его за руку и спросил:

— Ты, товарищ, к кому приехал?

Комнатов ответил, что он в их городке случайно; потом он откликнулся на вопрос другого мальчишки, замечательно конопатого, откуда он родом, потом на вопрос, кем он работает, потом на вопрос, не знаменитость ли он, и, наконец, вынужден был дать честное партийное слово, что не имеет привычки врать. В заключение конопатый сказал:

— Ну, раз такое дело, то давай мы тебе покажем наши достопримечательности...

Комнатов пожал плечами и согласился.

Сначала мальчишки повели его на здешнее кладбище, которое они патриархально называли погостом. Там Комнатову была показана могила действительного статского советника Чехмодурова, непонятно какими судьбами заехавшего в эту глушь, потом могила какой-то женщины с двойной фамилией, бросившейся под поезд из-за любви, часовня, где водятся привидения, и памятник, выкрашенный серебрянкой, который воздвигли одному матросу каспийской флотилии — этот матрос проводил в городке электричество и был застрелен местными кулаками.

— Ребята, а почему вы, собственно, не в школе?— вдруг спохватился Комнатов.

— А мы не учимся,— сказал ему заводила.

— Ну, это вы, положим, заливаете,— усомнился Комнатов.

— Нет, мы правда не учимся,— подтвердил конопатый.— Не хотим и не учимся, это у нас свободно. Конечно, кто хочет, тот учится, но мы с ребятами не хотим.

Комнатов опешил от этого сообщения.

— Ну и чем же вы тогда занимаетесь?—после короткой паузы спросил он.

— А кто чем,— сказал заводила.— Я, например, книжки читаю, это прямо ужас, до чего я их обожаю! Сейчас я заканчиваю «Введение в латинскую эпитафику».

— А я книжки не обожаю,— сказал конопатый,— больно в них много врут. Я обожаю всякое мастерство. Мы с отцом знаете какие сручные? Что хочешь построим и пустим в эксплуатацию...

— И кем твой отец работает? — перебил его Комнатов.

— Он никем не работает, он просто работает — такая, понимаете, специальность. Сейчас, например, он строит водородный реактор для нашей электростанции.

— Отец у него точно мастеровой,— подтвердил заводила.— Он, почитай, за целый завод работает. Вот в прошлой пятилетке он построил водопровод — в Москве даже такого нет: водопровод, а без труб.

— Интересно! — удивился Комнатов.— А как же вода течет?

— Она не течет,— ответил конопатый,— она конденсируется. При этом коэффициент засоленности практически нулевой.

— Но в личной жизни я твоего отца все же не одобряю,— сказал заводила.— Надо и честь знать; ведь седьмой раз женится, куда к черту!

— А вот это не наше дело,— беззлобно сказал конопатый.— Сколько ему надо, столько пускай и женится. И что у тебя за повадка такая — всех осуждать! Знаешь, как Марк Твен говорил: никто не имеет права критиковать человека на той почве, на которой он сам не стоит перпендикулярно.

— Ты это на что намекаешь?

— Я намекаю на Акимову и Преображенскую.

— Это я согласен,— мирно сказал заводила,— тут я, конечно, не без греха.

Третий мальчишка, сопровождавший Комнатова, все это время что-то помалкивал, точно воды в рот набрал.

За разговором незаметно дошли до следующей достопримечательности, которой оказалась здешняя баня. На первый взгляд достопримечательного в ней было только то, что она помещалась в старинном, обветшалом особняке с колоннами по фасаду.

— Вот баня,— сказал заводила.— Моются в ней раздельно, а парятся вместе — такая, понимаете, у нас баня.

— И не стесняются? — опасливо спросил Комнатов.

— А чего тут стесняться? — ответствовал заводила.— Тело оно и есть тело. Зато с малолетства привыкаем к этому... ну, понятно к чему, и потом уже нет такого ажиотажа.

Комнатов оторопело посмотрел на мальчишек, но промолчал и только пригладил волосы на затылке.

После бани смотрели заброшенную церковь, затем домик, где якобы бывал знаменитый боевик Савинков, и еще другой домик, занятый одним отставным министром. На вопрос Комнатова, с чего это бывший министр здесь поселился, заводила ответил так:

— Взял и поселился. Говорит, хочу напоследок пожить среди счастливых людей. Говорит, сроду не встречал столько счастливых людей, как в тутошнем захолустье.

— Только уж больно он надоел,— добавил к этим словам конопатый.— По каждому случаю выступает: «Трудиться надо, товарищи, трудиться и еще раз трудиться!» Конечно, над ним смеются. Ну, иногда перебьют: дескать, зачем трудиться-то, товарищ бывший министр? «Как зачем,— говорит,— чтобы создавать материальные ценности...» Наши, понятно, опять смеются.

— Погоди,— остановил его Комнатов,— но ведь и твой отец трудится: значит, и его поднимают на смех?

— Мой отец ради своего удовольствия трудится, чего тут смешного...

Комнатову стало не по себе. То есть ему и прежде было не по себе, но тут как-то уж очень стало не по себе.

— Что-то я, ребята, вас не пойму,— сказал он.— Если у вас почти никто не работает, то как же вы живете?

— Во как живем! — сказал заводила и показал большой палец.— В крупных культурных центрах так не живут, как мы, потому что тут у нас происходит обыкновенная светлая жизнь, основанная на уважении к личности человека. Просто в других местах до этого еще не дошли, и, конечно, некоторые смотрят на нашу жизнь, как баран на новые ворота.

Комнатова задели эти слова, но он виду не показал.

— Вообще я предлагаю такую формулировку,— добавил конопатый,— Советская власть плюс уважение к личности равняется обыкновенная светлая жизнь.

— Знаете что, ребята,— сказал Комнатов,— это все, может быть, и хорошо, но какие-то не общенародные, не всесоюзные у вас темпы.

— Это конечно,— как-то печально согласился с ним заводила,— только уж больно охота попробовать светлой жизни...

На этом разговор временно прекратился, и Комнатов воспользовался паузой, чтобы хорошенько разобраться в том, что наговорили ему мальчишки. Было очевидно, что в этом городке совершается чудна́я, необыкновенная жизнь, которую разделяют даже подростки, и не то что разделяют — это было бы естественно,— а всячески поддерживают, в то время как по норме подростки не поддерживают ничего и чаще всего даже не разделяют. Но поскольку толком он в этой жизни не разобрался и поскольку его смутило, что здешние жители откровенно манкируют кое-какими нормами бытия, он почувствовал к ним тяжелое нерасположение, которое обыкновенные люди часто питают к «избранникам праздным», героям и мудрецам. Тогда ему непереносимо, до боли под ложечкой, захотелось назад, домой. Он решил немедленно идти покупать билет на московский поезд, о чем мальчишкам и сообщил.

Компания этому решению нисколько не удивилась.

— Вот он тебя проводит,— сказал конопатый и указал пальцем на молчуна.

Они по-взрослому подали Комнатову руки и удалились.

Придя на вокзал, Комнатов купил обратный билет, сел на скамейку подле титана с кипяченой водой и приготовился ожидать. Молчун присел рядом.

— А у меня тетка в Москве живет...— вдруг сказал он.— То есть не в Москве, а в Монине, но ведь это то же самое, что в Москве?..

И он опять замолчал, скорбно глядя куда-то вдаль.

Приятели его все же явились перед самым отходом поезда. Подозрительно покосившись на молчуна, они вручили Комнатову букет черемухи и потом, когда поезд отправился, долго махали вслед, пока не превратились в трогательное отточие...

«Вот ведь какая занимательная штука жизнь! — думал Комнатов, лежа на верхней полке.— Не напросись в гости тесть, не разругайся я с женой, не уйди из дому, так никогда бы и не узнал, что в каких-нибудь четырех часах езды от родного узилища люди живут совсем на иной манер...» И вот что интересно: чуть позже он уже думал о том, что на самом деле этот манер — в высшей степени соблазнительный манер, а его дом родной, это именно что узилище, в котором его поджидают новые сцены и болван-тесть — в лучшем случае лежание на диване. Это соображение оказалось настолько нервным, что вдруг ему захотелось сойти и пересесть на обратный поезд. «Дурак,— говорил он себе,— набитый дурак!..»

Его только почему-то настораживал контрапункт подозрительного молчуна и еще то мелкое обстоятельство, что мальчишки вели себя не в меру приветливо, как-то не по-европейски гостеприимно. Однако впоследствии он решил, что это, наверное, ничего, поскольку ему припомнилось, как два года тому назад он сам целые сутки мотался по Москве с одним заплутавшим венгром и даже накормил его завтраком в ресторане на том основании, что якобы он завтракает исключительно в ресторанах.

ЧАСТНАЯ ХРОНИКА

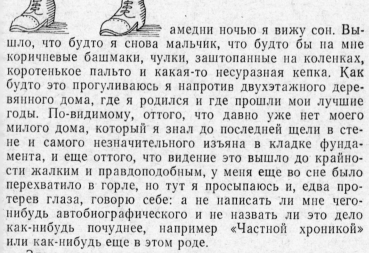

амедни ночью я вижу сон. Вышло, что будто я снова мальчик, что будто бы на мне коричневые башмаки, чулки, заштопанные на коленках, коротенькое пальто и какая-то несуразная кепка. Как будто это прогуливаюсь я напротив двухэтажного деревянного дома, где я родился и где прошли мои лучшие годы. По-видимому, оттого, что давно уже нет моего милого дома, который я знал до последней щели в стене и самого незначительного изъяна в кладке фундамента, и еще оттого, что видение это вышло до крайности жалким и правдоподобным, у меня еще во сне было перехватило в горле, но тут я просыпаюсь и, едва протерев глаза, говорю себе: а не написать ли мне чего-нибудь автобиографического и не назвать ли это дело как-нибудь почуднее, например «Частной хроникой» или как-нибудь еще в этом роде.

Здесь, кстати, следует оговориться, что я человек пишущий, то есть принадлежащий к разряду ненормальных, оглашенных людей, к тому же я до сих пор ничего не опубликовал, что усугубляет мои обстоятельства, которые и без того подвигаются к тридцати. Для полноты справки добавлю, что служу я старшим корректором в издательстве, названия которого мне не хотелось бы поминать.

Итак, едва протерев глаза, я спрашиваю себя, а не написать ли мне чего-нибудь автобиографического, и эта идея вдруг так меня увлекает, так увлекает, что внутри что-то принимается весело егозить и кажется, будто на самом деле чешутся руки. Когда мой сосед Николай Петрович начинает шаркать на кухне тапочками и лязгать сковородами, у меня уже готово начало. Начать я намерился такими словами: «Родился я 12 февраля тысяча девятьсот сорок... такого-то года в ночь с воскресенья на понедельник». Было в этом начале что-то немного старомодное и интригующее, то есть, по моему мнению, в высшей степени симпатичное, а главное, оно сразу же вводило в курс дела, не то что теперешние писульки, которые не разберешь, не дочитав, по крайней мере, до середины. Но не успел я хорошенько обдумать начало, как меня неожиданно поражает мысль, что писать мне, собственно, не о чем: приключений у меня в детстве и отрочестве не было никаких, не было, пожалуй, и ничего такого, из чего можно было бы вывести явление или мораль, и вообще те далекие годы вспоминаются теперь смутно. Я долго думаю, припоминаю, но не нахожу ничего занимательного, кроме того, что мне почему-то чаще других доставалось от хулиганов, а дома, за фанерной перегородкой, жил старичок, который рассказывал занимательные истории и отлично играл на какой-то особенной балалайке. Словом, я огорошен этим неприятным открытием, а тут еще мне приходит на ум, что даже если просто описывать все, что со мной было, то придется сознаться в таких безобразных вещах, в которых даже с глазу на глаз с собственной совестью не хочется сознаваться; лгать же, описывая собственную жизнь,— подлость, по моему мнению, без примера. И в самом деле, разве можно не упомянуть из порядочности и для полноты впечатления, что, будучи школьником, я растратил двенадцать рублей с полтиной казенных денег, предназначенных для какой-то экскурсии, а в действительности ушедших на покупку щенка, которого я полагал обучить всевозможным собачьим премудростям и продать какому-нибудь артисту; или не сознаться, что я большой нелюбитель давать взаймы, не дурак, как говорится, выпить на дармовщину, что я, бывает, могу надуть и мне нельзя поверять секретов? А впрочем, говорю я себе, чувствуя, как на лице у меня появляется хитрое выражение, это дело можно было бы повернуть даже к собственной выгоде. Ведь если ты без обиняков и всякой самозащиты описываешь мерзости, которые натворил, то, во-первых, как бы публично каешься и, таким образом, очищаешься, во-вторых, как бы эти мерзости на самом деле мерзостями не считаешь, ибо их не стыдишься, и, в-третьих, оставляешь за каждым право принимать описанное тобою за выдумку, то есть, по сути дела, становишься как бы в сторонке и в совершенно нравственной позе. Словом, тут мне открывается множество «pro» и «contra»[1] задуманного сочинения, и следовало бы хорошенько подумать, прежде чем сесть за машинку, но, к несчастью, я уже придумал и название и начало, а это в писательском деле, по-моему, самое главное. Итак, родился я 12 февраля тысяча девятьсот сорок... такого-то года в ночь с воскресенья на понедельник, говорю я себе и встаю с постели.

Обычно в те дни, когда не нужно идти на службу, я поднимаюсь в девятом, самое позднее, в десятом часу утра. Сделав все то, что полагается сделать только что проснувшемуся человеку, я принимаюсь пить кофе и пью его до тех пор, пока к горлу не начинает подкатывать тошнота. Потом я закуриваю сигарету и потихоньку приступаю к столу о трех ножках, на котором стоит моя пишущая машинка, похожая на старинный автомобиль. Я хожу вокруг стола со странно тяжелым чувством, но вот мои круги становятся все у́же и у́же, и я наконец усаживаюсь в кресло с кожаным сиденьем и, тупо уставившись перед собой, начинаю ощущать неприятную пустоту в голове и во всем теле. Вслед за пустотой приходит некое, тоже довольно противное, чувство, точно я насосался гвоздей или одет во все мокрое, и тогда мне очень хочется убежать от моей машинки, которая смотрит на меня так, словно намекает на чаевые, от кресла, напоминающего старую лошадь, оттого что пружины, как ребра, распирают истершуюся кожу сиденья, но я совершаю над собой нечеловеческое усилие и остаюсь недвижим. Сначала я не думаю ни о чем, но потом меня начинают посещать какие-то мелкие мысли, не имеющие никакого отношения к делу. То мне приходит в голову, что хорошо было бы побелить потолок, а то вдруг я принимаюсь разбирать самого себя и прихожу к выводу, что я совершенно ни то ни се. Я разглядываю себя в зеркале, которое, как нарочно, висит напротив, и рассуждаю, что если бы нужно было описать себя, то вышло бы похоже на каждого третьего человека. Ну, по

_____
[1] за и против (лат.).

всем статьям, как говорится, ни то ни се: и волосы какого-то неопределенного цвета, и глаза славянские, малодушные, и вечные мешки под глазами, и цвет лица городской, невнятный... Но все это мелочи, говорю я себе, по сравнению с тем обстоятельством, что в свои лета я еще ровным счетом ничего не достиг, и у меня даже такое чувство, как будто я еще не жил вовсе, а все только норовлю начать жизнь. И это в то время, как большинство моих сверстников обзавелось и определенным настоящим, и многообещающим будущим, а один мой университетский приятель даже какой-то зав. Я же, признаться, не только ничего не достиг, не только не имею существенных видов на будущее, но даже до сих пор не вывел для себя, кажется, обыкновеннейшую вещь, а именно, что я такое — безнравственный или, напротив, нравственный человек? Разумеется, я склоняюсь к последнему, но меня очень смущает соображение, что есть отличные люди, которые меня не любят, не говоря уже о множестве тех, для кого я вроде тиканья часов или рисунка на обоях — что есть я, что нет, это вроде одно и то же. И сколько я ни убеждаю себя, что редкий человек без греха, что, может быть, я отнюдь не так плох, как мне кажется, и если, случается, делаю что-нибудь дурное, так только оттого, что это выходит нечаянно, что есть во мне какая-то нескладность и неустроенность — все равно во мне остается противное, кислое ощущение, точно я неловко соврал или меня отчаянно обсчитали. Однако в конце концов я всякий раз убеждаю себя, что непорядочный человек — это тот, кто не сознает, что он непорядочный человек,— меня же все мои бесчисленные недостатки мучают на манер физического изъяна.

Таким образом размышляю я около часа, и, когда мне совсем уже становится невмоготу, я, чтобы отвлечься, начинаю осоловевшими глазами оглядывать комнату. Я вижу запачканные обои, картинку, изображающую взятие Измаила, полосатый матрас, который за неимением ножек поставлен на кирпичи, этажерку, действительно чем-то похожую на аэроплан,— одним словом, все то же, что и вчера и позавчера... После этого я заглядываюсь в окошко. Некоторое время я рассматриваю прохожих... впрочем, если мой взгляд случайно падает на пишущую машинку, я, как и в теперешнем случае, спохватываюсь и говорю себе, что, дескать, шутки шутками, а ведь я собирался что-то писать. Ах, да! — вспоминаю я, и тут меня опять начинают мучить давешние сомнения, так что я даже подумываю исподтишка: а не бросить ли мне мою автобиографическую затею? Но дело сделано: машинка снаряжена тремя листами через копирку, а мысль уже мчится, только поспевай догонять. Итак:

«Родился я 12 февраля тысяча девятьсот сорок... такого-то года в ночь с воскресенья на понедельник».

Отстучав эту фразу, я начинаю пристально вглядываться в буквы-паучки и морщиться так, как если бы от них пахло именно паучками.

— Что-то не то,— говорю я в голос и оборачиваюсь, так как очень смущаюсь, если меня застают за разговором с самим собой.— Что-то не то,— говорю я опять, и поскольку мне неясно, что именно здесь не то, я оставляю эту фразу в покое и двигаюсь дальше.

«В момент моего появления на свет божий, как мне рассказывали впоследствии, произошло два необычайных события: во-первых, на дерево, стоявшее как раз напротив окна, села ворона и каркнула, а, во-вторых, наша соседка, старуха Елизавета, сломала кран у своего самовара, в чем все увидели недобрые предзнаменования».

Отстучав эти слова, я откидываюсь в кресле и говорю себе решительным тоном: опять не то! Фраза кажется мне манерной, а за «необычайные» и «свет божий» просто хочется надавать себе по щекам. Но, успокоившись, я принимаюсь за рассуждения. Прежде всего к черту иронию, говорю я себе, какие могут быть шутки, если речь идет о рождении человека, причем не какого-то человека, а тебя самого, то есть альфы и омеги вселенского бытия. Тут надо написать как-нибудь строго, подробно, проникновенно — одним словом, серьезней, товарищ, последовательней! Наконец, что необычайного ты нашел в том, что старуха испортила самовар?.. Нет, эту фразу нужно основательно перекроить, а лучше совсем ее упразднить и учинить что-нибудь пейзажное, настроенческое, например:

«Погода в тот день, как мне рассказывали впоследствии, была нефевральская, слякотная: весь день капало с крыш, и сырой, пронизывающий ветер стучался в стекла».

Во-первых, долой «пронизывающий», говорю я себе, штампуем, товарищ, без совести и стыда. Далее: ветер, который стучится в стекла, навевает что-то гнетущее, беспокойное и как будто предвещающее беду. Зачем это, если к тридцати годам ты не Писарев и не Наполеон и ничего рокового в твоей судьбе вроде бы не предвидится? Тут требуется что-то лирическое и простое, например: «И дул сырой, противный ветер». Но теперь получается фальшь против заданной ноты, и выходит похоже на стихи штабс-капитана Лебядкина:

> Тогда брачных, законных наслаждений желаю,
> И вслед ей, вместе с матерью, слезу посылаю.

И в конце концов, при чем тут погода?

Не то чтобы я был особенно привередлив и требователен к тому, что пишу; правильнее сказать, я испытываю нехорошее беспокойство, когда сочиненное мною чем-то неудовлетворительно и даже когда во фразу просто вкралась грамматическая ошибка. К тому же я взял за правило писать таким образом, чтобы каждое предложение звучало законченно, кругло и не врало относительно заданной ноты. Допустим так:

«Ночью у ручья, похожего в темноте на большую гадюку, тонко шумели заросли камыша, сам собою шуршал песок, казавшийся белым, и чуть слышно свиристела в прибрежной гальке вода».

Положа руку на сердце должен сознаться, что эта фраза кажется мне почти совершенной, поскольку в ней есть почти все для того, чтобы возбудить в сообразительном человеке задуманную картину и не утомить его излишествами, а это важнее всего. Правда, пока эта фраза существует сама по себе, и еще я не знаю, где ее придется употребить, но это не умаляет ее достоинств. Славная фраза, честное слово, славная! Конечно, такая характеристика не делает чести моей авторской скромности, но что же делать, если она действительно хороша? К тому же в огромном большинстве случаев моя литературная продукция представляется мне настолько небезупречной, что по перечтении иного рассказа я даже в состоянии прихворнуть. В такие минуты я совершенно уверен, что литература — это не мои сани, и поэтому клятвенно обещаюсь плюнуть на свои писательские занятия и, пока не поздно, заняться чем-нибудь путным. Вероятно, эти клятвы серьезно вредят моему нервному аппарату, поскольку в такие минуты меня неодолимо клонит ко сну. Тогда, чтобы не заснуть с горя, я открываю первый попавшийся мне в руки журнал и принимаюсь за какую-нибудь повесть или рассказ. Обычно мне попадаются такие неказистые штучки, что на душе у меня понемногу светлеет и в конечном итоге делается так весело и легко, точно мне нагадали, что я никогда не умру. В конечном итоге я постигаю, что все написанное мною куда содержательнее и умней, и на меня тотчас нападают приятные грезы о будущей известности, о достатке, о блестящих знакомствах и прочей изумительной чепухе. Я спрашиваю себя: а что, если я, ничем не замечательный человек, каким я считал себя до сих пор, в действительности и есть тот самый избранник, которому суждено, так сказать, принять эстафету от олимпийцев? Но от этой догадки мне становится страшно, и я наотрез отказываюсь верить в такой ошеломительный жребий. Однако как странно устроена человеческая голова! Ведь все до последнего медяка мною поставлено на Пегаса, а между тем меня постоянно мучает подозрение, что я положил свою жизнь не на тот алтарь...

Но что определенно, так это то, что мое будущее неопределенно и положительно невозможно сказать, чем меня подарит. Принимая во внимание странный норов моей звезды, нельзя предсказать не только моей литературной будущности, но даже того, что случится со мной еще до наступления ночи. Скажем, сегодня я еще старший корректор издательства, название которого мне не хотелось бы поминать, но я не уверен, что нынче вечером, отправившись прогуляться, я не украду с лотка какое-нибудь дурацкое яблоко или не сделаю замечание милиционеру, из чего могут выйти самые отчаянные неприятности.

Часам этак к двум пополудни я вытаскиваю из каретки наполовину исписанные листы, рву их в клочья и, заправив новые, говорю себе: работать, товарищ, работать и еще раз работать! Итак:

«Родился я 12 февраля тысяча девятьсот сорок... такого-то года в ночь с воскресенья на понедельник».

Но только смолкает моя машинка, как в передней верещат три коротких звонка, объявляя о несчастье, которое преследует меня в последние годы,— нежданно-незваном госте. Мало того, что бесконечные посетители отвлекают меня от литературных занятий, они меня мучают еще и в чисто нравственном отношении, так как при посторонних я положительно не в состоянии быть тем, что я есть на деле. Почему-то я не в состоянии ни говорить, ни жестикулировать, ни управлять своей мимикой, не сообразуясь автоматически с тем впечатлением, которое я произвожу или хотел бы произвести. По этой причине все, что я ни делаю, выходит у меня до такой степени противоестественно и неловко, что иногда мне кажется, что говорю, или смеюсь, или прохаживаюсь вовсе не я, а какой-то другой человек, невоспитанный и неумный. Если же мне случается в эти минуты увидеть свое отражение в зеркале или в темном стекле, я не узнаю сам себя и дивлюсь непохожести отражения на оригинал.

Больше всего я не люблю, когда ко мне приводят незнакомых девиц. Они то и дело норовят сказать какую-нибудь фамильярность про классиков или затеять умственный разговор, от которого голова кажется набитою ватой и делается противный зуд в переносице. В их присутствии я против воли несу такой вздор, что меня, наверное, принимают за дурака.

В равной степени неприятны мне и посещения Василия Константиновича Заступника. Когда-то он напечатал два или три рассказа и теперь, что называется, много о себе понимает. Нам с ним решительно не о чем говорить, но если он застает у меня компанию, то некоторое время угрюмо молчит, потом вдруг хватается двумя пальцами за переносицу и начинает:

— Как все удивительно сложно устроено! Вот вы, молодые люди, возможно, думаете, что я провидец. А между тем мне многое непонятно. Вы не поверите, но я уже вторую неделю думаю: зачем нужны пауки? В природе ведь все гармонично, все имеет свое место и строгое назначение. Но скажите, зачем нужны пауки? Может быть, они олицетворение беспричинного зла, которое существует, в частности, для того, чтобы оттачивать добродетель...

Словом, народ у меня бывает разный, и главным образом неприятный, но на этот раз ко мне в комнату входит мой старинный приятель Кудельников, милый малый и к тому же поэт. Когда-то мы с ним на пару грезили о славе и процветании, но уже года два, как Кудельников вывел, что он не избранник. Я в глубине души удивляюсь, почему он еще жив, но мой Кудельников как-то сумел смириться, а неизбежная в таких случаях желчь изливается у него в адрес авторитетов. О чем бы ни зашел разговор, он обязательно ввернет какую-нибудь гадость о любовных похождениях Пушкина или скажет, что Магомет был эпилептик, а у Джоконды обкусанные ногти.

Когда, поздоровавшись, Кудельников усаживается на стул, я говорю ему, нимало не скрывая своего раздражения:

— Послушай! Ты не мог бы прийти попозже, видишь, что я пишу?

— И пиши себе на здоровье,— отвечает он,— кто тебе не велит?

— Да как тут писать,— восклицаю я,— когда ты сейчас будешь сидеть у меня за спиной?! А то еще, чего доброго, станешь приставать, чтобы я слушал твои стихи.

Кудельников молчит, но я чувствую, что сейчас он точно будет читать стихи.

— Хорошо! — говорю я.— Черт с тобой, читай и, пожалуйста, уходи.

Тогда Кудельников вдруг делается многозначителен, как эпиграф, и, вынув из кармана несколько помятых листков, начинает читать стихи. Стихи его, разумеется, нудные и пустые, но когда Кудельников прячет листки в карман и делает мне глазами «ну как?», я говорю неправду. Я лгу неопределенно и обнадеживающе, а про себя подумываю, что это, конечно, нехорошо, но что еще хуже бывает выслушивать нелицеприятную правду и при этом чувствовать себя так, как будто тебя бьют, а ты хочешь показать, что тебе не больно.

Проходит не более десяти минут после отбытия Кудельникова восвояси, как в прихожей опять верещат звонки. На этот раз является моя подружка Надежда, девятнадцатилетняя девочка с надутыми губками и кукольными глазами. Надежда предана мне, как аист, но я подозреваю, что подле меня ее удерживает надежда со временем разделить со мной известность, достаток, блестящие знакомства и прочую изумительную чепуху. Я чувствую это, когда от тоски читаю ей что-нибудь из своих сочинений. Она сидит, бедняжка, как замороженная, изо всех сил стараясь изобразить у себя на лице сочувствующую мину, но я вижу только недоумение и тоску. Мне по-своему ее жаль, но я всегда назло дочитываю до конца, поскольку от женщин я не знал ничего хорошего — только пакости и злодейства. Иногда я даже подумываю: а не для того ли я затеял всю эту писательскую канитель, чтобы отомстить за свой неуспех у женщин, то есть заставить казниться тех, кто когда-то не принял моей любви, а главное, обеспечить себе поклонение в будущем?..

Через полчаса или около того Надежда уходит. Проводив ее до дверей, я сажусь за машинку и долго таращусь в одинокую строчку:

«Родился я 12 февраля тысяча девятьсот сорок... такого-то года в ночь с воскресенья на понедельник».

Потом я соображаю, что, пожалуй, сегодня уже ничего больше не напишу. Тело делается воздушным, глаза немеют, и через минуту я погружаюсь в сон.

Когда я просыпаюсь, уже темно и комната усеяна бледными пятнами от уличных фонарей и соседних окон. Я поднимаюсь из-за стола, закуриваю сигарету и выглядываю на двор сквозь тюлевую занавеску. Я долго смотрю на горящие желтым, красным и оранжевым светом чужие окна, за которыми, несмотря на позднее время, еще бодрствуют люди, и мне кажется, что все они пишут, пишут...

ВОЛШЕБНИК

ультурная жизнь города Батюшкова — курьезна. Поскольку местные силы представлены только кружком макраме и струнным оркестром железнодорожников, искусства время от времени являются в Батюшков со стороны и при этом в формах настолько демократических, что не всегда разберешь, искусства это или «базар-вокзал», как выражаются здешние остряки. То привезут в Батюшков зверинец дрессированных хищников и наставят на пыльной площади, прямо напротив здания горсовета, клетки с волками, медведями, лисицами, уссурийскими тиграми, и они по ночам тревожат город дикими голосами, то прибудет труппа лилипутов или мотогонки по вертикальной стене, то явится человек-арифмометр, который оперирует в уме огромными цифрами и читает чужие мысли.

А тут как-то летом в Батюшков приехал фокусник Колычев. Это был немолодой человек в старомодной фетровой шляпе, в старомодном костюме из чесучи и в лаковых башмаках, которые теперь носят только деревенские сердцееды. В последних числах июня, когда в городе еще кое-где доцветала сирень, в самую знойно-сонную пору дня, он вышел из рейсового автобуса, пересек городскую площадь, попутно вспугнув стаю сизарей и по-приятельски кивнув постовому милиционеру, а затем скрылся в здании горсовета. Кроме милиционера, немного расхристанного по причине жары, старушки, торговавшей на углу жареными подсолнухами, и двух подвыпивших мужиков, которые подсчитывали на пальцах, кто кому остается должен, появление фокусника Колычева было замечено еще и Василием Ивановичем Лодкиным, сотрудником районного финансового отдела и общественным корреспондентом местной газеты «Новь». Колычев его почему-то сильно заинтриговал, и он поспешил в редакцию «Нови», чтобы сообщить редактору о прибытии загадочного лица. Затем он позвонил в горсовет и навел справки относительно незнакомца: оказалось, что тот был всего-навсего иллюзионистом из Росконцерта. Это сообщение Лодкина немного разочаровало, и тем не менее он решил взять у Колычева короткое интервью, которое всегда можно было сбагрить в отдел культуры. Впоследствии ему даже пришло на ум, что если удастся выудить у фокусника кое-какие секреты его искусства, то можно будет предложить газете новую рубрику с рабочим названием «По ту сторону фокуса» и под эту дудку печатать потом разоблачительные материалы о штурмовщине на заводе железобетонных изделий и о хищениях в парниках.

Лодкин решил взять интервью у фокусника Колычева после третьего, последнего представления, а на первые два ни в коем случае не ходить — почему он принял такое вымученное решение, неизвестно. На третий день он вымыл шею, побрился, надушился одеколоном и отправился в Дом культуры.

Народу на представлении было мало: в средних рядах сидело человек десять, сзади сбилось человек десять, а прямо перед сценой расположился нетрезвый человек во флотской фуражке. Лодкин сел позади него.

Ровно в семь часов вечера на сцену вышел Колычев в сопровождении круглолицей девицы; по залу пробежали неровные аплодисменты, и кто-то крикнул:

— Клавка, зараза, и ты подалась в артистки!

Видимо, Колычев, не возил с собой ассистенток, предпочитая подыскивать их на месте, чем и объяснялась непотребная реплика из зала, которая вогнала бедную Клавку в уныние и конфуз. В течение всего представления она то бледнела, то багровела и постоянно прыскала в газовую косынку.

— Добрый вечер, дорогие товарищи! — начал Колычев, противоестественно изогнувшись и устремив руки в зал.— Сейчас вы увидите ряд чудес, в которых, однако, нет ничего чудесного. На самом деле они представляют собой сплав изощренной мысли, технической фантазии и личного мастерства. На этих трех китах и держится искусство иллюзиониста, которое в своей основе глубоко материалистично — этот принципиальный момент я бы хотел особенно подчеркнуть. Еще в те далекие времена...

— Кончай базар! — вдруг закричал человек во флотской фуражке.— Давай фокусы показывай, балабол!

Колычев пожал плечами, в растерянности немного помедлил и стал показывать фокусы, видимо решив не дразнить гусей. Вначале, надо полагать для затравки, Колычев пустил более или менее традиционные номера, как-то: глотание шариков для пинг-понга, вытаскивание из рукава бесконечной шелковой ленты, саморазвязывание косынок, предварительно соединенных мертвым морским узлом. Эти фокусы не произвели на публику сильного впечатления, а человек во флотской фуражке даже демонстративно зевал и сморкался на пол; в конце концов он разлегся в кресле и поднял притворный храп. Но потом пошли настоящие чудеса. Впрочем, начались они тоже довольно традиционно: Колычев попросил у публики ручные часы. По залу прошло некоторое замешательство, но тут поднялся человек во флотской фуражке и злобно протянул Колычеву свою «Ракету». Колычев положил часы на маленький столик, который загодя вынесла ассистентка, взял молоток и вдруг принялся колотить по ним с такой неистовой силой, что из-под молотка брызнули колесики, винтики и прочие металлические детали.

— Правильно! — сокрушенно приговаривал человек во флотской фуражке.— Так их, кроши, разбирай на части! Слава богу, не свои. Ну, ничего, мы другие купим. А с товарищем фокусником по поводу часов в антракте поговорим. Национально, по-русски!..

И он показывал сцене литой кулак.

— Вы, товарищ, напрасно беспокоитесь,— сказал Колычев и примирительно улыбнулся.— Ваши часы в полном порядке. Вон они у вас, на левой руке.

Человек во флотской фуражке посмотрел на правую руку, потом на левую и сказал:

— Точно! Только эти часы не мои. Мои были «Ракета», а эти какие-то заграничные.

— Эти лучше,— сказал ему Колычев.

— Может, они и лучше, но я бы желал получить свои.

— Как вам будет угодно,— согласился Колычев и протяжно вздохнул.— Посмотрите на левую руку: сейчас должны появиться ваши.

Человек во флотской фуражке снова посмотрел на правую руку, потом на левую и весело отозвался:

— Теперь мои!

Вслед за этим он повернулся в зал и добавил:

— Глядите, товарищи, точно мои! Вот это, я понимаю, искусство в массы!

Раздались неуверенные аплодисменты, которые заглушил чей-то голос:

— Не слушайте его, граждане, он подкупленный! У них тут целая бригада по одурачиванию мирного населения.

Колычев внимательно глянул в зал, нащупал глазами бунтовщика и обратился к нему со следующими словами:

— Вот у вас, товарищ, в нагрудном кармане лежит серебряный портсигар. Вы тоже подкупленный?

Бунтовщик с минуту молчал, а затем донесся его беспокойный голос:

— Граждане, я, честное слово, не подкупленный! И портсигар этот вижу первый раз в жизни...

— Ничего,— сказал Колычев.— Владейте на здоровье.

Третье чудо вышло весьма комичным. Началось оно с того, что Колычев пригласил подняться на сцену кого-либо из тех, кто во всю свою жизнь не прочел ни единой книги. Зал ответил на это приглашение застенчивыми смешками, которые могли означать только то, что в нелюбителях чтения тут не было недостатка. Тем не менее затащить кого-либо из них на сцену долго не удавалось. Наконец, поднялся крупный мужчина в голубой тенниске и во всеуслышание заявил, что он сроду не читал ничего, кроме газет, и нисколько этого не стыдится.

— Вы на себя наговариваете,— сказал Колычев, саркастически улыбаясь.— Я знаю наверняка, что вы очень начитанный человек. Кстати, не расскажете ли нам о некоторых преимуществах, извлекаемых из чтения древних авторов?

Мужчина в голубой тенниске, что называется, сделал большие глаза и, судя по всему, собрался протестовать, но вдруг поперхнулся, потом несколько раз вздрогнул всем телом и вслед за этим понес нечто такое, что повергло зал в немалое изумление.

— Авторитет, которым в равной степени на протяжении почти всех столетий пользовались древние греческие и римские писатели,— начал он,— делает их для нас крайне интересными, при всем том, что в разные времена их ценили по разным причинам. Конечно, если бы у них не было других преимуществ, кроме тех, которые в них некогда находили, если бы от них не было никакой другой пользы, кроме той, что они приносили в течение долгого времени, то они привлекали бы наше внимание лишь подобно какому-нибудь старому арсеналу, для нас непригодному...

Комичным во всем этом, собственно, было то, что, говоря как по писаному, человек в голубой тенниске сохранял на лице тупое, испуганное, замученное выражение. Временами даже казалось, что говорит вовсе не он, а какой-то внедренный в него чужеродный голос, с которым он решительно не согласен. И это было забавно, как бывает забавно, когда младенцам надевают роговые очки или когда медведи ездят на мотоциклах.

— А вы говорите, что книг не читаете,— наконец перебил его Колычев.— Как же вы их не читаете, когда вы нам сейчас продекламировали целую страницу из «Эстетики» Гегеля?!

Мужчина в голубой тенниске печально развел руками.

— Сам не пойму,— напуганно сказал он.— Я про такого даже и не слыхал!..

Четвертое чудо коснулось всех. Колычев ни с того ни с сего попросил присутствовавших на минуту закрыть глаза, и тут случилось такое, чему впоследствии никто не мог дать сколько-нибудь вразумительного объяснения: все вдруг очутились на Соломоновых островах. Разумеется, сначала никто не понял, что это были именно Соломоновы острова, ибо никто из города Батюшкова на них до этого не бывал. Просто-напросто все присутствовавшие в городском Доме культуры таинственным образом оказались на каком-то экзотическом берегу: впереди расстилалось голубовато-зеленое море, позади стояли высокие пальмы, шумевшие листьями не по-нашему, а как птицы шумят крылом; слева виднелись пестрые будки, справа — компания полуголых людей. Пока народ из батюшковского Дома культуры ошалело озирался по сторонам, к Лодкину подскочил полуголый парень и знаками предложил купить у него японский транзистор, открытки с видами Парижа и малоношеные штаны. Лодкин уже стал было приценяться к транзистору, как все вдруг опять таинственным образом оказались в самом центре нечерноземной России, в городе Батюшкове, в Доме культуры, в тех же самых дерматиновых креслах, прожженных сигаретами и расписанных ругательными словами. По возвращении все принялись подозрительно поглядывать на соседей, выискивая в глазах друг у друга признаки сумасшествия.

— Спокойно, товарищи! — сказал Колычев.— Ничего особенного не произошло. Просто мы с вами сейчас побывали на Соломоновых островах. Кому понравилось, поднимите руку.

Над залом моментально взвились десятки рук, и только человек во флотской фуражке демонстративно спрятал свои в карманы.

Наконец, последнее чудо Колычев проделал над собственной ассистенткой. Предварительно он рассказал о том, что человеческая красота — это понятие относительное и зависящее от таких нечаянных обстоятельств, как настроение, время года, одежда и освещение, а затем вывел Клаву на середину сцены и посоветовал залу за нею понаблюдать. Внезапно освещение в зале стало мало-помалу меркнуть, вернее даже не меркнуть, а как-то преображаться, ударяясь то в сумеречную приглушенность, то в матовое предутреннее сияние, то в лунную зеленцу, и, видимо, под воздействием этих преображений с ассистенткой Клавой начали совершаться разительные перемены. При сумеречной приглушенности она сделалась привлекательной, при последующих световых превращениях сначала хорошенькой, потом смазливо-хорошенькой и, наконец, такой необыкновенной красавицей, что в зале поднялся ропот.

В заключение Колычев испарился: он стоял на сцене, стоял и вдруг — испарился.

Выйдя из Дома культуры, Лодкин с облегчением закурил папиросу и стал дожидаться появления Колычева. Прошло, наверное, полчаса, прежде чем тот объявился, держа в левой руке маленький чемоданчик, а правой отбиваясь от комаров. Лодкин остановил его, представился и заикнулся об интервью. Вопреки ожиданию Колычев не только не стал кобениться, но с живостью согласился ответить на любые лодкинские вопросы. При этом он заметил, что ему очень есть что сказать, а между тем об интервью его просят впервые в жизни.

В рублевом гостиничном номере, убранном на самую что ни на есть районную ногу, между Лодкиным и Колычевым состоялся в высшей степени примечательный разговор. В преддверии этого разговора они уселись на стульях друг против друга, выжидательно помолчали, а потом Колычев спросил:

— Так с чего мы начнем?

— Вот с чего: расскажите, как вы пришли к вашей профессии.

— Гм! — произнес Колычев и почесал переносицу.— Видите ли, не столько я к ней пришел, сколько она ко мне. Можно сказать, что иллюзионистом я родился, как рождаются полководцами, мыслителями, сочинителями и так далее. Правда, я это понял не сразу. Сначала я учился в университете на экономиста, потом в другом университете, но уже на филолога, потом я служил в различных организациях, ну а потом открылось, что я природный иллюзионист.

— Интересно: и как же это открылось?

— Да вот так же, за разговорами, и открылось. Сидели мы однажды с приятелями и мечтали: один говорил, что хочет добиться того, другой этого, третий жаждал приобрести вес среди филателистов, четвертый стремился к власти. А я сказал, что мечтаю иметь синий двубортный костюм из английской шерсти.

— Ну и что?

— А то, что как только я произнес эти слова, на мне уже был синий двубортный костюм из английской шерсти.

— Ну, это вы, положим, шутите,— сказал Лодкин.

— Отнюдь,— возразил ему Колычев.

— Ну хорошо, опустим предисловие и перейдем непосредственно к вашим фокусам. Как хотите, а прав русский народ: шила в мешке не утаишь.

— Вы это к чему?

— Я к тому, что подоплека ваших фокусов очевидна. Вот, скажем, фокус с часами: ясно, что вы только внушили моряку, будто взяли его часы, а на самом деле вы их не брали. Так было дело или не так?

Колычев безразлично пожал плечами.

— Нет, это, конечно, по-своему интересно,— продолжал Лодкин,— но хотелось бы, знаете ли, чего-то совершенно необъяснимого, феерического, как у Кио. Чтобы, понимаете, заперли женщину в ящик, разрезали ее вместе с ящиком на четыре части, а она вылезает как ни в чем не бывало и еще, понимаете, улыбается.

— Ну, Кио — это классика,— ядовито сказал Колычев и развел руками.— Куда нам чай пить!..

— Или, положим, эти ваши Соломоновы острова; извините за выражение, коню понятно, что тут имел место сеанс массового гипноза.

Колычев тяжело вздохнул.

— Я к чему клоню,— сказал Лодкин.— Поскольку шила в мешке все равно не утаишь, то, может быть, вы посвятите общественность в некоторые ваши технические секреты?

— Общественность не могу,— сказал Колычев,— а вас лично — пожалуйста. Видите ли, интервью со мной ваша газета все равно не напечатает, а вы еще и неприятностей наживете.

Лодкин, который уже было взялся за блокнот, после этих слов даже как-то опал, как это бывает с доверчивыми людьми, когда они соображают, что их самым жестоким образом разыграли.

— Видите ли, весь секрет заключается в том, что я, собственно, не фокусник, а волшебник.

Лодкин строго глянул на Колычева, выдержал беспокойную паузу и сказал:

— Вы это серьезно?

— Ну, посудите сами, с какой стати мне вас обманывать? Тем более что своим словам я сию минуту могу привести неопровержимые доказательства. Хотите, я прямо сейчас построю напротив горсовета какой-нибудь Тадж-Махал?

— Не хочу,— испуганно сказал Лодкин.

— Ну, как хотите. А то прямо сейчас могу выстроить Тадж-Махал. И не иллюзию какую-нибудь, а самое что ни на есть материальное сооружение — хоть щупай, хоть подожги.

— Извините,— сказал Лодкин,— но все это, знаете ли, как-то странно...

— Это очень странно! — с готовностью согласился с ним Колычев.— Но это факт. И рад бы, чтобы это было не так, да уж, видно, ничего не поделаешь. Вообще, вы думаете, легко быть волшебником? Да это, если хотите знать, как каторга, как проклятие, как болезнь! Ведь я все могу, понимаете, все могу! Помолодеть могу, миллионером стать могу, на Дорониной жениться могу!..

198

Короче говоря, для меня практически не существует понятия «не могу». А ведь как хотите...

В этот момент кто-то постучал в дверь.

— Войдите! — сказал Колычев, и в номер вошел человек во флотской фуражке; в одной руке у него была бутылка шампанского, а в другой большой букет львиного зева.

— Я, товарищ фокусник, пришел вас поблагодарить,— сказал он и сделал ногами какую-то ерунду.— Во-первых, за доставленное удовольствие, во-вторых, за часы.

— Служу Советскому Союзу! — сказал Колычев.

— И это... насчет часов,— начал человек во флотской фуражке, но Колычев его оборвал:

— Извините, пожалуйста, я сейчас занят,— сказал он и кивнул в сторону Лодкина, который немедленно принял сердито-официальное выражение.

— Я только насчет часов...

— Я вас с удовольствием выслушаю минут через тридцать — сорок.

— Да дело-то пустяковое...

— И тем не менее я прошу вас зайти попозже.

— Только два с половиной слова...

— Нет, с этим народом нужно иметь ангельское терпение! — сказал Колычев, и человек во флотской фуражке исчез; на том месте, где он только что находился, стояла керамическая ваза, из которой торчали бутылка шампанского и букет львиного зева.

— Вы куда дели бедного моряка? — в ужасе спросил Лодкин.

— Я превратил его в вазу,— равнодушно сказал Колычев и пригладил волосы.— Не беспокойтесь: как только мы закончим наш разговор, я совершу обратное превращение.

Лодкин налил себе из графина полный стакан кипяченой воды и выпил, расплескав не менее половины.

— Ну так вот,— продолжил Колычев.— Как хотите, а это скучно. То есть скучно мочь все. Впрочем, «скучно» — это совсем не то слово. Вот как называется, когда жизнь решительно не имеет смысла?

— Я не в курсе,— ответил Лодкин.

— А я в курсе: по-моему, это называется — живой труп. Это вам покажется странным, но я живой труп — вот до чего довели меня возможности волшебства! Я даже удивляюсь, почему я все еще жив? почему я до сих пор не наколдовал себе смерти? Ведь, кажется, чего проще: сказать себе «сгинь!» и сгинуть... Наверное, это слабость, наверное, я просто-напросто пошлый трус!

— Я этого не понимаю,— возразил Лодкин.— Зачем умирать, если вы можете жениться на Дорониной? Взяли бы лучше да и женились.

— Потому и не женюсь, что мне это, как говорится, раз плюнуть. И мне непонятно, что тут может быть непонятно. В том-то и заключается вся вероломная философия, что как только некто или нечто достигает какого-нибудь абсолюта, например всемогущества, его существование становится бессмысленным и ненужным. Недаром бога нет и быть не может, ибо всемогущество неизбежно оборачивается бессилием, как абсолютное благо нелепостью и бедой. Недаром исторический процесс задуман таким хитроумным образом, что он представляет собой стремление к абсолюту, который недостижим. Таким образом, истинное благо на стороне тех, у кого больше проблем и недоразумений. Таким образом, это наше счастье, что есть несчастья.

— А по-моему, это идеализм,— сказал Лодкин.— Причем очень вредный идеализм, потому что на самом деле вас можно с большим экономическим эффектом использовать в народном хозяйстве. Например, взяли бы и наколдовали, чтобы у нас прекратилась штурмовщина на заводе железобетонных конструкций и хищения в парниках!

— Хотите верьте, хотите нет, а этого не могу.

— Почему?

Колычев печально развел руками.

— Нет, вы не не можете,— сказал Лодкин на торжественной, прокурорской ноте.— Вы вредительски не хотите!

— А вот за такие слова я вас могу превратить в совершенно счастливого человека! Вы хотите превратиться в счастливого человека?

Лодкин на мгновение призадумался, потом пожал плечами и застенчиво улыбнулся.

— Вот и отлично! — сказал Колычев.— Как только вы выйдете из гостиницы, вы превратитесь в совершенно счастливого человека. А теперь давайте прощаться...

— Погодите,— сказал Лодкин.— Про моряка-то мы позабыли!

— Действительно,— согласился Колычев,— моряка уже можно расколдовать.

Только он произнес эти слова, как на месте керамической вазы вырос человек во флотской фуражке, который по-прежнему держал в одной руке бутылку шампанского, а в другой букет львиного зева.

— Так вот я насчет часов,— как ни в чем не бывало заговорил он.— Я тут подумал маленько и решил, что я зря отказался от иномарки. С моей стороны это было прямо легкомысленное решение. Отсюда такой вопрос: нельзя ли это дело как-то перекантовать?

Лодкин не стал дожидаться результата переговоров, откланялся и ушел. Действительно: как только за ним с визгом и грохотом затворилась дверь гостиничного подъезда, на него вдруг напало чудесное состояние легкости и покоя, но, как это ни странно, первая мысль, которая пришла ему в голову, была мысль о том, что вообще-то хорошо было бы повеситься...

РАССКАЗЫ О ПИСАТЕЛЯХ

ВЕЧНЫЙ ВИССАРИОН

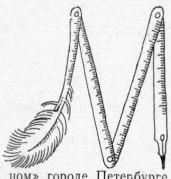

ного лет назад в «умышленном» городе Петербурге жил-был подданный Российской империи Виссарион Григорьевич Белинский, который изо дня в день ходил теми же маршрутами, что и мы, положим, Поцелуевым мостом или мимо Кузнечного рынка, как и мы, говорил общие слова, чихал, тратил деньги и ежился от балтийских ветров, которые слегка припахивают аптекой. Сейчас это трудно себе представить, но он был нисколько не хрестоматийный, а самый нормальный человек немного достоевского направления: болезненный, издерганный, пообносившийся, вообще живущий в разладе с жизнью и при этом свято верующий в то, что красота спасет мир. В сущности, от нас с вами этот человек отличался тем, что носил картуз на вате и что талантище у него был такой, какой выпадает не чаще чем раз в эпоху, а то и в две. Однако «вечным Виссарионом» его следует отрекомендовать не только потому, что истинный талант вечен, но еще и потому, что писатели-то по-прежнему пописывают, а читатели по-прежнему почитывают, и предела этим старинным занятиям не видать.

Для того чтобы объяснить, почему это так и есть, необходимо указать на один неприглядный факт: сейчас Белинского практически не читают; как пройдут его в школе, как зазубрят, что «жизнь Белинского — яркий пример беззаветного служения родине, народу», так уж больше и не читают. А зря!..

Возьмем хотя бы вопрос о значении литературной критики; литературная критика существует у нас, по крайней мере, сто пятьдесят лет, и тем не менее вопрос: нужна ли она, а если нужна, то зачем? — для многих вопрос открытый. Нормальный читатель скажет, что если книга хороша, то народ в этом и без критики разберется, нормальный писатель скажет: литература-де, к счастью, не становится лучше или хуже в зависимости от того, бранят ее или хвалят. Тут даже не то важно, что оба правы, хотя и периферийной, мелкотравчатой правотой, а важно то, что вопрос-то давно закрыт. И закрыл этот вопрос Виссарион Григорьевич Белинский, который, в сущности, и открыл его и закрыл. И если он до сих пор остается для нас вопросом без исчерпывающего ответа, так, в частности, потому, что мы Белинского не читаем...

Если бы мы читали Белинского, то разобраться со значением литературной критики нам помогла бы следующая его фраза: «Разве мало у нас людей с умом и образованием, знакомых с иностранными литературами, которые, несмотря на все это, от души убеждены, что Жуковский выше Пушкина?» Вероятно, в ответ на это предположение девяносто девять человек из ста теперь заявили бы, что у нас таких нет, что Пушкин — великий художник, что это известно всем. Однако в большинстве случаев они скажут так вовсе не по убеждению, вынесенному из чтения Пушкина, а потому, что в восьмом классе учительница литературы им так сказала. Но ведь и не учительница это открыла, и не профессора, которые учили учительницу в педагогическом институте, и даже не профессора ее профессоров — это открыл Белинский. В то время как многие современники Пушкина, и среди них люди даже в высшей степени культурные, понимающие, считали его всего-навсего сочинителем острых стишков, занятным прозаиком и неудавшимся драматургом, Белинский безошибочно указал на первого гения в русской литературе — Пушкин. А что, если бы Белинский этого не открыл? Холодный пот прошибает от такого предположения, потому что, попроси иного сегодняшнего читателя глубоко лично и, что называется, положа руку на сердце отозваться о сочинениях Александра Сергеевича, мы не гарантированы от следующего ответа: «Пушкин, конечно, гений, но, знаете ли, ланиты какие-то, коты разговаривают и вообще».

Уместен вопрос: а действительно ли это важно, чтобы каждый читатель знал, что Пушкин гений, Жуковский талант, Козлов дарование, Кассиров пустое место? Не просто важно, а очень важно! Как говорили римляне, искусство вечно, да жизнь коротка, что можно понять и так: вырасти из человека по форме в человека по существу означает еще и успеть приобщиться к духовному достоянию, наработанному, в частности, гениями художественной литературы, которое у нас сказочным образом превращает человека по форме в человека по существу. Но ведь к нему нужно еще пробиться, потому что искусство-то вечно, и путь, например, к «Преступлению и наказанию» лежит через дремучие дебри из «Милордов английских», «Кирюш», «Недовольных», «Собак в истории человечества» и прочих образчиков, так сказать, необязательной или даже сорной литературы. Следовательно, необходима какая-то санитарная служба, которая занималась бы прореживанием и расчисткой, которая прорубала бы путеводительные просеки и налаживала спасительные дорожки.

Что же касается значения литературной критики для тех, кто книги преимущественно сочиняет, то оно еще более велико, так как литературная критика — это, во-вторых, санитарная служба, а во-первых, камертон и родительница новых эстетических положений. Конечно, критика не в состоянии сделать *писателя* из писателя, но, во всяком случае, она может навести человека на ту дельную мысль, что, например, 76 лет спустя после смерти Толстого никому не нужны писатели, которые пишут теми же словами, что и Толстой, и о том же, о чем Толстой, но только гораздо хуже. В этом месте нужно будет вернуться к цитате: «Разве мало у нас людей с умом и образованием, знакомых с иностранными литературами, которые, несмотря на все это, от души убеждены, что Жуковский выше Пушкина?» — потому что эта цитата имеет насущное продолжение: «Вот вам объяснение, почему в нашей литературе бездна самых огромных авторитетов». Дело тут в том, что огромные, то есть по преимуществу фальшивые, авторитеты, возникающие в тех случаях, когда критика недобросовестна или она просто не начеку,— это не так безобидно, как может показаться со стороны. Мало того, что «маленькие великие люди с печатью проклятия на челе» всегда разжижали репутацию нашей литературы, они еще и закономерно тяготели к тому, чтобы теснить и преследовать истинные таланты, которые для них — нож острый, поскольку самим фактом своего существования они на корню разоблачали «огромный авторитет». Что это означает в практическом смысле: в практическом смысле критика кроткая, неталантливая и ручная всегда была той силой — точнее, слабостью,— которая воспитывала кумиров из ничего и, следовательно, строила козни против настоящей литературы под девизом «Каждому Моцарту по Сальери!». Потому что писателя эти кумиры норовили подвести под лепажевский пистолет, а, в свою очередь, из читателей делали либо нечитателей, либо читателей всякой белиберды. Следовательно, истинная критика есть, в частности, иммунная система литературы, и доказал это «вечный Виссарион».

Но самая значительная заслуга Белинского перед отечественной словесностью, даже вообще перед словесностью, такова: по сути дела, Белинский вывел, что такое литература, чем она занимается, чему служит и ради чего мобилизует под свои знамена наиболее замечательные умы; тем самым он положил начало такому органическому, живому литературному процессу, при котором дела устраивались по Дарвину, то есть стихи и проза журдэновского пошиба обрекались на прозябание в настоящем и забвение в будущем, а талантливой литературе, по крайней мере, обеспечивался читатель. Словом, Белинский сделал для словесности то, что сделал для химии Менделеев, ибо он не изобрел ничего, кроме порядка, открывшего широчайшую перспективу. И уже поэтому был титан.

Между тем при личном знакомстве Виссарион Григорьевич разочаровывал своих современников, потому что они ожидали встретить титана, а видели застенчивого молодого человека очень невысокого ростом, сутулого, с белесыми волосами, нездоровым цветом лица, испорченными зубами, мелкими, как гвоздики, который к тому же «сморкался громко и неизящно». Действительно, внешне он был дюжинным человеком, разве что у него были прекрасные женские руки и глаза необыкновенной, какой-то умытой голубизны, и житейские симпатии с антипатиями у него были самые дюжинные, и обстоятельства внешней жизни ничем особым не отличались. Он родился в захолустном городке Пензенской губернии, в семье штаб-лекаря, владельца семерых крепостных, который хотя и попивал, но не ходил в церковь и читал Вольтера. Заочным восприемником у Белинского был цесаревич Константин Павлович; в детстве его звали Висяшей, а уличное прозвище дали почему-то Брынский Козел. Образование он получил в уездном училище, в пензенской гимназии и в Московском университете, из которого его исключили на третьем курсе «по причине болезни и безуспешности в науках». Сначала он жил в Москве, потом в Санкт-Петербурге, где тридцати двух лет женился на Марии Васильевне Орловой, особе немолодой. Свою карьеру он начал секретарем у графомана Дермидона Прутикова, а закончил ведущим критиком некрасовского «Современника», фигурально выражаясь, в чине канцлера русской литературы. Несмотря на то что ему как канцлеру и платили, жил Виссарион Григорьевич очень скромно, в небольших квартирках, обставленных кое-как. Больше всего на свете он любил комнатные растения и никого так не опасался, как пьяных мастеровых. Поскольку классического барского воспитания он в детстве не получил, то одевался неэлегантно, иностранными языками практически не владел, а из музыки сочувствовал только «Шарманщику» Шуберта и «адской пляске» из «Роберта-дьявола», которой он особенно симпатизировал за апокалиптическую окраску. Друзей в нынешнем понимании этого слова у Белинского не было, хотя его окружали лучшие люди своего времени; вообще, он был человек малообщительный, живущий преимущественно в себе. Работать Виссарион Григорьевич мог в любой обстановке: положим, под окнами играет музыкант-итальянец из 3-го Подьяческого переулка, дочь Зинаида ревма ревет, Мария Васильевна обсуждает с соседкой манеры генеральши, обитающей в бельэтаже, свояченица Аграфена под шумок учит сына Владимира площадным словам, пришла кухарка и требует задержанное жалованье, а Виссарион Григорьевич стоит за конторкой в халате на белой атласной подкладке с пунцовыми разводами, купленном в Париже, и знай себе исписывает страничку за страничкой, которые складываются в неаккуратную стопку на правом углу конторки, да еще время от времени переспросит:

— Ну и что генеральша?..

Впрочем, работал он, как правило, только дней десять — пятнадцать в месяц, а остальные жил в свое удовольствие, но писал так много, споро и мудро, как в его время никто, наверное, не писал. Тем не менее он самым серьезным образом считал себя литератором второстепенным и, бывало, жаловался со вздохом:

— Из своей кожи не выпрыгнешь...

Надо полагать, Белинского смущало то обстоятельство, что в области собственно художественной литературы он оставил только две скромные пьесы: одна — «Дмитрий Калинин», во многом вещь юношеская, другая — «Пятидесятилетний дядюшка, или Странная болезнь», которая была поставлена в щепкинский бенефис. И это, конечно, странно, если это, конечно, так, потому что на самом деле Белинский прямой соавтор всех наших великих писателей, потому что активами своего разума и души он обеспечил золотой век русской литературы, потому что, явившись на том переломе, когда из аристократического занятия она становилась огромным национальным делом, он основал литературную критику, как основывают религии, государства. То есть в области эстетики литературы Белинский копнул так объемно и глубоко, что вот уже 150 лет, как нам, в сущности, нечего добавить к его наследству, кроме кое-каких вариаций и мелочей, ибо нет такого коренного литературного вопроса, на который Белинский не дал бы исчерпывающего ответа, который он не решил бы на неопределенно продолжительное время, можно сказать, навек. И эти вопросы отчасти потому до сего времени остаются вопросами, что мы опять же Белинского не читаем, словно его сочинения писаны не про нас. Хотя они, безусловно, писаны и про нас, поскольку срок годности у них — вечность, поскольку писатели по-прежнему пописывают, а читатели по-прежнему почитывают, и конца этим старинным занятиям не видать...

Если бы мы читали Белинского, то нам, например, было бы ясно, что литература — это не «невинное и полезное занятие... для успеха в котором нужны только некоторая образованность и начитанность», что «творчество есть удел немногих избранных, а вовсе не всякого, кто только умеет читать и писать», и тогда мы, возможно, избежали бы того недуга, какой во времена Белинского только-только приобретал хронические черты. «Теперь же пишут и сапожники, и пирожники, и подьячие, и лакеи, и сидельцы... — в свое время подметил он, — словом, все, которые только умеют чертить на бумаге каракульки. Откуда набралась эта сволочь? Отчего она так расхрабрилась?» Отвечает на эти вопросы Белинский так: все дело в том, что, во-первых, за «каракульки» деньги платят, и они — самое доступное средство от бренности бытия, а во-вторых, «каракульки» у пирожников на поверку выходят ничуть не хуже, чем у «огромных авторитетов», и это, конечно, вводит людей в соблазн.

Если бы мы читали Белинского, у нас вряд ли затеялся спор о том, хорошо делают те писатели, которые строят свои тексты на основе синтаксиса районного значения, или нехорошо? Ибо Белинский очень давно ответил на этот вопрос: нехорошо, и объяснил, почему нехорошо: потому, что захолустный вокабуляр созидает не народность, а простонародность, и всякими «кабыть» и «мабуть» читателя за нос не проведешь, потому что литература — это не этнография, а литература.

Если бы мы читали Белинского, то давным-давно оставили бы глупую моду возводить в степень очернительства всякое изображение теневых сторон жизни, всякую художественную беду, всякого литературного негодяя. По этому поводу Белинский писал, что обвинять художника в том, что он оклеветал общество, выведя, положим, подлеца генерала, так же неумно, как осуждать мадонну Рафаэля на том основании, что женщинам свойственны еще и другие качества, кроме материнства, и утверждать, что посему Рафаэль женщину оболгал. Между тем у критиков присяжных и по склонности характера ничто не вызывало такого негодования, как именно нервный интерес русской литературы к несовершенствам человека и бытия. Критик «Москвитянина», например, сетовал: «Перебирая последние романы, изданные во Франции, с претензией на социальное значение, мы не находим ни одного, в котором бы выставлены были одни пороки и темные стороны общества...»

Эту мысль продолжал критик по склонности характера граф Бенкендорф.

— Вот французы пишут,— говорят, возмущался он,— бедный журналист изобрел способ получения дешевой бумаги, у господина такого-то длинный нос, жандарм ходит к прачке, а нашим нужно обязательно в каждый горшок плюнуть!

Эти упреки конечно же вытекали из недостаточности культуры, из непонимания того, что в силу своей природы художественная литература занимается главным образом недугами личностного и общественного порядка, и занимается ими потому, почему медицина в силу своей природы занимается болезнями человеческого организма. Тем более некстати было требовать благостности от русской литературы, которая испокон веков отвечала за неприкаянную душу человека...

Если бы мы читали Белинского, то с удовольствием обнаружили бы, какое это тонкое, художественное и, что самое неожиданное, веселое чтение: «добродетельный химик», «безнаветная критика», «двести мильйонов нелепого наследства», «профессор Вольф, человек, конечно, не гениальный, но весьма ученый и совсем не дурак...». Правда, уже с неудовольствием мы обнаружили бы и то, что местами Белинский банален, что прописные истины — это его конек. Но такое заключение было бы обманчивым, поскольку, во-первых, то, что банально сейчас, 150 лет тому назад было еще в новинку, а во-вторых, бывают такие несчастные времена, когда приходится выказывать чудеса ловкости и терпения, чтобы разоблачить какой-нибудь нелепейший общественный предрассудок, положим, доказать, что между чтением «Journal des Débats» и изменой отчеству существует все-таки значительная дистанция. Наверное, подивились бы мы и тому, что Белинский настолько жестоко и издевательски критиковал сочинения своих выдающихся знакомых, приятелей и друзей, что впору было стреляться, и тем не менее они оставались знакомыми, приятелями и друзьями, из чего, кажется, вытекает, что критики панически боится только посредственность, фальшивый авторитет, а талант, он что? — он все равно ведь талант, как его ни ругай.

Наконец, если бы мы читали Белинского, нам было бы очевидно, что настоящее критическое дарование неотделимо от своего рода мужества, дара провидения и абсолютного художественного чутья. Даже не так: талант нужен, а все прочее прилагается: мужество, дар провидения, художественное чутье или, если перелицевать эти качества на житейскую сторону, непрактичность, беспечность и в некотором роде бедовый нрав вытекают из таланта естественно, как следствия из причины. Перелицовка качеств тут нужна потому, что иначе мы Белинского не поймем. Ведь действительно нужно быть не только мужественным, но и довольно беспечным человеком, чтобы свергнуть «огромный авторитет» Марлинского или Владимира Бенедиктова, по которым в начале прошлого столетия сходила с ума вся читающая Россия. Нужно быть, конечно, непрактичным провидцем, чтобы предсказать нашей отчизне, что она скорее и радикальнее всех покончит с социальной несправедливостью. Нужно обладать бедовым художественным чутьем, чтобы сказать о Тургеневе то, с чем и сегодня редко кто согласится, а именно, что у него «чисто творческого таланта или нет — или очень мало», а также чтобы угадать в прозе Гоголя эстетическую революцию, в то время как многие серьезные люди считали его просто веселым клеветником, и при этом объяснить, почему Гоголь революционер; Чехов, уж на что был умница, и то не мог объяснить, почему ему нравится Шекспир и не нравится Потапенко, а Белинский — мог. Словом, нужно быть литератором гигантского дарования, чтобы позволить себе непрактичность, беспечность, бедовый нрав. Поскольку такое дарование — раритет, то нет ничего удивительного в том, что прочие наши критики, за редким исключением, были покладистыми и предусмотрительными людьми; одни просто предлагали выколоть глаза всем мадоннам, другие были заняты не столько анализом литературного процесса, сколько тем, чтобы себя показать, третьи вообще творили по принципу Полевого, который он не постеснялся изложить в беседе с Иваном Ивановичем Панаевым.

— Я вот должен хвалить романы какого-нибудь Штевена, — говорил Полевой, — а ведь эти романы галиматья-с.

— Да кто же вас заставляет хвалить их? — удивлялся Панаев.

— Нельзя-с, помилуйте, ведь он частный пристав.

— Что ж такое? Что вам за дело до этого?

— Как что за дело-с! Разбери я его как следует — он, пожалуй, подкинет ко мне в сарай какую-нибудь вещь да и обвинит меня в краже. Меня и поведут по улицам на веревке-с, а ведь я отец семейства!..

Разве вот еще что: если бы мы читали Белинского, то обязательно пришли бы к заключению, что он был писатель увлекающийся, горячий. В статье «Взгляд на русскую литературу 1846 года» собственно о русской литературе 1846 года написано только шестнадцать страниц, а на остальных двадцати семи страницах речь идет о славянофильстве, народности, национальном вопросе, бессмертии, московских князьях, значении художественного творчества Ломоносова, ничтожности «вечного труженика» Тредьяковского, способности русских к приспособлению, «натуральной школе», программе «Современника», соотношении формы и существа. Статья «Горе от ума» написана о гоголевском «Ревизоре».

Горячностью же характера следует объяснить и то, что Белинский был несвободен от ошибок, опрометчивых идей и неправедных увлечений, которые отчасти вытекали из старинной русской болезни не мысль извлекать из жизни, а жизнь подгонять под дорогую, облюбованную мысль; отсюда его монархическая «Бородинская годовщина», подогнанная под Гегеля, из-за которой порядочные люди долго не подавали ему руки (вот какой был простодушный век, идейным противникам руку не подавали), отсюда его убежденность в том, что как художественный мыслитель Клюшников выше Пушкина, отсюда следующее свидетельство: Белинский говорил, будто от «фанфарона» Лермонтова он не слышал ни одного умного или хотя бы дельного слова.

Впрочем, Белинский и в быту был человек чувства. При всем своем добродушии и застенчивости он частенько впадал в крайнее озлобление, если при нем неосторожно порочили демократические принципы, русский народ, святителей нашей литературы, и так горячо атаковал своих оппонентов, что казалось, еще немного — и поколотит. Или взять карты, в которые Белинскому не везло: играя в трехкопеечный преферанс, он проигрывал так, как иные натуры гибнут. Однажды, оставшись без четырех взяток, он до того огорчился, что Тургенев ему сказал:

— Если так убиваться, то уж лучше совсем не играть.

А Белинский в ответ:

— Нет, не утешайте меня, все кончено, я только до этого роббера и жил!

Страстен он был даже в собирании грибов: когда Виссарион Григорьевич отправлялся со свояченицей Аграфеной Васильевной по грибы, то нарочно забегал далеко вперед и, увидя какой-нибудь подберезовик, буквально падал на него, «громогласно заявляя свои права». Как-то его приятель переводчик Андрей Кронеберг был обманут издателем Краевским, который выпустил книжкой «Королеву Марго» и не заплатил переводчику ни копейки. Кронеберг, запасшись соответствующим томом свода законов, явился к Краевскому и вытребовал гонорар. Когда потом он рассказал об этой победе Белинскому, тот протянул ему трость, встал на колени и попросил:

— Андрей Иванович, голубчик, поучите меня, дурака!

Его литературная известность началась с того, что салоне Владимира Одоевского он упал со стула; все стали спрашивать хозяина: «Кто это у вас мебель ломает? Одоевский отвечал: «Как же, это Белинский, критик блестящее дарование. Дайте срок — он еще нам всем поприжмет хвосты».

Такая была интересная эпоха, что прошло совсем не много времени, и в России не осталось культурного человека, который Белинского не читал,— его знали даже прасолы, приказчики и раскольники из крестьян. Правда, в конце концов за гробом «вечного Виссариона» на Волково кладбище тронулось только человек двадцать, включая случайных любителей похорон.

Умер Белинский в мае 1848 года, прожив только тридцать семь лет, из которых, по крайней мере, пять лет он мучительно угасал. По замечанию Кавелина, «угасал он очень кстати» — дело было накануне европейских революций сорок восьмого года, которые повлекли за собой превентивный террор против литературы. Хотя еще прежде Виссарионом Григорьевичем вплотную заинтересовалось III отделение; кто-то подкинул нецензурный памфлет на императора Николая, и в III отделение стали вызывать литераторов, чтобы путем сличения почерков выйти на критикана. Вызвали и Белинского, но он был уже при смерти и в царскую инквизицию не явился. Естественно, Виссариона Григорьевича этот вызов заинтриговал, и он попытался узнать через одного своего знакомого, инквизитора, зачем его вызывают. Знакомый слукавил: он ответил, что просто-напросто с ним желает познакомиться Леонтий Васильевич Дубельт, «отец русской литературы».

Вскоре Белинский умер. Без него прошумела Крымская война, рухнуло крепостное право, пришла и ушла целая плеяда гигантов художественного слова, разразились три революции, неузнаваемо изменилась русская жизнь — вот только все теми же остались проблемы литературы, поскольку у нас не только читатели, но и писатели Белинского не читают.

А впрочем, может быть, это и к лучшему, что писатели Белинского не читают, потому как в противном случае у «вечного Виссариона» завелась бы тьма посмертных недоброжелателей и врагов.

...Жалеем об одном; зачем столь блестящее
дарование окружено обстоятельствами самыми неблагоприятными?..

«Московский телеграф» за 1830 год

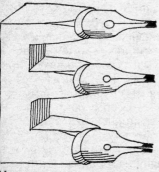

сли перейти Москву-реку по
Устьинскому мосту и, миновав начало Большой Ордын-
ки, повернуть в бывшую Малую Ордынку, то вскоре по
левую руку увидится небольшой двухэтажный дом той
добродушной архитектуры, которую подмывает назвать
«губернское рококо». Здесь 31 марта (12 апреля по новому стилю) 1823 года родился Александр Николаевич
Островский — великий русский драматург, «Колумб Замоскворечья», основоположник отечественного реали-
стического театра.

Культурное значение этого имени всем хорошо известно, но, видимо, оттого, что в школьные годы мы зна-
комились с Островским главным образом по статьям
Добролюбова, а впоследствии — по телевизионным по-
становкам, мало кто из нас знает Островского-человека.
Между тем судьба драматурга таит в себе немногим
меньше открытий, чем его творения, во всяком случае, в
той области человеческих отношений, которые с легкой
руки Пушкина в прошлом веке именовались отношения-
ми «поэта и толпы». Островский предпочел более демо-
кратическую терминологию — «таланты и поклонники».

История мировой культуры, между прочим, показы-
вает одно печальное правило: биографии почти всех великих художников — это своеобразный перечень всевозможных несчастий, от тяжелых недугов и нищеты до не-
признания современниками и остракизма. Разумеется, в

213

каждом отдельном случае причины несчастий были свои, но если попытаться привести их к общему знаменателю, то окажется, что никакие внешние обстоятельства не причиняли столько зла лучшим представителям рода человеческого, как некий загадочный антагонизм между талантами и поклонниками, который в свое время подвигнул В. Кюхельбекера написать: «Горька судьба поэтов всех племен», но который, надо признать, нигде не принимал таких безобразных форм, как у нас в России.

Судьба Александра Николаевича Островского не исключение из этого печального правила. Он не отличался особой оппозиционностью взглядов, и, кроме слов, сказанных по поводу убийства шефа жандармов Мезенцева: «Так ему и надо», история не сохранила нам других примеров его политического радикализма. На его долю не выпали те тяжкие испытания, через какие, например, прошел Достоевский, которого водили к расстрелу, Чернышевский и Писарев, которые сидели в Петропавловской крепости, наконец, Герцен, который был обречен на пожизненное изгнание. И тем не менее у Островского были веские основания писать: «В моем положении не только работать, но и жить тяжело».

По правде говоря, эти слова не вяжутся с благодушным обликом великого драматурга, сложившимся под влиянием, во-первых, известного портрета Перова,— обликом широколицего человека, которого застали в поношенном домашнем халате, и потому встречающего нас застенчиво-детской полуулыбкой; во-вторых, под влиянием воспоминаний современников, рисующих добродушного русака, большого любителя резьбы по дереву и рыбной ловли, курящего жуковский табак в черешневой трубке, слегка заикающегося, то и дело вставляющего свое любимое словцо: «Невозможно!» — милого, домашнего, чадолюбивого, жизнерадостного человека. И на тебе — «В моем положении не только работать, но и жить тяжело»!..

Кажется, ничто вначале этого итогового признания не предвещало. Александр Николаевич родился в благополучной мещанской семье, его мать была дочерью пономаря, отец — сыном священника, частным поверенным, по-нашему, адвокатом. На юридическом поприще Островский-отец приобрел солидное состояние и дослужился до чинов четвертого класса, которые давали потомственное дворянство, и, в то время как Александру

Николаевичу шел семнадцатый год, фамилия Островских была вписана в родословную книгу Московской губернии. Его гимназические годы также не предвещали тревожного будущего, напротив: он поступил сразу в третий класс 1-й московской гимназии, показав на приемных экзаменах недюжинные способности. Затем следует учеба на юридическом факультете Московского университета и служба в качестве чиновника Совестного суда. На это время падают его первые литературные опыты, но как о замечательном драматическом писателе Москва знала о нем несколько позже, когда он перевелся в Коммерческий суд, где ему определили четыре рубля жалованья и дали первый табельный чин — коллежского регистратора; 14 февраля 1847 года на квартире профессора Московского университета Шевырева он читал свою пьесу «Картины семейного счастья». Этот день Александр Николаевич считал первым днем своей творческой жизни.

«Он начал необыкновенно...» — писал о нем Тургенев, и, действительно, его первое же крупное произведение «Свои люди — сочтемся» произвело магическое впечатление на читающую публику, было поднято ею до высоты лучших образцов европейской драматургии. Однако блестящее начало литературного пути было и началом его мытарств.

Едва разошлась книжка «Москвитянина», в которой были напечатаны «Свои люди — сочтемся», как московские купцы, впоследствии, сколько это ни удивительно, преданнейшие поклонники таланта Островского, обратились к генерал-губернатору Закревскому с жалобой на то, что «автор пустил мораль на целое сословие». Последовали санкции: император Николай I лично запретил пьесу к постановке; генерал-адъютант Назимов, попечитель Московского учебного округа, вызвал молодого автора к себе и сделал ему внушение; наконец, Островский был отдан под негласный надзор полиции, вследствие чего его вынудили уйти из Коммерческого суда, как бы мы теперь выразились, по собственному желанию. Есть слух, что будто бы по этому поводу критиком Уруовым, кстати удачно окрестившим место действия многих пьес Островского «замоскворецкой Азией», были сказаны следующие сакраментальные слова: «Любишь кататься, люби и саночки возить», которые ядовито намекали на то, что право творить сопряжено у нас со многими тягостными обязанностями.

Блестящее начало не имело соответствующего продолжения. Собственно, тогдашняя критика и салонная
молва восторженно приняли только первую пьесу Островского, все последующие они более или менее единодушно принимали в штыки. При этом критические отзывы были очень разнообразны. Поэт Щербина писал о
Островском: «Трибун невежества и пьянства адвокат»;
композитор Верстовский, тогдашний управляющий московскими театрами, горевал, что по милости автор
«Своих людей» «сцена провоняла овчинными полушубками и смазными сапогами»; Боборыкин, самый плодовитый писатель в истории русской литературы, если н
брать в расчет еще более плодовитого Василия Ивановича Немировича-Данченко, утверждал, что Островски
«попал в сценические писатели по колоссальному недоразумению»; критик Авсеенко называл Островског
«губителем русской сцены». Кстати, весьма показатель
но для критики этого сорта, что особенно шумным на
падкам со стороны прессы обеих столиц подверглос
«Доходное место», одна из наиболее драматургическ
совершенных пьес Островского того времени, котору
тем не менее называли и «низменной», и «бестолковой»
и прямо указывающей на «окончательный упадок та
ланта». Но это еще полбеды, поскольку Островского пре
следовали критики того дикого племени, которые в сво
время ставили «Ивана Выжигина» выше «Евгения Оне
гина» и утверждали, что Гоголь — плохой писател
Настоящая беда заключалась в том, что Островског
далеко не всегда понимали те, чьи имена составляю
гордость и славу русской литературы. Тот же Тургене
прочил его таланту неминуемое угасание, Достоевски
писал о нем: «Мне кажется, он поэт без идеала», и н
один критик дикого племени не подвергал его творени
таким разносам, как Писарев с Чернышевским. К при
меру, обширная статья Писарева «Мотивы русской дра
мы» имела ту отправную точку, что Катерина из знаме
нитой «Грозы» отнюдь не «луч света в темном царстве»
как на том настаивал Добролюбов, а просто неумная
взбалмошная женщина. В свою очередь, Чернышевски
писал о пьесе «Бедность — не порок», что «новая коме
дия г. Островского слаба до невероятности». Немудрено
что среди прочих до нас дошло и такое признание Алек
сандра Николаевича: «Если бы не Добролюбов, то хот
бросай перо...»

А между тем общественное мнение, вопреки все

216

претензиям и нападкам, уже признало Островского первым драматическим писателем России. Таким образом, сложилась довольно странная ситуация: с одной стороны, говорили, что имя Островского «так же популярно в Москве, как имя папы — в Риме», пьесы Островского неизменно приносили полный кассовый сбор, а купцы, еще вчера изображавшие оскорбление, нынче до драк конфликтовали со студентами, требовавшими «изящного» на подмостках, и это как раз понятно; но, с другой стороны, газетная критика норовила распушить буквально каждое новое произведение Островского, литераторы второго и всех последующих эшелонов их попросту отрицали, а великие снисходительно принимали или снисходительно не принимали — вот это уже загадочно, другого слова не подберешь... Ну, с газетной критикой, положим, не так загадочно, что касается второстепенных писателей, то их позицию можно объяснить тем, что «средний» читатель вообще восприимчивее «среднего» писателя, великие же оказывали снисхождение, видимо, потому, что им близка только такая литература, которая написана в ключе, обеспечившем им величие,— недаром Гоголь журил Тургенева, Тургенев — Островского, Островский — Толстого, а уж Толстой — почти всех, включая Шекспира.

Наконец, о неблаговолении поклонников из высших слоев общества: вряд ли его можно объяснить общим демократическим направлением таланта Островского, как это делают некоторые преподаватели литературы; в этом же направлении творили многие драматурги, бичевавшие нравы «темного царства», включая его уездные филиалы. Например, о самодурах писал Матинский, о борцах за правду — Дружинин, о взяточниках — Соллогуб, о попранной добродетели — Плавильщиков, и все благоденствовали...

Наверное, точнее будет сказать, что в случае с Островским демократическое направление было подхвачено настолько мощным и ни на что не похожим талантом, что его творения в лучшем случае закономерно недопонимали, а в худшем случае вовсе не понимали. В сущности, это даже естественно, как пятница после четверга, поскольку Островский открыл фактически новый художественный материк — недаром его прозвали «Колумбом Замоскворечья». В его сочинениях все было так неожиданно, незнакомо, так беспримерно умно, что, напротив, было бы странно, если бы вещи Островского принимались по первому предъявлению. Тем более что он, по сути дела, был первым «чистым» драматургом России, приближавшимся по культурному значению своего творчества к Достоевскому и Толстому; но если этих имелись свои блестящие предшественники, подготовившие почву, указавшие направление, то Островский был для русского театра тем, чем Пушкин был для поэзии, а, возможно, в еще большей степени для прозы — то есть началом.

Островский фактически основал отечественный театр, наполнил волковскую форму неисчерпаемым содержанием, которое задало высокую народную ноту всему нашему сценическому искусству. С его легкой руки задолго до Станиславского на подмостках появились герои, проводившие сверхзадачу: она состояла отнюдь не в том, чтобы показать жизнь как она есть, чем главным образом и занимались драматурги кроткого дарования, а в том, чтобы указать, что есть жизнь, человек, а что — прямое надругательство над жизнью и человеком. В этом смысле пьесы Островского совершенно затмили российские варианты пошлостей Пиксерекура и Коцебу, а также беззубо-сатирические и бестолково-демократические опусы современников.

Наконец, к прямо-таки громадной заслуге Александра Николаевича Островского перед отечественной драматургией следует отнести создание качественно нового образа — образа сложного, противоречивого, угловатого человека, то есть собственно человека. Русский драматический герой был прежде либо одномерен — уж если дурак, то по всем статьям дурак, либо состоял из двух уравновешенных половин, например: проходимец, но шутник и вообще славный малый; или тиран, но в силу служебного положения; или же взяточник, но борзыми щенками. И только в пьесах Островского появляются фигуры, которые действуют, подчиняясь не условиям игры, а условиям жизни в ее художественном преломлении, как, скажем, Сергей Сергеевич Паратов из «Бесприданницы», Паратов-аристократ, Паратов-хитрец, Паратов-бретер, Паратов-негодяй, Паратов — несчастный человек, Паратов-жертва...

Разумеется, для своего времени все это было настолько ново, что художественная суть драматургии Островского ускользала даже от искушенных умов. Например, Н. Я. Соловьев, соавтор Островского по многим произведениям, упорно не понимал идею «Дикарки», которую они создавали вместе, так что Александру Николаевичу даже пришлось изложить ее в специальном письме.

Притесняем он был еще в силу той странной особенности отношений между талантами и поклонниками, которая заставляла «поклонников» находить в каждом отдельном несчастье, выведенном в художественном произведении, в каждой отдельной незадавшейся жизни, в каждой отдельной социальной беде личное оскорбление. Но и это закономерно: великий талант — необъяснимая сила, которая способна воспроизводить жизнь в ее наготе, для присных всяческих общественных суеверий страшнее какой бы то ни было политической оппозиции. Вот почему в те времена «поклонники» благоволили к посредственным драматургам, а Островскому норовили всячески подкузьмить. Скажем, пустили по Москве слух, будто Островский пьет горькую и живет с простой деревенской бабой, которая им помыкает; слух оказался таким настойчивым, что знаменитый цензор А. В. Никитенко, лично познакомившись с Островским, был искренне изумлен, открыв, что Александр Николаевич — это совсем не то, что о нем рассказывают. После написания пьесы «Свои люди — сочтемся» газеты обвинили Островского в том, что он украл ее у актера Горева. В то время как на изготовление декораций для пьесы Аверкиева «Смерть Мессалины» было ассигновано 4 тысячи рублей, для пьесы «Правда хорошо, а счастье лучше» не нашлось средств, чтобы построить несчастную садовую беседку, и ее на собственные деньги вынужден был заказать бенефициант Музиль. Репертуарное начальство при всяком удобном случае снимало пьесы Островского, всегда обеспечивавшие аншлаг, и ставило какие-нибудь диковинные «Петербургские когти». Наконец, Островский был одним из самых низкооплачиваемых драматургов своего времени.

Тут мы подошли, пожалуй, к самому больному месту в жизни нашего великого сценического писателя: в материальном отношении Александр Николаевич был необеспеченным человеком. Это странно, но драматург, как правило работавший в бальзаковском режиме, написавший 47 оригинальных пьес, 7 пьес в соавторстве и переведший 22 драматических произведения с шести языков, бедствовал так, что едва сводил, как говорится, концы с концами. Это обстоятельство в свое время вызвало из-под его пера такие угрюмые строки: «Везде драматическое искусство считается высоким искусством, везде участь талантливого драматического писателя завидна; а у нас известный драматический писатель, с успехом трудившийся всю жизнь, должен чувствовать только позднее и бесплодное раскаянье в том, что в молодости слепо поверил своему призванию и пренебрег другими, более выгодными занятиями,— и выносить укоры совести за то, что бросил детей в жертву нищете...»

Одно время Островский пытался поправить свои денежные дела за счет рациональной эксплуатации поместья Щелыково, которое на паях с братом было куплено у мачехи, баронессы Эмилии Андреевны фон Тессен, но, как и следовало ожидать, его хозяйственная деятельность приносила одни убытки. Причем убытки не только семейному бюджету: в одном из листков чернового варианта «Последней жертвы» после строк: «Тут может быть каждая копейка оплакана, прежде чем она попала в мой сундук, а там любовник...» следует: «Взято 20 ф. муки, 5 ф. соли, 1 м овса».

В конце концов Островский вынужден был просить у правительства ежегодную пенсию в 6 тысяч рублей, которые обеспечили бы ему безбедное существование, но просьба была категорически отклонена. Только вследствие долгих унизительных исканий, и главным образом благодаря протекции брата — человека, не отмеченного особенными талантами, но занимавшего пост министра государственных имуществ, то есть, как бы мы сейчас сказали, «руке», незадолго до смерти Островскому был назначен трехтысячный пенсион. Если прибавить к ним деньги, получаемые от постановки пьес, то общий доход драматурга составит сумму, значительно меньшую жалованья какой-нибудь примадонны. И только в год смерти Островского, когда уже пожилым и тяжелобольным человеком он был назначен на пост начальника репертуара московских театров, его материальное положение худо-бедно стабилизировалось.

Видимо, в силу той забубенной логики, по которой деньги тянутся к деньгам, а беды к бедам, Островский был не то чтобы счастлив и в личной жизни. Его первая супруга Агафья Ивановна, скончавшаяся на семнадцатом году замужества, родила четырех детей, трое из которых умерли еще в детстве, а старший сын, Алексей, едва дожил до юношеского возраста. Впоследствии Александр Николаевич был влюблен в актрису Любовь Николаевну Никулину-Косицкую, но безответно — она вышла замуж за «миллионщика» Соколова. Второй брак

Островского был внешне благополучным, но к разряду счастливых его, увы, можно отнести только с серьезными оговорками. Марья Васильевна была нежной матерью и преданной женой, но от Александра Николаевича ее все же отделяли 23 года разницы, практические интересы и тот склад характера, о котором приятель Островского, разорившийся купец Федюкин, отзывался снисходительно, но всегда начинал с такой оговорки: «При всей лютости их супруги...» Впрочем, принимая во внимание неколебимое духовное здоровье Островского, отнюдь не странно, что он умел находить в семейственной жизни утешение и покой.

Вот уж что действительно странно, так это следующее... После смерти Александра Николаевича, последовавшей 1(14) июня 1886 года, «поклонники» не угомонились. Мемориальная доска на том самом доме на Малой Ордынке, где он родился, появилась только 22 года спустя после его кончины. Затем дом Островского умудрились временно потерять, и даже в специальной литературе сообщалось, что он якобы был снесен. Первый памятник великому драматургу — тот, что стоит перед Малым театром,— был открыт 43 года спустя. Наконец, скромной лептой обязан Островский и «поклонникам» нашего поколения: в Щелыкове не так давно был построен огромный мемориальный музей, который посещает ежегодно лишь 15—16 тысяч человек; причина тому невероятного, саркастического порядка: шоферы Костромского экскурсионного бюро не любят ездить древним Галицким трактом, по которому, как говорил еще сам Островский, в непогоду ни конному не проехать, ни пешему не пройти. Так что по отношению к костромским дорожникам крылатая фраза Пушкина «они любить умеют только мертвых» в некотором роде незаслуженный комплимент.

И все же, несмотря на сложные отношения Островского с поклонниками его таланта, было бы несправедливо завершить этот рассказ на пессимистической ноте. Что бы там ни было, Александр Николаевич сохраняется в памяти поколений открытым, добродушным, жизнерадостным русаком, именно таким, каким его нам показал Перов и каким его запомнили современники. Собственно, таким он и был, в том-то все и дело, что наш великий драматург был счастливым человеком, потому что он сознавал истинное значение своих творений и с полным правом писал: «По своим врожденным способностям я встал во главе сценического искусства»; потому что, как и всякий мудрец, был согласен с Сенекой в том отношении, что «благ процветания следует желать, благами бед — восхищаться»; потому что настоящий талант — это такая сила, которая способна перемалывать в художественную продукцию даже удары судьбы; потому что радость творческого труда слишком светла, чтобы ее могли помрачить частные неудачи.

УВАЖАЕМЫЙ АНТОН ПАВЛОВИЧ!

Исключая самую зловредную категорию читателей, а именно интеллигента в первом поколении, воспитанного на модном романе, обычно переводном, и еще любителей того рода чтения, о котором Белинский писал, что доставляемое им наслаждение относится, конечно, ко вкусу, но не к эстетическому, а к тому, какой у одних удовлетворяется сигарами, у других — щелканьем орешков,— мы до такой степени пристрастны по отношению к нашим титанам художественного слова, что, как невесты о женихах, хотим знать о них все. Несмотря на нагоняи целомудренных литературоведов, нам почему-то важно понять не только, скажем, Толстого-философа, но и Толстого-аристократа, не только Достоевского-революционера, но и Достоевского-семьянина, не только Чехова-писателя вообще, но и Чехова-человека. То есть не «почему-то» важно понять, а потому, что личность большого писателя развивает и толкует его художественное наследие полнее самых обстоятельных комментариев. Во всяком случае, к несколько прямолинейной античной философии проникаешься особенным уважением после того, как выясняется, что и Сократ, и Гераклит, и Диоген как думали, так и жили; с другой стороны — понятие о писаниях Бэкона и Уайльда значительно обогащено тем, что первый сидел в тюрьме за взяточничество, а второй, как принято говорить, за преступление против нравственности.

Это удивительно, но еще не так давно образ живого Чехова был для меня невообразим, как четвертое измерение, и сколько, бывало, ни силишься представить себе жизнеспособного Антона Павловича, Антона Павловича из плоти, крови, пиджака, туфель, пенсне, в лучшем случае делается не по себе от той мысли, что кто-то мог запросто пихнуть его на улице или сказать: «Ну, ты!..» Объяснялось это, видимо, тем, что в школьном учебнике по литературе было написано: «Личность Чехова поражает сочетанием душевной мягкости, деликатности с мужеством и силой воли», что и сама чеховская проза, и литературоведческая традиция рисовали фигуру нежного меланхолика, благостного полуаскета, вообще личность такой небывалой нравственности, что Книппер называла его человеком будущего, а многие товарищи по перу серьезно утверждали, будто Чехов источает какой-то свет. Мало того, что такая чрезвычайная порядочность убивает воображение, она еще беспокоит, потому что чрезвычайная порядочность в принципе беспокоит; не воспитывает, не подтягивает даже, а именно беспокоит. Мы привыкли к тому, что бывают люди непорядочные и околопорядочные, которые, конечно, не пришлют вам посылкой бомбу, но книгу у вас сопрут. Эта среднеарифметическая нравственность, впрочем, естественна и понятна, так как даже самое счастливое общество несвободно от условностей и предрассудков, заметно колеблющих этические устои, а тут человек, который сорок четыре года прожил в «царстве грабежа и благонамеренности», где личность стояла в цене ниже махорки, во всю свою жизнь не только не совершил ничего такого, чего следовало бы стыдиться, но творил методическое, повсеместное и повсевременное добро: строил на свой счет школы для крестьянских детей, даром лечил, всячески поддерживал начинающих литераторов, собирал средства для голодающих, сложил с себя звание академика, когда Николай II лишил этого звания поднадзорного Горького, на что, кроме Чехова, отважились только два академика — Короленко и математик Марков, наконец, предпринял мучительную поездку на Сахалин, не прибавившую ему ни славы, ни состояния, чтобы ткнуть русское общество носом в трагическое положение каторжан. А как-то Антон Павлович подобрал на улице двенадцатилетнего ярославца, у которого в Москве умерла мать, приехавшая лечиться, снабдил его всем необходимым и отправил к поэту Трефолеву в Ярославль с сопроводительным письмом, содержащим насчет сироты следующее наставление: «Когда к вам явится мальчуган, то вы объявите ему, что вам уже все известно, что у него такие-то и такие-то вещи, что вы имеете громадную власть и что если он продаст или потеряет что-нибудь из одежи или променяет штаны на пряники, то с ним будет поступлено со всей строгостью законов. Так и скажите ему, что если он пропадет, то о нем Бисмарк скажет речь в рейхстаге...» Словом, Чехов более, чем кто-либо из писателей его времени, жил по правилам мыслителей древности, то есть как писал, так и жил, в полном соответствии со своей формулой: «В человеке должно быть все прекрасно: и лицо, и одежда, и душа, и мысли» — жил до такой степени чисто, что если бы он просто описал свою жизнь, то это была бы великая литература. Ну, не к чему придраться! Не находится в его биографии ничего такого, что подсахарило бы боль от собственных слабостей и грехов, и, как было загадано, все стучит, стучит в дверь своим совестным молоточком этот изумительный человек, не поддающийся силам воображения, этот величественный художник, который и жил прекрасно, и писал прекрасно, что, между прочим, большая редкость. И при этом еще имел деликатность не напрашиваться в классные руководители человечеству...

Кажется, у нас не было трагически несчастных писателей, хотя многие из них любили посетовать на судьбу. Чехов тоже не всегда жаловал свою жизнь, а между тем первый же его рассказ был принят и напечатан, никогда он не знал особой нужды, еще при жизни был признан великим, дружил с лучшими людьми своего времени, любил красавиц и был любим красавицами, видел рай — Цейлон и ад в образе Сахалина, наконец, его, как нарочно, всю жизнь окружала художественная проза, выделяемая порами обыкновенного бытия, так сказать, в чистом виде литература — просто выдумывать ничего не надо, примечай и пиши. Конечно, может быть, это свойство писательского глаза — различать в самых будничных обстоятельствах художественное зерно, а может быть, это именно свойство российской жизни — окружать писателя чистой литературой, однако как бы там ни было Чехова постоянно сопровождали по жизни его герои. Он жил бок о бок с «человеком в футляре», ездил на вскрытие с ионычами, чаевничал с симпатичными артиллерийскими офицерами, лечил чудных девушек из обедневших дворянских гнезд и бывал на вечеринках у попрыгуний. Он даже умер художественно, литературно: за несколько минут до кончины выпил бокал шампанского, сказал по-немецки «я умираю», хотя по-немецки почти вовсе не говорил, повернулся на правый бок и скончался; в эту минуту пугающе выстрелила пробку початая бутылка шампанского, а в окно влетела страшно большая панбархатная ночная бабочка и начала биться о стекло, панически шелестя.

И доставили его из Баденвейлера домой в вагоне для перевозки остендских устриц и похоронили на Новодевичьем рядом с Ольгой Кукаретниковой, вдовой кубанского казака, наверное, «печенега»...

Что уж совсем неясно, так это то, что до сих пор мы недостаточно понимаем писателя Чехова, хотя это — самый понятный «туз» из всех «тузов литературной колоды», как выражался Писарев. Это недопонимание имеет давнюю историю: когда еще критики были так простодушны, что писали от первого лица множественного числа, когда одним из самых читаемых сочинителей был Игнатий Потапенко, Боборыкин считался живым классиком, а самым перспективным литературным направлением полагалось оголтело-народническое, девизом которого были плещеевские строки «Вперед, без страха и сомнения», когда Толстой методически раскачивал трон Романовых-Голштейн-Готторпских и Щедрин смешно глумился над всероссийскими дураками,— критик Михайловский писал о Чехове: «Я не знаю зрелища печальнее, чем этот даром пропадающий талант». Критика того времени вообще делала Антону Павловичу регулярные выговоры за то, что он не был социален в том ракурсе, в каком это было принято у литераторов демократического склада, но кроткого дарования, которые даже табуретку умели описать с уклоном в славянофильство и средствами прокламации, что он-де не поднимал больные общественные вопросы и не давал портретов земских безобразников, фрондирующих курсисток, жертв полицейского произвола, а писал вообще о человеке со всем, что ему довлеет. Современному читателю эти претензии, наверное, покажутся дикими, поскольку с нынешней точки зрения требовать от Чехова того, что от него требовали сторонники остросоциального лубка, так же нелепо, как требовать от микроскопа приспособленности к заколачиванию гвоздей. Сейчас для нас очевидно то, что около ста лет тому назад было недоступно даже серьезной критике: более всего социальна, то есть общественно насущна, такая художественная литература, которая более всего художественна; сейчас это очевидно уже потому, что целые поколения обличителей давно и заслуженно позабыты, что любитель острых общественных вопросов Дружинин остался в истории нашей словесности только как основатель Литературного фонда, Лукин — только как изобретатель прилагательного «щепетильный», а «жреца беспринципного писания» Чехова народное сознание безошибочно возвело на соответствующий пьедестал.

Собственно, причина недоразумений между Чеховым и критиками Чехова состояла в том, что они по-разному понимали художественность литературы, точнее будет сказать — ее сущность и назначение. Критики простодушно толковали ее как средство от общественных неустройств, хотя Герцен и наставлял, что литература — это редко лекарство, но всегда — боль, а Чехов принимал ее так, как, кроме него, принимали еще только два-три писателя,— говоря грубо и приблизительно, в качестве средства духовного просвещения человека и, стало быть, средства воспитания такой естественной жизни, которая была бы свободна от общественных неустройств, ибо все в человеке — и следствия и причины. Другими словами, Чехов отлично понимал, что литература — инструмент чрезвычайно тонкий и предназначенный не для удаления бородавок, а для операции на душе; что успех этой операции обеспечивает только высочайшее художественное мастерство, ибо по-настоящему созидательно и по-настоящему разрушительно только то, что захватывает и чарует. Действительно, можно целый рулон бумаги исписать обличительной фразой: «Николай Кровавый, Николай Кровавый, Николай Кровавый...» — однако этот рулон вряд ли будет иметь такую возмутительную, разоблачающую силу, как коротенький портрет императора Николая II, принадлежащий чеховскому перу: «Про него неверно говорят, что он больной, глупый, злой. Он просто обыкновенный гвардейский офицер. Я его видел в Крыму...» Значит, все же социально в ли-

227

тературе то, что художественно, и, возможно, Чехов — один из самых социальных писателей своего времени, который всеми силами дарования долбил в одну болевую точку, связанную нервными токами с тем отдаленным будущим, когда каждый из нас поймет, что другого выхода нет, что в человеке должно быть все прекрасно: и лицо, и одежда, и душа, и мысли; позже мы формулировали эту задачу иначе, но сущность ее нисколько не изменилась. Может быть, Чехов даже не просто социальный, а в определенном смысле революционный писатель, в том смысле, в каком революционны все титаны художественного слова. Другое дело, что сам он это вряд ли сознавал и даже...— с душевным раскаяньем вписываю это наречие — наивно считал себя художником вне партий, как это следует из его письма к поэту Плещееву: «Я боюсь тех, кто между строк ищет тенденцию и кто хочет видеть меня непременно либералом или консерватором. Я не либерал, не консерватор, не постепеновец, не монах, не индифферентист. Я хотел бы быть свободным художником...»

Вообще современный читатель намного толковее причеховской критики, но зато в большинстве он держится того мнения, что проза Чехова сильно пессимистична, что в литературе он печальный насмешник, «певец сумеречных настроений» и сторонник камерной философии. Между тем Чехов есть писатель большого личностного и социального оптимизма, особенно чувствительного в его драматических произведениях, а в рассказах и повестях малоприметного потому, что чеховская проза напоена любовью к русской жизни и русскому человеку не в ракурсе глагола «любить», а в ракурсе глагола «жалеть», которым для обозначения любви пользовалось тогда 99 процентов российского населения. С другой стороны, оптимизм Чехова — это вовсе не оптимизм уровня «завтра, бог даст, спички подешевеют»; это чувство будущего, свойственное человеку, которого по весне запах навоза не мучает, а бодрит. Как повсюду в прозе Толстого стоит высокое небо, так повсюду сквозь чеховскую прозу видится волнующе-отрадная даль, и даже в одном из самых унылых его рассказов, «Свирели», светится любовь к человеку, такая вера в него, такая надежда на благообразную перспективу, что апокалиптическая беседа Мелитона Шишкина с Лукой Бедным, кажется, несет в себе больше оптимизма, чем иная производственная эпопея.

Чехов многое закрыл в жанре рассказа, как закрывают математические разделы. Дочеховский рассказ был отчасти этнографической картинкой, «смесью пейзажа с жанром», тем, что равномерно могло быть и отрывком и заготовкой, то есть разделом литературы без строго определенных законов формы и содержания. Возможно, Чехов внес в развитие жанра не так уж много, но это «не так уж много» стало решающей конструктивной деталью, которая, собственно, и определила архитектуру рассказа, как ботаническая линия — стиль модерн. Чехов выработал то, что впоследствии Томас Манн назвал «продуктивной точкой», такой поворотный пункт, в котором количество повествования чудесным образом превращается в качество откровения. Происходит это примерно так: один человек, задумавший собрать миллион почтовых марок, в один прекрасный день собрал-таки этот миллион, выложил марками пол своей комнаты, лег на них...— «продуктивная точка» — и застрелился.

Все, что после Чехова делалось в области рассказа, обогащало жанр только декоративно или за счет оригинального наполнения, и вот уже сколько времени, как вопреки библейской мудрости молодому вину не претят старые мехи...

Опять о писателе-человеке, уж больно притягательна эта тема.

Воспоминания о Чехове его современников, как это ни странно, рисуют довольно путаную картину: Потапенко утверждал, будто у Чехова никогда не было друзей, на что, впрочем, память подсказывает приличное возражение из Островского: «Как же ты хочешь, чтоб он разговаривал, коли у него миллионы!»; Измайлов вспоминает, что Чехов был необязательным человеком, так как однажды он не поехал через всю Москву лечить его горничную от мигрени; кто-то называл Антона Павловича трусом, кто-то гордецом, поскольку из-за дефекта зрения ему ловчее было смотреть, высоко вскинув голову, кто-то обличал его мещанские предрассудки в связи с тем, что, например, он не сразу решился жениться на актрисе, которые по тем временам третировались наравне с содержанками, а сестру Марию Павловну не пустил работать к Суворину в «Новое время» со словами: «Ты служить у него не будешь — такова моя воля». Но в том-то все и дело, что скоро становится ясно: все эти претензии набраны с бору по сосенке из той же растерянности перед исключительной нравственностью, которая способна ввести в искушение даже самое доброжелательное лицо и которая неприятно смущает тем, что уж больно она прочна. Последнему обстоятельству можно подобрать только одно объяснение: чеховская нравственность — это нравственность выработанная, нажитая, а она глубже и принципиальнее привитой. Ведь Антон Павлович вышел, что называется, из народа: отец его был крепостной, только в зрелые года записавшийся в купцы третьей гильдии, и, следовательно, понадобилась какая-то отчаянная внутренняя работа, чтобы в конце концов вышло то, что вышло из обыкновенного мальчика, который родился в сквалыжном городе Таганроге, на Полицейской улице, в доме Гнутова, мальчика, которого секли за корку хлеба, скормленную собаке, заставляли петь на клиросе и торговать в лавке колониальных товаров, который по два года сидел в третьем и пятом классах, был воспитан на чинопочитании, любил обедать у богатых родственников и поил скипидаром кошек. Сейчас даже трудно вообразить себе объем этой внутренней работы, в результате которой явился человек, до такой степени светлый, что единственно вооруженным глазом увидишь, что это был все же живой человек, а не ходячий памятник самому себе, человек из плоти, страдавшей как минимум двумя неизлечимыми недугами, из тщательно вычищенного пиджака, стоптанных туфель и пенсне на синей тесемке, оставляющем на переносице пятнышки, похожие на укус. Неловко в этом сознаваться, но легче становится на душе, когда выясняется, что Чехов не умел тратить деньги и вечно сетовал на то, что «денег меньше, чем стихотворного таланта»; что он, как многие смертные, умел ценить женскую красоту, изящную одежду, вкусную еду, удобные рессорные экипажи, но не так, как волокита, щеголь, гуляка, привереда, гурман, а как культурный человек, который уважает жизнь и прекрасное во всех его проявлениях; что он не всегда удачно острил, был неисправимый мечтатель, то планирующий поездку в Австралию, то проектирующий дворец-санаторий для сельских учителей с музыкальными инструментами и лекциями по метеорологии, обожал потолковать о том, какова будет жизнь через пятьсот лет; что на пирушках он симпатичным баском певал тропари, кондаки и пасхальные ирмосы, а в Монте-Карло с карандашом в руках искал тайну рулетки; что под рассказом «Гусев» он для шика велел проставить — Коломбо, хотя рассказ был написан в Москве; что он очень боялся смерти и в тяжелую минуту мог пожаловаться на жизнь: «Длинные, глупые разговоры, гости, просители, рублевые, двух- и трехрублевые подачки, траты на извозчиков ради больных, не дающих мне ни гроша,— одним словом, такой кавардак, что хоть из дому беги. Берут у меня взаймы и не отдают, книги тащат, временем моим не дорожат... Не хватает только несчастной любви». И вот что интересно: этот Чехов уже не смущает, а как бы дает понять, что он просто продолжает художественную работу счастливой своей жизни, счастливым своим характером, необидно наставляя потомков в том, что порядочный человек может выйти из любого теста, что безупречная нравственность — это вовсе не обременительно, а, напротив, выгодно и легко.

Нелепая, но пленительная мечта: будто бы Чехов по-прежнему живет в своей Ялте, читает, пишет «в стол» и копается у себя в саду, сквозь усы посмеиваясь над «собачьей комедией нашей литературы». И вот в минуту жестокой нелюбви к самому себе, в минуту смятения, когда дороже жизни возможность высказаться перед всепонимающим человеком, ты берешь лист чистой бумаги, ручку — и выводишь: «Уважаемый Антон Павлович!..»

Возможно, литература не имеет особого прикладного значения и ее дидактическая отдача очень невелика, но почему-то кажется, насколько меньше пролито крови и совершено несправедливостей, насколько больше сделано добра, насколько любовнее мы по отношению к нашей земле и друг к другу из-за того, что над русской жизнью затеплен неугасимый огонек — Чехов.

ВСЕМ ПРАВДАМ ПРАВДА

звестная особенность нашей культурной жизни заключается в том, что писательские биографии имеют у нас серьезное филологическое значение, потому что наши колдуны в области художественного слова жили литературно, то есть, так сказать, дополнительно и разъяснительно к тому, что они писали. И даже когда они жили отчасти наперекор, то все равно их наперекорные биографические обстоятельства очень даже ключик к пониманию их творений. Что же касается Исаака Эммануиловича Бабеля, то он писатель еще и несколько призабытый, и поэтому остановиться на его жизни вовсе не дань традиции жанра, а прямая необходимость.

Бабель родился в 1894 году в губернском городе Одессе, весело известной своими космополитическими кабачками, критической плотностью рыцарей ножа и отмычки на квадратный километр Молдаванки, французской топонимикой, памятником герцогу Ришелье и уютными двориками, в которых идиш мешается с нежным украинским говорком. Дед Исаака Эммануиловича был расстриженным раввином и отчаянным атеистом, а отец держал лавку сельскохозяйственного инвентаря; впрочем, торговля шла у него через пень-колоду, и он главным образом посиживал в дверях своей лавочки, держа на руках любимого кота по кличке Иегудиил. Образование Бабель получил, как бы мы сейчас сказали, экономическое: он окончил Одесское коммерческое училище имени императора Николая I, а затем поступил в Киевский коммерческий институт, но тут разразилась империалистическая война, и все пошло прахом. В шестнадцатом году Бабель был уже в Петрограде, где и началась его писательская карьера: в горьковской «Летописи» он опубликовал два рассказа под псевдонимом Баб-Эль и был привлечен к уголовной ответственности за порнографию, а также «за кощунство и покушение на ниспровержение существующего строя». Затем лира его примолкла, так как жизнь и история затребовали свое: он воевал на Румынском фронте против австро-германских войск, на Северном против Юденича и на Юго-Западном против белополяков, работал в «чрезвычайке», репортерствовал в Тифлисе и Петрограде, то есть «1600 постов и должностей переменил, кем только не был», как он писал в письме к одному своему товарищу. Однако и в мирное время он жил достаточно суетно, как говорится, на чемоданах, хотя по природе был любитель покоя и домосед: скажем, сегодня он еще покуривает сигару в богемной кофейне Иванова и Шмарова на Невском проспекте, а через пару дней уже заседает в кабинете у Бетала Калмыкова в Кабарде; он ездил по конным заводам, бывал на великих стройках двадцатых и тридцатых годов, живал во Франции, Бельгии и Италии, снимал у черта на куличках «Бежин луг» с Сергеем Эйзенштейном и, даже пребывая в Москве, то и дело сновал между домом и своей звенигородской избушкой или совершал многочасовые прогулки по кольцу московских застав.

Из прочих кардинальных пунктов бабелевской биографии нужно упомянуть следующие: Бабель был делегатом 1-го съезда советских писателей и Всемирного форума писателей в защиту культуры; он был трижды женат и имел троих детей — старшая Наталья живет в Вашингтоне, средний Михаил — московский художник, младшая Лидия — архитектор; 15 мая 1939 года Бабель был арестован у себя на даче в Переделкине, через несколько месяцев приговорен к десяти годам лишения свободы без права переписки, и вскоре погиб — где и когда именно он окончил свои дни, это покрыли «сороковые роковые».

Внешность его тем была необыкновенна, что для писателя была, пожалуй, слишком обыкновенна: он представлял собой плотного, даже, можно сказать, упитанного человека невысокого роста, с круглой головой, глубоко утопленной в плечи, пухлыми губами и толстым носом, лысоватого, в круглых очках, за которыми как бы светились две лампочки добрых и умных глаз. Было в его внешности, по-видимому, еще и что-то повелительное, внушающее инстинктивное уважение — теща Гронфайн даже называла его по фамилии:

— Бабель,— говорила она за завтраком,— почему вы не кушаете яички?

Вероятно, у всякого крупного дарования есть некая метафизическая сторона, которая пленительно действует на обыкновенного человека, во всяком случае, Бабель пользовался таким магнетическим влиянием, что, например, мог напоить до положения риз в принципе непьющего человека. Кое-кто его попросту опасался: хозяйка из парижского пригорода Нейи, у которой Бабель одно время квартировал, запирала его в комнате по ночам, опасаясь, как бы квартирант ее не зарезал.

Из прочих достопримечательностей его личности: он был добр, как блаженный, и раздавал все, что только можно поднять и унести, включая обстановку своей квартиры, а также вещи, принадлежащие не ему; когда его спрашивали по телефону, а ему необходимо было слукавить, будто его нет дома, он говорил женским голосом, что его нет дома; он был гастроном и чаевник из тех, кто, как говорится, без полотенца не сядет за самовар, причем всегда заваривал чай самолично и со всеми китайскими церемониями; любопытен он был в диковинной степени, к примеру, в Париже присутствовал на заседании палаты депутатов, в Киеве ходил смотреть на голубятника, который застрелил другого голубятника из обреза, наблюдал в жуткий глазок кремацию Багрицкого и одно время, как на службу, каждое утро отправлялся в женскую консультацию на Таганке, где часами выслушивал жалобы женщин на своих любовников и мужей; друзей-приятелей имел тьму, и среди них Ежова, Рыкова, Пятакова, что скорее всего его и сгубило; приехав в какой-нибудь город, он пять тысяч человек оповещал о своем прибытии и всем говорил, что путешествует инкогнито; вдова его, Антонина Николаевна Пирожкова, утверждает, что фундаментальнейшая бабелевская черта — это надежность, он был надежен, как старорежимная кирпичная кладка; он также отчаянный был лошадник и даже помогал печататься графоманам из жокеев Московского ипподрома; он охотно брал издательские авансы и неохотно их возвращал, даже просто не возвращал, если не поспевал представить рукопись к сроку или же если было нечего представлять, и при этом оправдывался, как школьник: «Я не сволочь, напротив, погибаю от честности». И это была чистая правда, потому что Бабель писал трудно и долго, многократно переиначивал текст и ни за что не соглашался отпустить в печать то, что казалось ему недостаточно совершенным. Разумеется, Бабель в конце концов представлял авансированную рукопись, но за продолжительные родовые муки частенько расплачивался тем, что писал насущного хлеба ради неинтересные киносценарии, редактировал статьи для Медицинской энциклопедии или просто служил секретарем сельсовета в Звенигородском районе.

Как он писал: как он писал — не видел никто. Известно только, что писал он чернильным карандашом на узких полосках бумаги, и когда обдумывал рассказ, то ходил по комнате из угла в угол, запутывая и распутывая какую-нибудь веревочку. Работал он очень много и тем не менее производил впечатление человека, который не работает вообще. Когда бы ни зашел посетитель в деревянный двухэтажный особнячок на Покровке, в Большом Николо-Воробинском переулке, который снесли двадцать два года тому назад, Бабель беззаботно вводил его в комнаты, сажал, положим, на кованый сундук, где, по слухам, хранил свои рукописи, заказывал для чаепития кипяток и начинал балагурить:

— Гляди, какая страшненькая уродилась,— положим, говорил он, показывая гостю свою крохотную дочь.— Зато замуж не отдадим, на старости лет будет отцу утешение.

Или вспоминал свою одесскую молодость и на весь дом кричал голосом популярной торговки с 10-й станции Большого Фонтана:

— Вы окончательно сказились, молодой человек? Или что?

Но литературное наследие его не обширно: за двадцать четыре года работы он написал два тома рассказов, несколько статей, киносценариев и пьесы — «Закат» и «Мария», причем последняя так и не была поставлена на театре. Вообще судьбу его творений благоприятной не назовешь: многие его рукописи бесследно исчезли, включая наброски романа о коллективизации, часть рассказов, опубликованных в периодике двадцатых годов, не вошла ни в один из его сборников, наконец, «Конармия» в последние десятилетия издавалась крайне редко, можно сказать, через не хочу, да еще и с купюрами: рассказ «У батьки нашего Махно» почему-то исключался из книги с тридцать второго года. В этом смысле Бабель своего рода веха в истории нашей литературы, потому что он был, пожалуй, первым блестящим писателем, которого после смерти начали последовательно забывать и скоро позабыли до такой степени, что два поколения советских читателей слыхом не слыхивали, кто такой Исаак Бабель.

На все это были свои причины. Главнейшая из них заключается в том, что Бабель являл собой талант слишком крупный, чтобы его сочинениям слишком благоприятствовала судьба. Ведь первыми же своими рассказами из военного быта Конармии в пору польской кампании двадцатого года, которые стали завязью будущей книги, он продемонстрировал возможности еще неслыханные в нашей литературе, дар настолько яркий и оригинальный, что ему трудно подобрать ровню в недавнем прошлом и настоящем. Может быть, сказать так будет слишком смело, но хочется сказать так: он открыл совершенно новый стиль прозы... а впрочем, не совсем чтобы прозы и не то чтобы совсем новый; стиль этот обозначил еще Тургенев, когда написал «Последний день июля; на тысячи верст кругом Россия...» — стихотворения в прозе, но именно обозначил, поскольку, похоже на то, не предъявил нового литературного качества, а просто сочинил выспренние адресы орловской деревне, свежей розе, русскому языку. А Бабель предъявил; его конармейские рассказы суть именно стихотворения в прозе, только что записанные не столбиком, а в строку, именно поэзия как образ восприятия мира, как алгоритм преображения жизни в литературу. Впрочем, точнее будет сказать, что Бабель работал на грани поэзии и прозы, на том пределе, где исчерпываются чисто повествовательные возможности языка и начинается то, так сказать, сердцевещание, которое мы называем поэзией, на том рубеже, где еще работают решения типа «гости съезжались на дачу», но уже и решения типа «неуютная жидкая лунность» вступают в свои права. Ну что это, если не соединительная линия, фигурально выражаясь, земли и неба литературы: «И, пробивши третий звонок, поезд тронулся. И славная ночка раскинулась шатром. И в том шатре были звезды-каганцы. И бойцы вспоминали кубанскую ночь и зеленую кубанскую звезду. И думка пролетела, как птица. А колеса тарахтят, тарахтят...»

236

Или: «— Развиднялось, слава богу,— сказал он, вытащил из-под сундучка револьвер и выстрелил над ухом дьякона. Тот сидел прямо перед ним и правил лошадьми. Над громадой лысеющего его черепа летал легкий серый волос. Акинфиев выстрелил еще раз над другим ухом и спрятал револьвер в кобуру.

— С добрым утром, Ваня,— сказал он дьякону, кряхтя и обуваясь.— Снедать будем, что ли?»

Этого у нас не умел больше никто, и даже такая сила, как Борис Пастернак, который, положим, в случае с «Детством Люверс» просто перевел поэму о девочке с поэтического на прозу, и даже такая сила, как Андрей Белый, который, положим, в случае с «Петербургом» переложил сновидение на верлибр.

Видимо, бывают ситуации и времена, требующие из ряду вон выходящих художественных решений, поддающиеся только такому таланту, который какими-то своими нервными точками совершенно совпадает с нервными точками бытия. Надо полагать, именно таковым и оказался бабелевский талант, вылившийся в «Конармию», ибо никакая другая книга о гражданской войне не поведала о той эпохе так широко и проникновенно, не вылущила правду единую и неделимую, как душа.

Ведь правда правде рознь. И «Сорок первый» Бориса Лавренева есть правда о гражданской войне, и «Железный поток» Александра Серафимовича тоже правда, но это скорее правда жизни, нежели правда литературы, и оттого правда скучная, как диагноз. А все почему? Да потому, что истина критической концентрации, как говорится, истинная правда, не подвластна только мастерству, гражданственности, человеческой порядочности, желанию и тенденции, даже дарованию, а подвластна только высокому таланту, всегда вооруженному всевидением и всеслышанием, а эти качества подразумевают некую высоту, некую неземную, что ли, позицию, с которой открывается соответствующий обзор. Для Бабеля этой высотой был его поэтический взгляд на мир, который откликался на грозные события и дела по-детски чисто и непосредственно, который по-детски же не умел что-то замечать, а что-то не замечать. Тут уж кому что дано: кто-то смотрит на мир, как на единство и борьбу противоположностей, а Бабель еще и «как на луг в мае, как на луг, по которому ходят женщины и кони», для кого-то конармеец исключительно красный герой, а для Бабеля еще и «барахольство, удальство, профессионализм, революционность, звериная жестокость». И ведь почему «Война и мир» — это великая литература, а наша проза о Великой Отечественной войне, во всяком случае, не великая литература? В частности, потому, что наши прозаики исходят преимущественно из единства «человек и война», что, может быть, истинно с точки зрения войны, а Толстой исходил еще и из противоречия «человек и война», что, видимо, все-таки истиннее с точки зрения человека. Короче говоря, только всевидящее око большого таланта способно углядеть все ответвления правды и сфокусировать их в художественную действительность, каковая может быть даже более действительной, нежели сама действительность, тем, что мы называем — всем правдам правда.

На несчастье, всем правдам правда в той или иной степени ошарашивает, и это так же понятно, как то, что от слишком яркого света у людей побаливают глаза. Всеволод Вишневский на «Конармию» даже написал драматическое опровержение под названием «Первая Конная», а маршал Семен Михайлович Буденный напечатал в журнале «Октябрь» на нее филиппику, которую в предельно концентрированном виде следует привести: «Будучи от природы мелкотравчатым и идеологически чуждым нам... гражданин Бабель рассказывает нам про Конную Армию бабьи сплетни... выдумывает небылицы, обливает грязью лучших командиров-коммунистов... через призму садизма и дегенерации... оплевывает художественной слюной классовой ненависти... фантазирует, просто лжет». Алексей Максимович Горький корректнейшим образом отвечал: «Вы не правы, товарищ Буденный. Вы ошибаетесь»,— и был совершенно прав.

Спустя шестьдесят три года даже нам очевидно, что Семен Михайлович заблуждался, что сердиться на художественную действительность так же невозможно, как сердиться на смерть, таблицу Менделеева или Большой Кавказский хребет. Потому что художественная действительность есть продукт взаимодействия действительности и высокого таланта, а высокий талант — инструмент редчайший, беспристрастный, как время, и абсолютно точный, как ватерпас. Верить надо таланту, хотя это, в сущности, и колдовское свойство души делать искусство из ничего, хотя это и белая магия превращения объективной реальности в драгоценность. Но верить не так, как мы верим в приметы, а так, как мы верим в материю, которую тоже не попробуешь на зубок.

СОДЕРЖАНИЕ

Вячеслав Алексеевич Пьецух

ВЕСЕЛЫЕ ВРЕМЕНА

Р а с с к а з ы

Заведующая редакцией
Л. Сурова

Редактор
М. Холмогоров

Художник
С. Тюнин

Художественный редактор
И. Сайко

Технические редакторы
Г. Шитоева,
Л. Беседина

Корректоры
Н. Кузнецова,
Е. Коротаева

ИБ № 4029

Сдано в набор 30.11.87. Подписа-
но к печати 19.02.88. Л52017.
Формат 84×108¹/₃₂. Бумага типо-
графская № 2. Гарнитура «Литературная». Печать высокая. Усл.
печ. л. 12,60. Усл. кр.-отт. 12,81.
Уч.-изд. л. 12,54. Тираж 50 000 экз.
Заказ 3351. Цена 85 коп.
Ордена Трудового Красного Зна-
мени издательство «Московский
рабочий», 101854, ГСП, Москва,
Центр, Чистопрудный бульвар, 8.
Ордена Ленина типография «Красный пролетарий», 103473, Москва,
И-473, Краснопролетарская, 16.